D1589577

Françoise van Rossum-Guyon

Critique du roman

Essai sur « La Modification »
de Michel Butor

Gallimard

A mes parents,
A Johan.

INTRODUCTION

Ce livre propose une *Critique du roman*. Cette critique se fonde, essentiellement, sur l'analyse d'un roman, *La Modification* de Michel Butor. Pourquoi, dans ce cas, critique du roman et non critique d'un roman? Parce que cette analyse prend appui sur une « poétique », soit un ensemble de concepts relatifs au roman en tant que type particulier de discours littéraire. Parce que cette analyse, soumettant à l'épreuve d'un texte romanesque certains de ces concepts, prétend en éprouver la validité. Parce que, dans la mesure où cette poétique concerne le roman comme tel, une critique qui s'appuie sur elle dans l'examen d'une œuvre singulière devrait pouvoir être applicable également à d'autres œuvres.

Cet *essai* sur *La Modification* est, très précisément, un essai : une tentative visant à dégager le sens d'une œuvre, de cette œuvre, à partir d'une analyse de ses modes de fonctionnement. Nous voudrions que cet essai puisse être considéré aussi comme une expérience, vérifiant ou infirmant certaines hypothèses relatives au récit romanesque, et comme une démonstration (partielle et provisoire), illustrant l'efficacité d'une certaine démarche critique.

Quelles sont ces hypothèses? En quoi consiste notre démarche? Pourquoi *La Modification?*

Commençons d'abord par répondre à ces questions.

« Le romancier sait maintenant qu'il travaille sur les mots non sur les choses : le roman apporte une vision du monde et de l'homme, répond aux problèmes d'un temps... Mais le romancier ne peut éclairer le monde qu'en se dégageant de lui et en le composant selon d'autres lois. Si le but du romancier est de transmettre une vision qui concerne l'homme et le monde où il vit, il ne reçoit cette vision ni de l'écoute des voix intérieures ni de la contemplation des choses réelles, il la conquiert en créant un langage [1]. »

On reconnaîtra sans peine que ces affirmations de Gaëtan Picon caractérisent admirablement le « style de la nouvelle littérature ». On sait que le roman, dans ses développements les plus récents, vise d'abord non pas à représenter une réalité extérieure à l'œuvre ni à exprimer une expérience intime, mais à mettre à nu les pouvoirs de l'écriture comme travail sur le langage.

« Si j'écris, déclare un romancier contemporain, c'est pour inventer un autre monde, un monde second qui équilibre le monde visible, disons le monde de l'expérience, et dans cette perspective, les problèmes d'expression et de réalisme m'apparaissent maintenant, peut-être pas secondaires mais accessoires... Si... un roman non seulement peut, mais doit se "vérifier" sur plusieurs scènes, sur plusieurs niveaux "réalistes" — individuel, social, géographique, historique —, ce n'est pas là, certes, conditions suffisantes, c'est probablement une condition nécessaire, mais l'essentiel est devenu l'invention du livre... et, de ce fait, tous les problèmes initiaux se trouvent déplacés [2]. » On vient de citer Claude Ollier, mais l'on aurait pu, aussi bien, invoquer Claude Simon, Robbe-Grillet ou Jean Ricardou. Suivant la bonne formule de ce dernier, l'entreprise romanesque aujourd'hui se définit moins comme l'écriture d'une aventure que comme l'aventure d'une écriture [3]. Ainsi que l'expose Dresden, le monde de mots est devenu le sujet et l'objet de l'écriture. « Le roman se dirige vers lui-même, vers ses propres possibilités et celles que la langue lui offre [4]. »

Si les affirmations de Gaëtan Picon font figure d'évi-

1. G. Picon, *Le Style de la nouvelle littérature*, p. 212.
2. C. Ollier, « Débat sur le roman », *Tel Quel*, n° 17, p. 22.
3. J. Ricardou, *Problèmes du Nouveau Roman*, p. 111.
4. S. Dresden, *Wereld in Woorden*, p. 124-125.

dences lorsqu'il s'agit du roman moderne [1], elles paraissent même suffisamment nuancées pour s'appliquer à tous les grands romans. Depuis que Henry James, Proust, Virginia Woolf, Kafka, James Joyce ont réalisé des œuvres concertées et liées dans leurs moindres détails, qui ne correspondent au réel que dans la mesure où elles se dégagent de lui et dans lesquelles s'expose le travail de l'écrivain sur le langage, il est devenu clair que chez Balzac, Stendhal, ou à plus forte raison chez Flaubert, ce sont aussi les structures de l'œuvre qui donnent forme et sens à la vision du réel.

Le temps paraît bien loin où un Caillois et un Sartre croyaient pouvoir affirmer que « le roman est contenu pur » et qu' « il exclut... toute préoccupation formelle [2] », que son but premier étant de « dévoiler le monde », le « style » doit y « passer inaperçu [3] ». L'on comprend mal aujourd'hui que dans un livre sur les « arts de littérature », un esthéticien ait pu déclarer : « Il y a un grand style du roman, celui qui se fait oublier [4]. »

De même que le travail d'un Proust et d'un Joyce nous aide à comprendre celui d'un Balzac et d'un Flaubert, celui des romanciers contemporains nous éclaire sur celui de leurs prédécesseurs. Le roman comme art fait comprendre l'art du roman [5]. Le concept d'écriture, qui englobe

1. G. Picon précise : « Un roman moderne est fondamentalement une œuvre, un cosmos particulier. Ni une image de la réalité, ni le reflet d'une vision intérieure. Construction de structures déterminées, c'est à travers la construction de ces structures que prend forme sa vision du réel. » *Le Style de la nouvelle littérature*, p. 210.
2. R. Caillois, *Puissances du roman*, p. 34. On sait bien que la perspective de Roger Caillois est sociologique. On s'étonne cependant de lire dans cet ouvrage, par ailleurs remarquable, des observations comme celles-ci : « Le roman n'a pas de règles. Tout lui est permis. Aucun art poétique ne le mentionne ni ne lui dicte des lois. Il croît comme une herbe folle sur un terrain vague » (*op. cit.*, p. 33). Ou encore : « On ne conçoit guère l'art sans forme, sans style, sans code. Il n'existe d'œuvre que composée et construite... Mais le roman n'a pas de règles... Son destin n'est pas lié à celui de l'art » (*ibid.*, p. 32).
3. J.-P. Sartre, « Qu'est-ce que la littérature? » *Situations II*, p. 74 et 75.
4. J. Hytier, « L'art du roman », in *Les Arts de littérature*, p. 191.
5. Cette distinction proposée par R. M. Albérès dans son *Histoire du roman moderne* (chap. XII) est commode dans la mesure où elle souligne des « différences d'intention et de perspective : utiliser l'art d'écrire à suggérer le réel, ou utiliser le réel pour inventer au-delà de lui un art d'écrire », p. 240. Il ne faudrait pas cependant, comme le fait Albérès, forcer l'opposition (cf. p. 135 ou 237).

toutes les techniques mises en œuvre dans la construction du récit [1] nous contraint d'élargir considérablement la notion de style [2].

Si les romanciers, par leurs œuvres et leur réflexion critique, nous ont fait prendre conscience du roman comme œuvre d'art littéraire (*Kunstwerk* et *Dichtung*, disent les Allemands), les théoriciens et les critiques de la littérature n'ont pas manqué non plus, depuis plusieurs années déjà, d'approfondir ce thème [3].

Certes, l'opinion d'un Stanzel suivant laquelle « dans l'histoire de la critique littéraire, les cent dernières années se caractérisent comme l'époque de la poétique et de la théorie du roman [4] » peut surprendre un Français et même un Anglais ou un Américain. On sait de reste combien Valéry, le premier sans doute et un des seuls en France (jusqu'il y a peu de temps) [5] à s'intéresser à la « poétique » au sens actuel du mot [6], méprisait le roman [7]. On remarque

1. C'est sans doute depuis le célèbre essai de R. Barthes : *Le Degré zéro de l'écriture*, que le terme d'écriture a pris une telle extension. Cf. par exemple J. Ricardou, *Problèmes du Nouveau Roman*, Ire partie : « L'écriture et ses romans », ou A. Robbe-Grillet, *Pour un Nouveau Roman*.

2. Cf., à ce sujet, Michel Butor, « Le roman comme recherche » et « Intervention à Royaumont », *Répertoire I*.

3. Les travaux de ces théoriciens ont été inspirés, généralement, par les philosophes. En particulier par Ernst Cassirer avec sa *Philosophie der symbolischen Formen*, Berlin, 1923-1931 (dont Suzanne K. Langer, dans *Feeling and Form*, 1942, a appliqué les concepts à l'œuvre d'art littéraire) Roman Ingarden, avec *Das literarische Kunstwerk* (1931) et, naturellement, Husserl. Sur l'influence que les *Logische Untersuchungen* (Halle, 1913-1921) ont pu avoir sur les formalistes russes et en général sur la linguistique et la critique modernes, cf. V. Erlich, *Russian Formalism*, p. 43, 46, 139, 157, 158.

4. F. K. Stanzel, *Typische Formen des Romans*, p. 4.

5. Depuis la publication, en 1966, du numéro 8 de la revue *Communications*, consacré à l' « Analyse structurale du récit », l'intérêt pour la poétique n'a fait, il est vrai, que s'accentuer. En témoignent, au moment où j'écris ces lignes, la page du *Monde*, consacrée à ces problèmes (29 mars 1969). Et tout récemment, l'exposé de T. Todorov sur *La Poétique structurale*, in *Qu'est-ce que le structuralisme?* Seuil, 1968.

6. C'est-à-dire, suivant la définition de Valéry, « tout ce qui a trait à la création ou à la composition d'ouvrages dont le langage est à la fois la substance et le moyen — et point au sens restreint de recueil de règles ou de préceptes esthétiques concernant la poésie ». « De l'enseignement de la poétique au Collège de France », *Variété V*, Paris, Gallimard, 1945, p. 291. Cité par T. Todorov in *Qu'est-ce que le structuralisme?* p. 103.

7. Il n'est pas sans intérêt de rappeler certains des arguments invoqués par Valéry, car ce sont ceux justement que, par leur travail sur le texte,

également que, dans leur *Theory of Literature*, qui date de 1949, René Wellek et Austin Warren commencent le chapitre consacré à la nature et aux modes de la fiction narrative par un exposé des raisons pour lesquelles la théorie littéraire et la critique du roman sont très inférieures en quantité et en qualité à celles de la poésie [1]. On doit reconnaître cependant que de Wolfgang Kayser à Eberhard Lämmert, de Percy Lubbock à Wayne C. Booth, de Jean Pouillon à Georges Blin, des formalistes russes à Roland Barthes, la réflexion théorique et critique sur le roman n'a fait que se préciser (et du même coup d'ailleurs, se différencier et se compliquer).

Il n'entre pas dans notre propos de faire l'historique de cette théorie du roman dont les auteurs que l'on vient de nommer (parmi beaucoup d'autres) sont à des degrés divers et suivant des orientations différentes les promoteurs ou les tenants [2]. Il s'agit seulement de rappeler que,

les romanciers modernes depuis James et Flaubert jusqu'à Robbe-Grillet et Butor, en passant par Joyce et Kafka tendent à invalider. Les romans, écrit Valéry, « exigent ma passivité. Ils prétendent se faire croire sur parole. Ils doivent se garder d'éveiller la faculté d'invention qui, dans le détail, est chez nous tous, au moins égale à celle de l'auteur, et qui pourrait, à chaque instant, s'exercer et se divertir à lui modifier son texte, à faire intervenir l'infini des possibilités de substitutions que tout récit admet sans altération sensible de son thème...

... j'admire les romanciers qui protestent qu'ils vivent leurs personnages. Je suis bien sûr qu'ils disent vrai... mais comment se dissimuler que tout ceci finit sur le papier et que, si intense et intime que soit l'illusion de l'auteur, elle se traduit en paroles, en phrases fixées une fois pour toutes, exposées au regard, aux réactions et aux manœuvres d'un esprit qui peut être actif. » Lettre à Jean Prévost, 16 mai 1943, in *Confluences*, « Problèmes du roman », n⁰ 21-24, juillet-août 1943.

1. R. Wellek et A. Warren, *Theory of Literature*, p. 201 et 202.

2. Se référant à l'ouvrage de Richard Stang, *The Theory of the Novel in England, 1850-1870* (New York, 1959), F. K. Stanzel signale que les problèmes essentiels de la théorie du roman ont été posés en Angleterre, avant même les célèbres interventions de Henry James. *Typische Formen des Romans*, p. 72, n. 4. On pourrait faire la même constatation à propos du roman français. Il suffit pour s'en convaincre de lire H. Coulet, *Le Roman jusqu'à la Révolution*, t. I : *Histoire du roman en France*, et surtout le t. II, anthologie de textes théoriques. Par ailleurs, l'histoire de la théorie moderne du roman inspirée par la phénoménologie, le positivisme logique et la linguistique, est encore à faire. Cette théorie s'est développée parallèlement dans les différents pays. Les influences réciproques sont loin encore d'avoir été systématiquement étudiées. On renverra en attendant à la *Theory of Literature* de R. Wellek et A. Warren, et à l'histoire du Formalisme russe de V. Erlich. Celui-ci consacre son dernier chapitre aux rapports du Formalisme russe et du « New Criticism ».

parallèlement à l'évolution du roman et à la réflexion critique des romanciers, s'est développée, au cours des cinquante dernières années, une science ou théorie de la littérature, qui s'est attachée, entre autres, à déterminer les structures spécifiques et les modes de fonctionnement du récit romanesque.

Ce qui nous importe, c'est de marquer le fait qu'un critique aujourd'hui, soucieux d'examiner une œuvre romanesque en tant qu'œuvre d'art littéraire, s'il est encore loin d'être en mesure de pouvoir remplir intégralement sa tâche, n'en est pas non plus tout à fait incapable. Il ne possède pas tous les instruments d'analyse (linguistiques et logiques en particulier [1]) qui lui seraient nécessaires, mais il n'en est pas non plus tout à fait démuni.

Les ouvrages des théoriciens lui proposent des concepts, des méthodes et des exemples qui, pour être fort différents les uns des autres, n'en ont pas moins en commun de concerner le roman et de le concerner en tant qu'œuvre littéraire.

Les concepts de base et les méthodes proposées par ces auteurs ne se recouvrent pas, loin de là. Ces différences sont souvent de pure terminologie, mais il en est d'autres plus fondamentales qui sont liées à des présupposés théoriques. Nous aurons l'occasion au cours de notre analyse de signaler certaines d'entre elles et d'en chercher les raisons.

Mais s'il s'appuie, dans une certaine mesure, sur une poétique du roman, notre travail est essentiellement critique. Ce qu'il importe donc de préciser, ce sont les relations de cette critique, qui vise à un certain degré de généralité mais qui s'applique à une œuvre particulière, avec ce que l'on appelle, aujourd'hui, la poétique.

---

1. C'est à la mise au point de certains de ces instruments que s'attachent les chercheurs du Centre d'Étude des Communications de Masse dirigé par R. Barthes et de la section sémio-linguistique du Laboratoire d'Anthropologie sociale du Collège de France, dirigé par A. J. Greimas. Disons tout de suite que notre recherche, pour s'être développée parallèlement, n'a guère pu s'inspirer de leurs travaux. Mais, on l'a dit, ce que nous proposons n'est rien de plus qu'un « essai » et ne prétend pas le moins du monde résoudre tous les problèmes posés par l'analyse d'un texte littéraire.

CRITIQUE ET POÉTIQUE

Telle que nous l'envisageons, la critique du roman a en commun avec la poétique de considérer son objet comme une œuvre d'art littéraire. Cela implique que les concepts élaborés par la théorie de la littérature pour cerner et définir la spécificité du littéraire, lui serviront de fils conducteurs. Ainsi les concepts de clôture, d'élaboration, d'intégration, et leurs corollaires : la fonctionnalité des éléments du texte et la polysémie du langage romanesque [1]. Partant de l'hypothèse que le roman est une totalité signifiante [2] ou, plus précisément, un système de signes réciproquement motivés [3], nous nous efforcerons de montrer comment, dans un roman particulier, se réalise cette motivation, comment fonctionne ce système, quelle est sa polysémie.

Les différentes théories du roman proposent d'autre part un certain nombre de concepts plus spécialement adaptés à l'analyse de l'œuvre romanesque comme type particulier de discours littéraire. On peut donner à titre d'exemples les analyses du « point de vue [4] » qui permettent de distinguer l'auteur du narrateur et celui-ci des personnages, de préciser leurs rapports respectifs, et de déterminer la situation du lecteur à leur égard ainsi qu'à celui du « monde » qui lui est présenté. Ou encore les distinctions entre « fable » et « sujet », *story* et *plot*, *erzählte Zeit* et *Erzählzeit*, *Geschichte* et *Fabel*, qui, bien que ne se recou-

1. Nous supposons que les concepts auxquels renvoient ces termes sont connus du lecteur. Nous préciserons, lorsque le besoin s'en fera sentir, le sens des termes que nous utiliserons.

2. On prendra le mot hypothèse au sens quasi mathématique de proposition admise comme donnée d'un problème. Au même titre que la polysémie du texte littéraire, il s'agit en réalité, comme le souligne Northrop Frye, d'un fait bien établi. Cf. *Anatomy of Criticism*, p. 72 et 77.

3. A l'instar du poème, et comme l'a montré Paul Zumthor, de la poésie comme telle, *Langue et techniques poétiques à l'époque romane*, Paris, Klincksiek, p. 195. Un des problèmes, lorsqu'il s'agit du roman, consiste à déterminer la nature particulière de ces « signes », qui ne sont pas seulement les mots.

4. On pense aux analyses de Percy Lubbock, Jean Pouillon, Franz K. Stanzel, Wayne C. Booth, que nous utiliserons dans notre chapitre III.

vrant pas exactement[1], attirent l'attention du critique
sur la conventionnalité du temps romanesque et lui permettent d'analyser les rapports entre la fiction et la narration.

On voit qu'en fournissant à la critique une théorie de
son objet et des instruments d'analyse, la poétique du
roman non seulement établit la nécessité d'une critique
textuelle, mais la rend possible.

Informée par la poétique la critique cependant ne se
confond pas avec elle et n'en est pas, non plus, une
simple illustration. Ces deux approches du même objet
diffèrent en effet aussi bien par leurs buts que par leurs
méthodes. Tandis que la poétique est une science (ou du
moins tend à se constituer comme telle), la critique est une
pratique. Tandis que la première vise le général, la seconde
s'attache au particulier. Ces différences fondamentales ne
sont pas sans importance. Il est nécessaire de préciser leur
nature et leurs effets, ne serait-ce que pour éviter les malentendus[2].

Le but avoué des théoriciens est de constituer une
science, c'est-à-dire un système conceptuel cohérent qui
rende compte des conditions de possibilité du roman
comme tel. Comme toute science, la théorie de la littérature
vise le général : les principes d'explication qu'elle propose
doivent pouvoir être valables pour tous les romans réels
et possibles. Il faut souligner, en outre, le fait qu'elle vise
cette généralité non pas au niveau de l'histoire ou de
l'expérience mais à celui des catégories logiques et linguistiques.

« L'objet de la poétique n'est pas l'œuvre littéraire ni
même la littérature, mais la "littérarité", c'est-à-dire ce
qui fait qu'une œuvre donnée est une œuvre littéraire[3]. »

---

1. Nous aurons justement à les préciser et à les adapter à notre propos.
Cf. chapitre v.
2. Toute approche critique, tant soit peu nouvelle donne lieu à des
polémiques la plupart du temps parfaitement stériles. L'œuvre littéraire
est pourtant un « objet » suffisamment complexe pour être susceptible
d'approches différentes. Chacune d'entre elles, comme l'a fort bien dit
J.-P. Richard de la sienne, ne peut être que « partielle, hypothétique et
provisoire ». *L'Univers imaginaire de Mallarmé*, Paris, Seuil, 1961, p. 37.
3. R. Jakobson, cité par V. Erlich, *Russian Formalism*, p. 146, et par
T. Todorov, *La Poétique structurale*, p. 102.

On peut dire que tous les théoriciens, même lorsqu'ils ne se réfèrent pas explicitement à Jakobson, souscrivent à cette déclaration de principe. On la retrouve d'ailleurs, sous des formes diverses, dans leurs écrits. Comme l'explique par exemple Lämmert, le problème préalable et fondamental n'est pas de décrire les formes concrètes du récit telles qu'elles se manifestent historiquement mais de trouver les « critères selon lesquels une œuvre littéraire peut être reconnue comme œuvre narrative[1]. » « Ce n'est pas l'œuvre littéraire elle-même qui est l'objet de l'activité structurale affirme de son côté un Todorov, ce que celle-ci interroge, ce sont les propriétés de ce discours particulier qu'est le discours littéraire[2]. »

Une des premières tâches qui s'offre au poéticien est alors de « classer » *(ordnen)*[3] les différents récits, et, pour réaliser cette fin, de chercher des principes pertinents de classification. Il s'agit, explique Lämmert, de trouver le dénominateur commun du récit comme tel, c'est-à-dire, ce qui permet de déterminer ses principes les plus généraux[4]. En opposant, d'autre part, la notion de « type » à celle de « genre[5] », Lämmert insiste fortement sur le fondement logique et non pas historique de la typologie qu'il propose. Bien qu'héritière de la poétique des genres *(Gattungspoetik)*[6], la typologie du roman doit nettement se distinguer d'elle : « Les genres sont pour nous des concepts historiques, les types sont des constantes a-historiques, leur élucidation est la tâche de la science de la littérature[7]. »

---

1. E. Lämmert, *Bauformen des Erzählens*, p. 16 et 17.
2. T. Todorov. *La Poétique structurale*, p. 102.
3. Ces mots reviennent à chaque instant, dans les écrits des théoriciens. Ainsi chez E. Lämmert, *Bauformen des Erzählens*, p. 9 et 14, F. K. Stanzel, *Typische Formen des Romans*, p. 8 et 9, R. Barthes, *Introduction à l'analyse structurale des récits*, p. 8 et 9.
4. E. Lämmert, *Bauformen*, p. 17.
5. E. Lämmert, *ibid.*, p. 16.
6. L'introduction à l'ouvrage de Lämmert est intitulée : « Gattungsbegriff und Typusbegriff in der Epik ». L'auteur passe en revue les principales théories développées en Allemagne.
7. E. Lämmert, *op. cit.*, p. 16. Il reproche, par exemple, à R. Petsch, *Wesen und Form der Erzählkunst*, son historisme. Dans son effort pour trouver un principe de classement systématique des formes narratives, R. Petsch se serait laissé influencer par les considérations historiques de la *Gattungspoetik* sur les « formes primitives » du récit. E. Lämmert, *op. cit.*, p. 14.

Les formes narratives que cette « science » doit définir se caractérisent par le fait qu'elles sont susceptibles d'apparaître « dans toutes les œuvres existantes ou pensables [1] ». Il s'agit de formes typiques universelles et intemporelles qui caractérisent et définissent, comme telle, la littérature narrative [2].

F. K. Stanzel est moins radical dans son refus de l'histoire et moins précis dans l'élaboration de ses concepts. Le type n'est pas en effet chez lui clairement distingué du genre. Il n'en reste pas moins qu'il s'agit encore de constituer une typologie, c'est-à-dire un système de classement des romans : « La typologie du roman est un produit des efforts de la théorie et de la critique pour trouver un principe d'organisation *(ordnendes Prinzip)* qui permette de dominer et de décrire la totalité des phénomènes et des formes offerts par le genre [3]. » Ce principe d'organisation et de classement est, là aussi, d'ordre logique. Les formes typiques du roman, telles que Stanzel les envisage et tente de les définir sont, nous dit-il, « des constructions conceptuelles », des « abstractions », qui, à la manière des types idéaux construits par Max Weber pour les phénomènes sociaux, sont destinées à rendre compte « des possibilités du roman ». Ces constructions conceptuelles sont ainsi des « constantes supratemporelles, que l'on ne trouve jamais dans les œuvres réelles [4].

De la même manière, c'est la « structure du récit [5] », autrement dit le dénominateur commun de tous les récits que cherche Roland Barthes et, avec lui, les sémiologues français. La première tâche est également de trouver un « principe qui permette de décrire et classer l'infinité des récits [6] ». Il s'agira, par exemple, de déterminer des unités fonctionnelles que l'on puisse distribuer dans un petit nombre de classes formelles [7]. Or, cette fois encore, ce n'est pas en étudiant « tous les récits d'une époque, d'une société pour ensuite passer à l'esquisse d'un modèle

---

1. E. Lämmert, *Bauformen des Erzählens*, p. 16.
2. *Ibid.*, p. 15 et 16.
3. F. K. Stanzel, *Typische Formen des Romans*, p. 7.
4. *Ibid.*, p. 8.
5. R. Barthes, *Introduction à l'analyse structurale des récits*, p. 2.
6. *Ibid.*, p. 2.
7. *Ibid.*, p. 6, 7 et 8.

général [1] », que l'on pourra, selon Barthes, trouver ce principe fondamental de classement. La poétique (comme la linguistique, qui lui sert à la fois de fondement et de modèle) est, selon lui, « condamnée à une procédure déductive : elle est obligée de concevoir d'abord un modèle hypothétique de description... et de descendre peu à peu à partir de ce modèle vers les espèces qui à la fois y participent et s'en écartent : c'est seulement au niveau de ces conformités et de ces écarts qu'elle retrouvera, munie d'un instrument unique de description, la pluralité des récits, leur diversité historique, géographique, culturelle [2]. »

Ces quelques citations suffisent à mettre en évidence deux caractéristiques essentielles de la poétique du roman : la visée du général et l'abstraction logique. Il s'agit de rendre compte de *tous les romans réels et possibles* et d'en rendre compte *à partir de ce qui constitue leurs conditions de possibilité.* Si la poétique est encore une critique, c'est, pourrait-on dire, une « critique transcendantale [3] ».

Certes, la théorie du roman ne peut se passer de la considération des œuvres réelles. Tous les auteurs insistent sur ce point. « Une réflexion théorique sur la poétique qui n'est pas nourrie d'observations sur les œuvres existantes se révèle stérile et inopérante », affirme Todorov [4]. « Il serait désastreux pour la science de la littérature qu'elle construise ses schémas conceptuels sans tenir compte de l'histoire littéraire et de l'interprétation des œuvres. Elle perdrait sur le plan de l'application pratique ce qu'elle gagnerait en logique interne [5] », déclare de son côté Stanzel. De même Lämmert reconnaît la nécessité d'une étude des œuvres concrètes. Mais cette étude, chez les uns et les autres, a pour but essentiel, sinon unique, de contribuer à la construction de la théorie, en lui permettant d'élaborer et de tester ses catégories. C'est pourquoi, après avoir préconisé

1. R. Barthes, *Introduction à l'analyse structurale des récits*, p. 2.
2. *Ibid.*, p. 2.
3. Il est clair d'ailleurs que la grande ombre de Kant n'a pas fini de dominer tout un secteur de la pensée contemporaine.
4. T. Todorov, *La Poétique structurale*, p. 152. « La description, précise-t-il, précède et suit à la fois la poétique : les notions de celle-ci sont forgées suivant les nécessités de l'analyse concrète qui, à son tour, ne peut avancer qu'en utilisant les instruments élaborés par la doctrine. »
5. F. K. Stanzel, *Typische Formen des Romans*, p. 9.

l'analyse des œuvres particulières, Lämmert insiste sur le fait qu'il faut faire totalement abstraction de leurs particularités historiques pour dégager seulement ce qui les caractérise comme œuvres narratives. La comparaison entre des œuvres appartenant à des époques différentes lui apparaît justement comme un exercice fécond, parce que les points communs se révèlent d'autant mieux qu'ils se présentent sous des formes historiques différentes [1]. Pour le poéticien, les formes narratives individuelles ne sont d'ailleurs que des incarnations *(Verkörperung)* de formes typiques atemporelles. Comme le dit clairement Todorov : « Toute œuvre n'est considérée que comme la manifestation d'une structure abstraite beaucoup plus générale dont elle n'est qu'une des réalisations possibles [2]. »

L'œuvre particulière ne sera donc pour le théoricien qu'un prétexte : soit un moyen d'éprouver la validité de ses concepts et le cas échéant d'en forger d'autres, soit un exemple destiné à les illustrer [3]. Le fait est déjà net dans les ouvrages de Lämmert, de Stanzel ou de Booth [4]. Mais c'est sans doute Todorov qui, avec son travail sur Laclos, fournit l'exemple le plus net de ces rapports de subordination de l'œuvre concrète à la théorie. La description des *Liaisons dangereuses* proposée dans *Littérature et signification* n'a, en effet, rien à voir avec une « critique » de ce roman. Elle a « pour seule fin de permettre la discussion des problèmes théoriques de la poétique [5] ».

1. E. Lämmert, *Bauformen des Erzählens*, p. 16 et 17.
2. T. Todorov, *La Poétique structurale*, p. 102, et A. Lämmert, *op. cit.*, p. 17.
3. « Le texte particulier ne sera qu'un exemple qui permet de décrire les propriétés de la littérarité », explique T. Todorov, *op. cit.*, p. 102.
4. A des degrés divers, il est vrai, car les démarches de Booth et de Stanzel, comme celle de Dresden dans *Wereld in Woorden*, sont surtout inductives. Pour Stanzel d'ailleurs, la théorie à son tour doit permettre d'éclairer les œuvres particulières. Cf. *Typische Formen des Romans*, p. 9 et 10.
5. T. Todorov, *Littérature et signification*, p. 9. On peut remarquer que l'essor de la poétique soulève les mêmes problèmes que celui, autrefois, de l'histoire littéraire. On sait qu'à un Renan qui déclarait, « l'étude de l'histoire littéraire est destinée à remplacer en grande partie la lecture directe des œuvres de l'esprit humain », G. Lanson répondait : « Pour la littérature comme pour l'art, on ne peut éliminer l'œuvre, dépositaire et révélatrice de l'individualité. Si la lecture des textes originaux n'est pas l'illustration perpétuelle et le but dernier de l'histoire littéraire, celle-ci ne procure plus qu'une connaissance stérile et sans valeur. » Cité par S. Doubrovsky, *Pourquoi la nouvelle critique ?* p. 58.

C'est au contraire le texte même, l'œuvre particulière, qui est l'objet sinon unique, du moins premier et essentiel de notre visée. Il s'agira de partir du texte et de revenir au texte pour y découvrir et en révéler, peu à peu, les aspects complémentaires, les niveaux de fonctionnement, les structures et les significations.

Aux prises avec un texte (ou plusieurs, lorsqu'elle aborde l'œuvre entière d'un écrivain), la critique ne peut être qu'empirique et sa démarche est nécessairement inductive. Telle que nous l'entendons, la critique en effet est d'abord et avant tout une lecture. Lecture d'une aventure, qui n'est pas seulement celle des personnages, mais aussi celle des objets, des idées et des thèmes, ainsi que celle des descriptions, des images et des mots. Lecture d'une aventure qui n'est autre que celle de l'avènement d'un sens par la médiation de formes. Fondée sur la lecture d'une œuvre singulière, la critique diffère donc sensiblement de la poétique. Son objet est moins large mais il est, à certains égards, plus complexe. Essayons de préciser ces deux points.

La poétique nous apprend que chaque roman particulier actualise certaines possibilités du roman en soi. On reconnaîtra en effet que chaque roman offre des modes de présentation ou de construction que l'on peut retrouver sous des formes analogues dans d'autres romans passés ou contemporains. Il n'y a pas de récit sans narrateur, quelle que soit par ailleurs la diversité de ses manifestations, il n'y en a pas non plus qui ne soit successif. Tout roman peut donc être étudié (et doit l'être) sous ces deux aspects.

Mais si chaque roman actualise certaines possibilités, il n'actualise que certaines d'entre elles. Le choix de telle ou telle perspective narrative, par exemple, d'une part exclut les autres, d'autre part entraîne une certaine organisation du temps, une certaine intégration de l'espace, certains modes de présentation des personnages, etc. (C'est d'ailleurs en repérant les exclusions et les corrélations liées aux différentes « situations narratives » qu'un poéticien comme Stanzel définit ses trois grands types de récits.) Limité à un roman particulier, le critique n'a donc affaire qu'à un certain type de combinaison et d'organisation et il n'a pas à parler des autres.

Si chaque roman n'actualise que certaines possibilités du récit, il propose en revanche une combinaison originale, irréductible à tout modèle préalable, que ce dernier soit historique ou logique. Chaque roman en effet est par lui-même une totalité structurée et signifiante. Or, comme le remarque justement Lämmert[1], le théoricien ne peut pas, pour des raisons méthodologiques, tenir compte de cette totalité. Son approche du texte est nécessairement réductrice. Il doit privilégier certains aspects du récit au détriment des autres : logique des actions, comme Brémond ou logique des actants comme Todorov, situations narratives comme Stanzel et Booth, modes de construction comme Lämmert, structures thématiques comme Falk. Il doit en outre, lorsqu'il analyse une œuvre particulière, n'envisager tel aspect du récit que dans ce qu'il a de commun avec un même aspect dans les autres récits. C'est ainsi que Todorov, étudiant les rapports des personnages dans *Les Liaisons dangereuses*, les réduit « à trois seulement : désirer, communiquer et participer[2] », et tâche de montrer comment tous les autres rapports peuvent être « dérivés » de ces « prédicats de base[3] ».

Le critique, au contraire, doit rendre compte, non pas de la totalité du roman, ce qui est impossible puisqu'il faudrait montrer tout ce qui relie ce texte particulier à l'ensemble de la réalité, mais du roman en tant que totalité. C'est parce qu'il forme un tout, un ensemble dont tous les éléments sont intégrés, réciproquement motivés, que chaque roman propose une aventure, c'est-à-dire quelque chose de nouveau. Pour étudier tel roman en tant que totalité, il faudra donc faire converger les concepts proposés par les théories du roman, il faudra également multiplier les modes d'approche. Si d'ailleurs l'œuvre est une totalité structurée, il est probable que ses divers aspects seront complémentaires et hiérarchisés. Le problème que nous aurons à résoudre sera justement de montrer comment.

1. E. Lämmert, *Bauformen des Erzählens*, p. 17.
2. T. Todorov, *Littérature et signification*, p. 58.
3. *Ibid.*, p. 59.

Chaque roman est singulier, en tant que totalité, mais chaque grand roman est singulier, en outre, parce qu'il est une œuvre d'art, c'est-à-dire, très exactement, l'œuvre d'un artiste, de ce qu'on appelait, autrefois, un créateur [1]. Étudier « la création chez Balzac » ou chez Stendhal [2], c'était montrer que l'œuvre de Balzac ou de Stendhal ne se réduisait pas à leurs sources ni à leurs modèles en retraçant le processus d'élaboration et d'invention producteur de l'œuvre. Puisque c'est cette œuvre même comme produit fini que nous considérons, ce n'est pas cette voie que nous suivrons. Mais nous accorderons la plus grande attention à tout ce qui, dans le roman qui nous est proposé, constitue sa « qualité différentielle [3]. »

Au lieu donc de chercher ce que tel roman a de commun avec les autres, nous chercherons à découvrir ce qui en lui singularise ces formes typiques ou traditionnelles, dont les poéticiens et la lecture d'autres romans nous ont signalé l'existence et les caractéristiques.

Lecture d'une aventure, la critique est aussi l'aventure d'une lecture. Attentive à rendre compte de l'œuvre, de ses structures, de son fonctionnement, de son sens, la critique rend compte en même temps de la manière dont cette œuvre particulière se donne à lire. Notre démarche, disions-nous, est empirique et inductive. C'est l'œuvre elle-même, en effet, qui pose les questions, suscite les problèmes, dévoile peu à peu ses secrets. Il n'y a pas, il est vrai, de lecture, et encore moins de critique, naïves. Toute lecture est orientée et toute critique trouve surtout ce qu'elle cherche [4]. Il est bien évident que les présupposés théo-

---

1. Nous disons *autrefois* parce que les écrivains contemporains refusent généralement cette appellation. « Ce qui me gêne dans le mot création, déclare par exemple Butor, c'est qu'il est lié à une illusion soigneusement entretenue, l'illusion de la gratuité de l'œuvre d'art. Et je prends le mot "gratuité" dans tous ses sens. On a l'impression que l'œuvre d'art est quelque chose qui tombe du ciel, quelque chose que l'artiste fait sans effort, sans travail, quelque chose qui naît de rien. » G. Charbonnier, *Entretiens avec Michel Butor*, p. 35 et 36.

2. On pense ici aux travaux d'un Bernard Guyon et d'un Jean Prévost.

3. Au sens où l'entendaient les formalistes russes. Cf. V. Erlich, *Russian Formalism*, p. 203.

4. Comme l'a souligné fort justement Serge Doubrovsky, *Pourquoi la nouvelle critique?* p. 76 et suivantes.

riques dont nous partons et les instruments d'analyse que nous utiliserons, à la fois guideront notre lecture et nous interdiront de découvrir certains aspects du texte que d'autres présupposés et d'autres méthodes auraient pu (et devraient) mettre au jour [1]. Mais nous croyons (ou plutôt nous savons, maintenant que l'expérience est faite) que l'œuvre elle-même, ce roman particulier, *La Modification*, nous forcera à transformer nos concepts, adapter nos instruments, réexaminer nos présupposés.

C'est de cette manière indirecte, mais efficace nous l'espérons, que le roman lui-même, par l'intermédiaire du critique, contribuera partiellement, mais sur des points précis, à l'élaboration de cette poétique du roman, dont l'ambition est de comprendre ce qui se passe réellement quand on lit un roman.

*

Distincte de la poétique par son objet (l'œuvre particulière), par sa méthode (empirique) et par son but (déchiffrer un sens), la critique ne peut pas non plus en adopter tels quels tous les présupposés théoriques.

L'analyse structurale du récit se fonde sur une règle d'immanence. « De même, explique Barthes, que la linguistique s'arrête à la phrase, l'analyse du récit s'arrête au discours : il faut ensuite passer à une autre sémiotique [2] ». Considérer le roman comme une totalité pourvue d'une signification intrinsèque, définir la critique comme la lecture d'une aventure et l'aventure d'une lecture, c'est bien, en un sens, proposer une critique immanente. Par rapport, en effet, à toute approche transcendante, que celle-ci soit génétique, historique, sociologique, psycha-

---

1. Rappelons à ce propos ces remarques de Jean Starobinski : « C'est au contact de mon interrogation que les structures se manifestent et se rendent sensibles, dans un texte depuis longtemps fixé sur les pages du livre. Les divers types de lecture choisissent et prélèvent des structures *préférentielles*. Il n'est pas indifférent que nous interrogions un texte en historiens, en sociologues, en psychologues, en stylisticiens ou en amateurs de beauté pure. Car chacune de ces approches a pour effet de changer la configuration du *tout*, d'appeler un nouveau contexte, de découper d'autres frontières, à l'intérieur desquelles régnera une autre loi de cohérence. » Cité par S. Doubrovsky, *op. cit.*, p. 76.

2. R. Barthes, *Introduction à l'analyse structurale des récits*, p. 22.

nalytique ou même thématique (à la manière d'un Jean-Pierre Richard ou d'un Georges Poulet), notre approche peut être qualifiée d'immanente. C'est, comme on l'a dit, du texte que nous partons et au texte que nous revenons. C'est d'un monde à distance qui doit contenir en lui-même les principes de sa cohérence [1], d'un monde qui « ne se donne que dans et par les formes narratives organisant les énoncés [2] » que nous allons rendre compte. Mais ce monde à distance, ce monde autre, produit par le texte, il faut bien pour que nous puissions y entrer, pour que nous puissions en parler, qu'il soit, d'une manière ou d'une autre, en relation avec le nôtre. Comme le remarque Michel Butor, l'espace (ou le temps) que le roman va déployer devant notre esprit « s'insère dans l'espace réel où il apparaît, où je suis en train de le lire [3] ». Il faut alors se demander s'il est possible d'analyser le fonctionnement de ce monde fictif, sans tenir compte de ces relations, sans rendre compte de cette insertion. Avant de pouvoir entreprendre notre analyse critique, il faut autrement dit nous poser la question préalable des rapports entre la narration et le monde réel [4].

Cette question, en effet, n'est pas de celles que l'on puisse aujourd'hui passer sous silence. Ces rapports ne vont pas de soi et sont envisagés par les uns ou les autres de manière fort différente. Comme monde de mots, le roman ne peut entretenir avec la réalité qu'il décrit et dans laquelle il s'insère, qu'un rapport indirect. Les lois qui le régissent ne peuvent être celles de la perception ou de l'action mais

---

1. « De même, explique Butor, que toute organisation des durées à l'intérieur d'un récit ou d'une composition musicale... ne peut exister que grâce à la suspension du temps habituel dans la lecture ou dans l'écoute, de même toutes les relations spatiales qu'entretiennent les personnages ou les aventures qu'on me raconte ne peuvent m'atteindre que par l'intermédiaire d'une distance que je prends par rapport au lieu qui m'entoure. » « L'espace du roman », in *Répertoire II*, p. 43.

Rappelons que Georges Blin a consacré la plus grande partie du premier chapitre de son livre sur *Stendhal et les problèmes du roman* à l'analyse de ce phénomène.

2. K. Hamburger, « Die epische Fiktion », in *Die Logik der Dichtung*, p. 47.

3. Michel Butor, « L'espace du roman », *Répertoire II*, p. 43.

4. Le monde réel, c'est-à-dire « le monde qui commence au-delà du niveau narrationnel. » Cf. R. Barthes, *Introduction à l'analyse structurale des récits*, p. 22.

sont nécessairement celles du langage ou, plus précisément, celles de l'écriture. Faut-il en déduire avec certains
que non seulement ce qui s'offre dans l'œuvre romanesque
est d'un ordre différent que ce qui se donne dans la réalité
mais qu'il est illégitime d'établir des rapports entre l'œuvre
et la réalité qui lui est extérieure? Dans la mesure où cette
conception, soutenue entre autres par Käte Hamburger
et par Roland Barthes, informe aujourd'hui le travail
critique, il est nécessaire de s'y arrêter un instant. Son
examen devrait nous permettre de préciser un peu
mieux la nature de notre projet et les limites de notre
méthode.

Pour Käte Hamburger, qui étudie les conditions de
possibilité de l'œuvre épique et dramatique à partir de
présupposés linguistiques, l'œuvre romanesque se définit
par son autonomie radicale. Non seulement, dans l'œuvre
épique, l'espace et le temps de l'aventure ne sont pas de
nature « objective », mais « ils n'ont, dit-elle, absolument
rien à faire avec les déterminations spatio-temporelles
de l'écrivain, pas plus qu'avec celles du lecteur... On ne
peut donc, en aucun cas et d'aucune manière, les relier
les uns aux autres [1] ». On pourrait négliger de telles affirmations si elles ne s'inscrivaient dans le cadre d'une théorie
non seulement cohérente mais à beaucoup d'égards fort
éclairante de la fiction épique et, par conséquent, du récit
romanesque. Cette conception d'un espace et d'un temps
épiques absolument autonomes est en effet chez cet auteur
le corollaire de sa conception du sujet épique et de la
fiction narrative en général. La fiction épique se définirait
par le fait même qu'elle exclut le sujet réel du message
et qu'elle inclut en revanche un je fictif. Ce je fictif
n'aurait, lui non plus, « absolument plus rien à faire ni
avec le je de l'écrivain, ni avec celui du lecteur ou du
critique [2] ».

Dans son *Introduction à l'analyse structurale des récits*,

---

1. K. Hamburger, « Die epische Fiktion », in *Die Logik der Dichtung*,
p. 34, n. 6.
2. *Ibid.*, p. 24. Précisons que l'auteur cherche par là à distinguer le
genre épique du genre lyrique dans lequel, au contraire, le « sujet » du
« message » serait le sujet réel. Ce qui est contestable, mais c'est une autre
question.

Roland Barthes soutient des positions analogues. Affirmant lui aussi que « l'auteur (matériel) d'un récit ne peut se confondre en rien avec le narrateur de ce récit [1] », il ajoute : « La fonction du récit n'est pas de représenter... elle est de constituer un spectacle qui nous reste encore très énigmatique, mais qui ne saurait être d'ordre mimétique... Le récit ne fait pas voir, il n'imite pas ; la passion qui peut nous enflammer à la lecture d'un roman n'est pas celle d'une vision (en fait nous ne "voyons" rien), c'est celle du sens, c'est-à-dire d'un ordre supérieur de la relation, qui possède lui aussi ses émotions, ses espoirs, ses menaces, ses triomphes : ce qui se passe dans le récit n'est du point de vue référentiel, réel, à la lettre rien ; ce qui arrive c'est le langage tout seul, l'aventure du langage, dont la venue ne cesse jamais d'être fêtée [2]. »

Le statut du monde romanesque est donc lié, chez l'un et l'autre de ces théoriciens, à celui du narrateur. On peut voir que dans les deux cas, la disparition du sujet réel du message est corrélative de la négation du rapport au monde réel. Encore Käte Hamburger conserve-t-elle, et même affirme avec insistance, la fonction mimétique de la fiction épique tandis que Roland Barthes va jusqu'à la nier.

L'affirmation selon laquelle l'auteur matériel d'un récit ne peut se confondre en rien avec le narrateur de ce récit doit bien sûr être comprise comme une prescription méthodologique : « Les signes du narrateur, précise Barthes, sont immanents au récit et par conséquent parfaitement accessibles à une analyse sémiologique [3]. » Ce dont il s'agit, c'est de « décrire le code à travers lequel le narrateur et le lecteur sont signifiés le long du récit lui-même [4] ». De même, c'est dans le cadre d'une théorie de la connaissance que se justifient les affirmations de Käte Hamburger. Il s'agit pour ces théoriciens de définir la logique interne du récit romanesque afin de le distinguer des autres formes de communication linguistiques : récit historique, lettres,

---

1. R. Barthes, *Introduction à l'analyse structurale des récits*, p. 19.
2. *Ibid.*, p. 25 et 26.
3. *Ibid.*, p. 19.
4. *Ibid.*, p. 19.

reportage, etc. Ces conceptions ont l'utilité de dénoncer les illusions réalistes naïves qui ont longtemps encombré la critique des romans. En faisant de l'écart qui sépare l'œuvre du monde une rupture radicale, le théoricien force le critique à tourner son attention vers ce que l'œuvre dit et seulement vers ce qu'elle dit[1], et, surtout, à tenir compte du fait qu'elle dit quelque chose justement parce qu'elle est une œuvre : une production textuelle.

Ces théories, d'autre part, ouvrent la voie à des analyses portant non pas sur les composantes de ces mondes irréels qui se déploient à la lecture, mais sur leurs conditions de possibilité, qui sont alors recherchées au niveau de l'organisation des signifiants. « Tout comme le linguiste n'a pas à déchiffrer le sens d'une phrase, mais à établir la structure formelle qui permet à ce sens d'être transmis », explique Roland Barthes, le critique « n'a pas à reconstituer le message de l'œuvre mais seulement son système[2] ». Il ne s'agit donc plus, dans cette perspective, « de déchiffrer le sens de l'œuvre étudiée mais de reconstituer les règles et contraintes d'élaboration de ce sens[3] ».

On a indiqué en commençant que le roman lui-même dans ses développements les plus récents ne cherche plus à représenter une réalité extérieure à l'œuvre, mais à mettre à nu les pouvoirs de l'écriture comme travail sur le langage. Il n'y a donc rien d'étonnant à ce que beaucoup de romanciers contemporains reconnaissent en Roland Barthes leur interprète le plus autorisé. Ces conceptions s'inscrivent dans ce « mouvement général de pensée contemporaine, critique et créative qui ne s'occupe plus des rapports du roman à la réalité, mais se demande ce que le roman fait du langage et comment il devient littérature[4] ».

---

1. Ce qui ne signifie pas, bien sûr, que sa signification soit univoque, puisqu'il s'agit au contraire d'être attentif à l'« ambiguïté » de l'œuvre. Nous partageons, sur ce point, les idées d'un Doubrovsky sans adopter toutefois son vocabulaire, trop mentaliste à notre avis, lorsqu'il identifie le sens de l'œuvre avec ce qu'elle « veut dire ». Cf. *Pourquoi la nouvelle critique?* p. 37, et en général le chapitre IV.
2. R. Barthes, « Qu'est-ce que la critique? » *Essais critiques*, p. 256.
3. *Ibid.*, p. 257.
4. S. Dresden, *Wereld in Woorden*, p. 126.

On ne peut cependant sous-estimer les conséquences critiques que peuvent entraîner de telles théories. On a pu voir comment, aux deux instances que l'on pouvait croire essentielles à toute expérience littéraire : le sujet et le monde, se substituait chez un Barthes, « le langage tout seul ». Or si vraiment « ce qui arrive dans le récit c'est *le* langage *tout seul* », on ne voit plus très bien comment l'on peut distinguer les œuvres les unes des autres, ou déterminer les fonctions de ce langage dans un texte particulier. Si, d'autre part, il est illégitime de rattacher le monde de l'œuvre à celui de l'écrivain et à celui du lecteur, on ne voit plus très bien quel intérêt l'on peut encore trouver à la lecture des romans ni comment il est possible de porter sur eux un regard critique.

— Que lis-tu?

— Proust.

Certes, ce « Proust » que je lis n'est pas le Marcel Proust dont parle un Georges Painter, mais c'est quand même l'auteur (et pas seulement le narrateur) d'*A la recherche du temps perdu*. S'il faut soigneusement distinguer l'auteur du narrateur, cela ne veut pas dire que, lors même de la lecture, l'auteur ne compte pas. Il est appréhendé bien sûr, à travers ses masques, mais il n'est pas identifiable à ces derniers. Comme le dit si bien Michel Butor, à propos de ses propres livres, on apprend, dans un roman, « à lire la réalité et l'auteur lui-même...; au bout d'un certain nombre de chapitres, on commence à comprendre quel est le démon qui s'agite derrière ces grilles, quel est l'animal qui est caché dans cette cage; au bout d'une centaine de pages, le lecteur sensible et intelligent a commencé à déchiffrer le langage qui lui permet de prendre à partie l'auteur [1] »...

Il est vrai que nous n'avons pas besoin de connaître l'auteur pour comprendre et aimer son œuvre, puisque, si cela était nécessaire, nous ne pourrions pratiquement pas lire de romans! On peut donc légitimement se passer de tout recours à ce que l'on sait de l'auteur en dehors de l'œuvre pour examiner exclusivement celle-ci. C'est, en principe, et

---

[1]. G. Charbonnier, *Entretiens*, p. 78-79.

pour des raisons strictement méthodologiques [1] ce que nous ferons. Mais sans oublier, bien au contraire, celui qui, dans cette œuvre, par l'intermédiaire du narrateur mais aussi de la totalité du récit, me parle et nous parle vraiment [2].

Mais si l'on peut, à la rigueur, se passer de tout recours à l'auteur réel du récit, on voit mal, en revanche, comment on pourrait se passer de tout recours à ce que l'on sait du monde extérieur au roman. On doit bien, en effet, reconnaître que le roman n'a le « singulier pouvoir de rendre les objets absents [3] » que dans la mesure, justement, où il a le pouvoir de rendre des objets présents. « Lire un roman », comme l'a bien décrit Sartre, c'est « réaliser sur les signes le contact avec un monde irréel ». Un monde dans lequel il y a « des plantes, des animaux, des campagnes, des villes, des hommes : ceux d'abord dont il est question dans le livre, et puis une foule d'autres qui ne sont pas nommés, mais qui sont à l'arrière-plan et qui font l'épaisseur de ce monde..., des êtres concrets [qui] sont les objets de mes pensées [et dont] l'existence irréelle est corrélative des synthèses que j'opère, guidé par les mots [4] ». N'est-ce pas d'abord ce monde irréel qui sollicite l'intérêt du lecteur et par conséquent l'attention du critique? Si donc l'on peut admettre que pour une science de littérature il puisse être légitime, et même nécessaire, de faire abstraction du message pour s'intéresser au système, on voit mal comment le critique, lui, pourrait en faire abstraction,

---

1. C'est-à-dire surtout pour limiter notre champ de recherches. En pratique, nous n'avons pas manqué, lorsque nous l'avons pu, de faire appel à l'auteur, soit en l'interrogeant directement (et je le remercie ici de la générosité avec laquelle il a bien voulu répondre à mes questions) soit en interrogeant ses œuvres critiques et « entretiens » divers. Premier lecteur de son œuvre, l'auteur en est, souvent, le meilleur critique.

2. Georges Blin rappelle justement qu'« une parole naît de l'éclipse d'une formule » et que « pour en répondre, il faut l'entendre comme elle a été donnée : d'homme à homme » (*Leçon inaugurale au Collège de France*, 13 janvier 1966, p. 4). Nous ne pensons pas cependant lui que ce soit « refuser une intimité » que de pénétrer dans l'œuvre « pour des expertises de brocanteur ou d'architecte ». Le romancier lui-même, qu'il s'appelle Balzac, Proust, ou Michel Butor, ne se compare-t-il pas volontiers à un antiquaire (ou un archéologue) ainsi qu'à un bâtisseur de cathédrale? Quoi qu'il en soit, lorque nous parlons d' « objet » à propos de l'œuvre, il s'agit, comme dirait Doubrovsky, d'un « objet-sujet ». *Pourquoi la nouvelle critique?* p. 52-54.

3. Michel Butor, « Le roman et la poésie », *Répertoire II*, p. 8.

4. J.-P. Sartre, *L'Imaginaire*, p. 88.

puisque ce sont des œuvres concrètes qui font l'objet de sa visée et non pas seulement leurs conditions de possibilité ou ce qui permet de les comprendre sous des lois générales. La pratique critique nous paraît donc exiger de revenir à une conception plus naïve ou, tout au moins, moins radicale de l'autonomie de l'œuvre littéraire.

Il faut, en outre, s'interroger sur le sens d'une formule comme « le langage tout seul », lorsqu'il s'agit de romans particuliers. Le roman étant une forme particulière de récit et le récit étant un mode de communication linguistique, c'est au linguiste que nous demanderons d'éclairer notre problème.

Le rapport de la narration avec le monde qui commence au-delà du niveau narrationnel peut être considéré (et c'est ce que fait Barthes) comme un aspect particulier des rapports entre l'écriture et la situation [1]. On sait le rôle joué par la situation dans le phénomène de communication [2]. Comprise comme l'ensemble des faits connus nécessaires à la compréhension de l'énoncé, la situation a une valeur fonctionnelle [3]. Ayant remarqué que l'association

---

1. Il faut entendre par « situation » : « l'ensemble des faits connus par l'émetteur et le récepteur au moment de l'acte sémique (l'acte concret de communication linguistique) indépendamment de celui-ci ». L. J. Prieto, *Principes de noologie*, Mouton et Cie, 1964, p. 36, cité par R. Barthes, *Introduction à l'analyse structurale*, p. 22, et par Georges Mounin, « La notion de situation en linguistique et en poésie ». *Les Temps modernes*, n° 247, 1966, p. 1069.

2. Cf. à ce sujet G. Mounin, *Les Problèmes théoriques de la traduction*. Gallimard, 1963. En particulier la troisième partie, « Lexique et traduction », où l'auteur dénonce ce qu'il appelle le « solipsisme linguistique ».

3. Georges Mounin suggère à ce propos « que le nouveau roman, dans ses techniques linguistiques, pourrait être éclairé sur ses possibilités, et peut-être surtout sur ses limites et ses échecs, à partir de réflexions sur les rapports entre la situation et l'écriture ». Lui-même s'est efforcé d'éclairer d'un jour nouveau les différences, soulignées par des poètes comme Breton et Valéry, entre la prose et la poésie. C'est précisément à la vocation descriptive et mimétique du roman que se sont opposés on le sait, ces auteurs. Le roman est rejeté pour ce qu'il offre de banal et de « circonstanciel », la poésie, définie en revanche par l'intensité et surtout l'originalité du message, se réaliserait comme « une transmission toujours plus fine du vécu individuel dans ce qu'il a de plus individuel ». Analysant les difficultés de communication suscitées par l' « hermétisme » de quelques poèmes, Georges Mounin conclut que tout poème, puisqu'il a été écrit dans une situation, « exprime *d'abord* cette situation et *n'exprime qu'elle*. Par conséquent, ajoute-t-il, la recherche biographique, l'histoire littéraire, l'explication historique-sociologique sont nécessaires : elles sont la chasse forcenée et justifiée, aux situations qui *seules permettront la lecture véritable* ». G. Mounin, « La notion de situation en linguistique et en poésie »,

entre l'énoncé et la situation était parfois nécessaire et
parfois redondante, André Martinet s'est appliqué à l'étude
des énoncés qui se suffisent à eux-mêmes. Il s'est posé, en
particulier, la question du rôle joué par la situation dans
les énoncés écrits. Le fait que, dans le récit, la communication ne s'établit pas entre un locuteur et un auditeur
mais entre un narrateur et un lecteur a pour conséquence
que l'auteur ne peut vérifier, au moment de la communication, si son lecteur possède effectivement l'expérience
qu'il lui suppose : « Tandis qu'un locuteur peut à tout
moment se référer à ce qu'il a en commun *hic et nunc* avec
son auditeur (donc à la situation), l'auteur, lui, n'a rien
en commun avec son lecteur sauf son texte et le fait qu'il
appartient à la même communauté linguistique [1]. » L'auteur
se trouve donc dans la nécessité de « recréer des situations », pour « compenser l'absence de situation » et
pour pouvoir, en particulier, utiliser des mots comme je,
vous, hier, aujourd'hui, ceci, cela, dont le sens varie avec
la situation et qui ne sont compris qu'à partir d'elle.
Ainsi, explique Martinet, « le fait même qu'il ait à recréer
les situations s'il veut utiliser une vaste part du lexique
suggère qu'une part appréciable de son activité est consacrée à des descriptions et des présentations [2] » dont ces
mots sont exclus.

On voit donc que, pour le linguiste, les descriptions et
les présentations ont très précisément pour rôle de recréer,
à l'intérieur du texte, la situation en l'y introduisant sous
forme de contexte linguistique. Les situations extra-lin-
guistiques doivent être comprises dans le texte pour que
celui-ci devienne compréhensible. « Les romanciers, précise
encore Martinet, créent bien des situations dans lesquelles
leurs personnages utilisent avec pertinence des termes

p. 1071. Si nous ne contestons pas l'utilité de ces recherches, nous ne
pensons pas pour autant que « seule » la reconstitution des situations
permette une « lecture véritable », ni même qu'on puisse parler de « la »
lecture véritable. Penser ainsi équivaut à admettre, et c'est d'ailleurs
ce que fait Mounin, la possibilité d'une « lecture univoque d'un texte ».
C'est oublier l'essentiel, c'est-à-dire que l'œuvre ne s'affirme qu'au-delà
de la situation qui l'a rendue possible (ou nécessaire) et qu'elle se réalise
dans un langage essentiellement ambigu, parce que surdéterminé.

1. A. Martinet, *A functional View of Language,* Oxford, Clarendon
Press, 1962. p. 124.
2. A. Martinet, *ibid.,* p. 60.

comme *Je*, *vous*, ou *cette semaine*. Mais ces situations sont des contextes actuels et donc de purs accompagnements linguistiques[1]. » S'effectuant en dehors de toute autre situation que celle de la lecture, la communication romanesque, conclut-il, se « réalise par de purs moyens linguistiques » et doit en ce sens être considérée comme « auto-suffisante [2] ».

Ces analyses d'André Martinet et plus généralement la réflexion sur la notion de situation permettent, on le voit, de mesurer le bien-fondé des théories de Roland Barthes ou de Käte Hamburger. Mais elles permettent aussi de préciser les limites de leur champ d'application. Si en effet le romancier doit recréer des situations c'est justement pour compenser l'absence de situation. S'il lui faut compenser cette absence c'est qu'il n'y a pas de communication sans situation. Or il ne peut « recréer ces situations » qu'en faisant appel à son expérience et en comptant sur celle du lecteur. Comme le disait Merleau-Ponty, « le romancier tient à son lecteur un langage d'initiés : initiés au monde, à l'univers de possibles que détient un corps humain, une vie humaine [3] ».

Si donc « la narration ne peut recevoir son sens que du monde qui la fonde [4] », on ne voit pas comment nous pourrions comprendre l'œuvre et en parler sans faire appel à l'expérience que nous avons du monde qui commence au-delà du niveau narrationnel.

Dans la mesure où affirmer que « ce qui se passe dans le récit n'est, du point de vue référentiel, réel, rien » revient à reconnaître l'écart qui sépare les mots et les choses, nous ne pouvons qu'être d'accord. Mais reconnaître que le romancier « ne dispose que de mots [5] » ne doit pas conduire

1. A. Martinet, *A functional View of Language*, p. 60.
2. *Ibid.*, p. 60.
3. Maurice Merleau-Ponty, *Signes*, Paris, Gallimard, 1960, p. 95.
4. Roland Barthes, *Introduction à l'analyse structurale des récits*, p. 22.
5. Claude Simon dans *Histoire*, Minuit, 1967, exprime admirablement cet écart :
« ... entre le lire dans les livres ou le voir artistiquement représenté dans les musées et le toucher ou recevoir les éclaboussures c'est la même différence qui existe entre voir écrit le mot obus et se retrouver d'un instant à l'autre couché cramponné à la terre et la terre elle-même à la place du ciel et l'air lui-même qui dégringole autour

le critique à méconnaître la fonction dénotative du langage romanesque et à nier toute fonction mimétique à la fiction narrative. Comme l'affirme avec force Michel Butor : « Parler, c'est toujours parler de quelque chose. Dire, c'est toujours dire quelque chose. Nous pouvons étudier le dire en oubliant le quelque chose, en laissant dans l'ombre le quelque chose, mais à partir du moment où nous nous détacherions complètement de ce que dit le langage, alors le langage lui-même disparaîtrait, s'évanouirait complètement. Nous n'aurions absolument plus rien entre les mains [1]. »

Or, étudier le dire en oubliant le quelque chose, c'est ce qu'avaient cru pouvoir faire les premiers formalistes russes, c'est ce que croient pouvoir faire certains critiques contemporains. Victor Chklovski affirmait ainsi, dans sa *Théorie de la prose :* « Le mot sang en poésie n'est pas sanglant... il est une partie d'une figure sonore (par exemple de la rime) ou d'une image [2]. » Eikhenbaum s'efforçait de montrer, dans *Comment est fait le manteau de Gogol,* que le choix des mots par l'auteur et leur rôle dans le récit ne dépend pas de leur signification mais « du système de gestes phoniques constituant la couche compositionnelle [3] » de ce récit. Le même Eikhenbaum expliquait les caractères des héros de Tolstoï à partir des problèmes de langue qui s'étaient posés à l'auteur. De façon analogue, Roman Jakobson voyait dans l'urbanisme des poètes futuristes russes et dans leur culte d'une civilisation machiniste, la justification idéologique d'une révolution dans le vocabulaire poétique : un moyen leur permettant d'introduire des combinaisons nouvelles et non orthodoxes [4].

de toi comme du ciment brisé des morceaux de vitres, et de la boue et de l'herbe à la place de la langue, et soi même éparpillé et mélangé à tellement de fragments de nuages, de cailloux, de feu, de noir, de bruit et de silence qu'à ce moment le mot obus ou le mot explosion n'existe pas plus que le mot terre, ou ciel, ou feu, ce qui fait qu'il n'est pas plus possible de raconter ce genre de choses qu'il n'est possible de les éprouver de nouveau après coup, *et pourtant tu ne disposes que de mots,* alors tout ce que tu peux essayer de faire.. » (p. 152).

1. G. Charbonnier, *Entretiens,* p. 239.

2. V. Erlich, *Russian Formalism,* p. 166 et suivantes.

3. Ce texte d'Eikhenbaum sur Gogol qui date de 1918 est traduit en français. Cf. *Théorie de la littérature. Textes des Formalistes russes,* présentés et traduits par T. Todorov.

4. Cf. à ce sujet V. Erlich, *op. cit.,* p. 167.

De même, aujourd'hui, un Jean Ricardou défend l'idée selon laquelle « loin de se servir de l'écriture pour présenter une vision du monde, la fiction utilise le concept de monde avec ses rouages afin d'obtenir un univers obéissant aux spécifiques lois de l'écriture ». La fiction, précise-t-il, « ne reflète point le monde par l'intermédiaire d'une narration, elle est par un certain usage du monde comme la désignation à revers de sa propre narration. Ainsi dans *A la recherche du temps perdu*, toutes les expériences (madeleine, pavés, etc.) et idéologies (esthétique picturale d'Elstir, psychologie amoureuse de Swann, etc.) proposent une allégorie de la métaphore dont on sait qu'elle est seule capable, selon Proust, de donner une sorte d'éternité au style[1]. » De telles conceptions, de telles tentatives ont l'intérêt de souligner l'importance de ce que les formalistes appelaient le « médium ». En attirant l'attention sur les lois spécifiques de l'écriture, elles forcent aussi le critique à distinguer ce qui dans l'œuvre est nouveauté : « A la réaliste banalisation qui prétend trouver dans le livre le substitut d'un monde installé, l'expression d'un sens préalable, s'oppose ainsi le déchiffrement créateur, tentative faite à partir de la fiction, pour éclaircir cette vertu qui, inventant et agençant les signes, institue le sens même[2]. »

Mais les exemples que l'on vient d'évoquer suggèrent comment, à ne s'intéresser qu'à la façon de dire, l'on peut en venir à négliger le sens. Si l'on en croit Victor Erlich, les formalistes russes, précisément, se sont vite rendu compte du danger que présentait un tel retournement. Ils ont bien vu que s'il n'y a aucun doute que le mot sang produit un effet différent lorsqu'il est utilisé dans un poème et quand nous l'entendons dans la vie réelle, ce n'était pas une raison suffisante pour affirmer que le mot sang en littérature n'ait plus rien de sanglant. « Le mot ordinaire transféré au poème n'est pas purifié de la coloration émotive due aux multiples associations qui s'y sont ajoutées au cours de l'Histoire », mais c'est au contraire le pouvoir du vers que « d'actualiser le signe verbal dans toutes ses

---

1. J. Ricardou, *Problèmes du Nouveau Roman*, p. 25.
2. *Ibid.*, p. 25.

propriétés[1] ». De même ils ont compris que, pour éviter le durcissement de l'éternelle dichotomie entre la «forme» et le «fond», il était nécessaire d'élaborer «une conception plus gestaltiste de l'œuvre littéraire, dans laquelle l'ethos est réintroduit comme élément intégré à la structure de l'œuvre[2] ».

Étudier le dire en oubliant le quelque chose est cependant possible, est sans doute même nécessaire, pour le poéticien. A l'instar du linguiste, c'est un système abstrait d'unités et de règles qu'il cherche à décrire : les lois fondamentales du discours littéraire, au-delà de ses manifestations empiriques. Mais étudier le dire en oubliant le quelque chose est interdit au critique. Parce que c'est impossible, parce que, s'il cherchait à le faire, cela condamnerait son entreprise.

Cela est impossible. Pour initier le lecteur à son langage, l'auteur doit justement lui parler un langage d'initiés. Comme l'exposait Sartre : « Le lecteur auquel s'adresse l'écrivain, n'est ni Micromégas, ni l'ingénu, ni Dieu le Père. Il n'a pas l'ignorance du bon sauvage à qui l'on doit tout expliquer à partir des principes, ce n'est pas un esprit ni une table rase. Il n'a pas l'omniscience d'un ange ou du Père éternel. Je lui dévoile certains aspects de l'univers. Je profite de ce qu'il sait pour tenter de lui apprendre ce qu'il ne sait pas[3]. »

On pourra contester le mot dévoiler qui fait porter l'accent sur « ce monde installé », ce « sens préalable », que l'œuvre littéraire n'aurait qu'à mettre au jour, mais cette formule met l'accent sur les deux aspects de la communi-

---

1. V. Erlich, *Russian Formalism*, p. 168. De même un Sartre, récemment, était obligé de réaffirmer : « J'utilise des mots qui ont eux-mêmes une histoire et un rapport à l'ensemble du langage, rapport qui n'est pas simple et pur, qui n'est pas strictement celui d'une symbolique universelle; des mots qui ont en outre un rapport historique à moi » (*Revue d'esthétique*, 1966, p. 311).

2. D'après Victor Erlich, cette prise de conscience date environ de 1933. R. Jakobson qui en serait un des principaux artisans n'en n'a pas moins tenté, dans son étude sur Pasternak (1937) de « déduire la thématologie de l'écrivain, des propriétés structurales de sa poétique ». Mais il l'a fait en montrant, justement, « les relations organiques entre les différents niveaux de l'œuvre » (*Russian Formalism*, p. 170).

3. J.-P. Sartre, « Qu'est-ce que la littérature? » *Situations II*, p. 118.

cation littéraire dont le critique doit tenir compte : l'aspect de reconnaissance et l'aspect de nouveauté. Certes beaucoup de romanciers se contentent-ils de profiter de ce que nous savons. Les formes apprises, les significations préalables sont mises à profit (si l'on peut dire), sans profit pour personne, ou plutôt au détriment de tous [1]. Mais ceux mêmes pour qui le roman est recherche, ceux mêmes pour qui l' « invention de formes nouvelles » permet seule de « révéler dans la réalité des choses nouvelles, des liaisons nouvelles [2] », sont obligés d'utiliser les formes anciennes, ne serait-ce que pour les briser, et de s'appuyer sur des significations préalables, ne serait-ce que pour les dénoncer.

Il est possible, par exemple, que dans *La Modification* l'intrigue sentimentale, ou ce qui en tient lieu, relève de ces formes anciennes obscurcissantes plutôt que révélantes. Il est possible que le piège tendu par l'auteur pour attirer la confiance de son lecteur et lui apprendre ce qu'il ne sait pas encore fonctionne trop bien. Il faudra en tout cas en tenir compte [3]. Il est certain que le roman n'actualise qu'une partie des significations attachées à Paris ou à Rome, il est probable que l'organisation romanesque fera apparaître des choses nouvelles, des liaisons nouvelles, il faudra en tout cas tenir compte du fait qu'il s'agit bien de Paris et de Rome, et non pas de Madrid ou de Berlin [4].

1. Comme l'a souligné Michel Butor, « Le roman comme recherche », *Répertoire I*, p. 11.
2. *Ibid.*, p. 9.
3. Les deux femmes, par exemple, sont bien des « incarnations symboliques de l'espace » comme l'a dit François Van Laere, *Le Nouveau Roman. Une crise féconde*, p. 14, mais elles ne sont pas que cela.
4. Ce qui d'après Bernard Bray reviendrait au même ! Les raisons qu'il invoque ne sont pas sans intérêt pour ce qui nous occupe. C'est en effet dans une conférence sur *La Notion de structure et le Nouveau Roman* que Bernard Bray s'inscrit en faux contre tel critique qui, dans un compte rendu de *La Modification*, avait loué la sensibilité avec laquelle Butor avait su peindre Rome : « Il a, je pense, singulièrement sous-estimé l'ambition de l'auteur en mettant ainsi en vedette un aspect du roman qui doit évidemment rester secondaire. Les descriptions dans un tel ouvrage ne comptent pas pour elles-mêmes ; elles n'ont d'importance que dans la mesure où elles contribuent à la totalité psychologique du personnage ; il se trouve que dans le cas particulier Rome ou plutôt l'amour de Rome, interférant avec l'amour que le personnage porte à Cécile, sa maîtresse romaine, tient un rôle précis dans la structure du livre. Mais au fond qu'importe Rome et pourquoi pas Madrid ou Berlin ? Le choix de la ville est aussi indifférent que la valeur morale de la décision prise en fin de compte par l'amant de Cécile. Un tel ouvrage se veut structure, ici le

Cela condamnerait son entreprise parce qu' « en travaillant sur la façon de dire, donc à la grammaire, en donnant à ce mot de grammaire le sens le plus général possible d'organisation du langage, [l'auteur] arrive à dire des choses qu' [il] ne disait pas auparavant : [il] va *déployer des possibilités inconnues des mots* et en déployant ces possibilités inconnues, ce sont des *aspects inconnus du monde* qui vont [lui et nous] apparaître[1] ». Ce sont ces aspects inconnus du monde, ces aspects « à la fois nouveaux et retrouvés[2] » que le critique, à son tour, par une réflexion sur la façon de dire, va mettre en lumière.

Si d'ailleurs le romancier sait maintenant qu'il travaille sur les mots et non sur les choses, il sait aussi « que son inspiration ne vient pas d'en dehors du monde, il sait que son inspiration c'est le monde lui-même en train de changer et qu'il n'en est qu'un moment, un fragment situé dans un endroit privilégié, par qui, par où, l'accession des choses à la parole va avoir lieu[3] ».

Si le critique sait aujourd'hui qu'il travaille sur un texte, il sait aussi que ce texte s'insère dans un contexte dont il n'est lui-même qu'un moment, un fragment, par qui, par où le dire de ce texte atteindra « d'autres oreilles que les siennes[4] ».

Partir du texte, s'en tenir au texte, c'est donc s'attacher à privilégier ce que l'œuvre apporte de nouveau par rapport au contexte dans lequel elle s'insère. C'est la considérer sous son aspect d'événement, comme fragment du monde, mais fragment privilégié puisque capable de transformer la représentation que nous nous faisons des choses. Mais cet aspect d'événement, cette nouveauté, nous ne pouvons

faire l'emporte sur le dire, la manière sur la matière ». *La Notion de structure*, p. 58. On voit comment le critique soucieux de déceler des structures en arrive à traiter l'œuvre comme un ensemble de relations qui se maintiennent, se transforment, indépendamment des choses qu'elles relient.

1. G. Charbonnier, *Entretiens*, p. 240.
2. *Ibid.* p. 240.
3. Michel Butor, « Le roman et la poésie », *Répertoire II*, p. 26.
4. « Le poète, tant que telle chose n'avait pas été dite, ne pouvait plus vivre vraiment, ainsi le critique tant que ce dire n'a pas atteint d'autres oreilles que les siennes. » Michel Butor, « Le critique et son public », *Répertoire II*, p. 134.

en prendre conscience et à plus forte raison en rendre compte qu'à partir de ce que nous savons déjà.

Partir du texte, s'en tenir au texte, c'est donc reconnaître que « l'ultime grille d'interprétation c'est toujours le livre en sa spécificité [1], mais c'est chercher comment ce livre même, en donnant un sens nouveau à ce que l'on croyait savoir, apporte une réponse à une situation de notre conscience.

EXPOSÉ DE LA DÉMARCHE

« La prise de conscience du travail romanesque, va... le dévoiler en tant que dévoilant, l'amener à produire ses raisons, développer en lui les éléments qui vont montrer comment il est relié au reste du réel, et en quoi il est éclairant pour ce dernier [2]. »

C'est à cette *prise de conscience du travail romanesque*, destinée à *le dévoiler en tant que dévoilant*, que le critique voudrait participer, à laquelle il voudrait, dans une certaine faible mesure, contribuer.

Comment ? Les pages qui précèdent ont indiqué l'essentiel. Rappelons seulement que notre démarche est à la fois inductive et progressive.

Inductive, elle part d'une lecture qui s'attache, dans chacun des chapitres, à un aspect différent : les éléments vérifiables ou les références à une réalité extérieure, le vraisemblable ou les techniques d'illusion, le point de vue, l'espace et le temps. Empirique, elle se laisse guider par le texte pour poser ses questions. Pour les formuler et pouvoir y répondre, elle utilisera cependant deux moyens : les concepts qui lui sont fournis par la poétique (et la critique) du roman et des comparaisons avec d'autres textes qui présentent, sur les points examinés, des analogies avec *La Modification*. Après avoir permis de formuler le problème en termes généraux, ces concepts seront de

---

1. J. Ricardou, *Problèmes du Nouveau Roman*, p. 26.
2. Michel Butor, « Intervention à Royaumont », *Répertoire I*, p. 271.

nouveau soumis à l'épreuve du texte qui dira s'il est nécessaire ou non de les modifier. De même les comparaisons n'auront pour but que de montrer ce qui différencie *La Modification* de n'importe quel autre roman.

Progressive, notre démarche va du plus extérieur (à l'œuvre) au plus intérieur, du plus général au plus singulier, du mieux connu au moins connu. Nous nous efforcerons ainsi de montrer comment un monde nous est offert, en étudiant les modes de présentation; comment la réalité devient œuvre d'art, en étudiant les modes d'intégration; comment cette œuvre d'art révèle une réalité nouvelle en étudiant les procédés de singularisation.

Cette progression commande à la fois le déroulement des différents chapitres et celui de chacun d'entre eux. Au fur et à mesure que de nouveaux aspects du roman seront mis au jour, leur appartenance réciproque et leur singularité deviendront plus évidentes. L'intervention d'un nouvel aspect, modifiant le point de vue sous lequel étaient apparus les précédents, exigera par conséquent que l'analyse s'effectue, chaque fois, à un niveau [1] différent.

A partir du chapitre III, qui porte sur la perspective narrative, nous aurons passé en revue les modes de présentation et serons en possession de tous les éléments qui permettent d'envisager le roman comme une totalité structurée et particulière. Les deux chapitres suivants mettront en jeu ce qui a été découvert dans les chapitres précédents et seront consacrés aux modes d'intégration de l'espace et du temps. Éclairant, à leur tour, les précédents, ils serviront à préciser, dans sa spécificité, la thématique du roman. Mais les modes de présentation sont déjà des modes d'intégration parce qu'ils sont soumis à des procédés de singularisation. Ainsi les références à une réalité extérieure sont assujetties à un principe de choix, le vraisemblable est produit par des techniques qui sont particulières à ce roman, la perspective narrative est singularisée par

---

1. Ce qu'on appellera, pour plus de commodité, les « niveaux du texte » sont, en réalité, des niveaux d'analyse. Ces niveaux d'analyse sont eux-mêmes fondés sur des niveaux de perception de l'œuvre : réaliste, esthétique, mythique, etc.

l'emploi du monologue intérieur à la deuxième personne. En proposant, pour chaque aspect et à chaque niveau, une analyse de ces procédés de singularisation, la démarche suivie dans chaque chapitre annonce et figure celle de l'ensemble du livre.

POURQUOI « LA MODIFICATION » ?

C'est à notre livre de répondre à cette question. Les pages qui précèdent ne peuvent en effet guère justifier ce choix. *A priori*, n'importe quel roman, à condition d'être assez riche et assez complexe pour se prêter à une analyse détaillée, s'effectuant à plusieurs niveaux, pourrait être l'objet d'une critique telle que nous l'entendons. C'est d'ailleurs, on l'a dit, un des objectifs de ce travail que de montrer, par un exemple, l'efficacité d'une approche comme celle que nous proposons. Des analyses de détail portant sur *Illusions perdues*, *Le Lys dans la vallée*, *La Jalousie* ou *Mon plus secret conseil* indiquent que chacune de ces œuvres aurait pu, elle aussi, servir de banc d'essai à notre critique.

La Modification cependant présentait certains avantages pratiques que l'on peut, rapidement, énumérer.

C'est une œuvre contemporaine. Dans la mesure où nous cherchons à discerner la singularité de l'œuvre cette contemporanéité apparaît comme un avantage. Pour savoir, si un procédé est perceptible ou non il ne faut jamais perdre de vue la perspective historique. Ce qui était nouveau pour un contemporain de Balzac nous apparaît aujourd'hui comme tout à fait traditionnel et bien souvent n'est pas même perçu comme procédé. « Seul le contemporain, remarquait Tomachevski, peut apprécier la perceptibilité de tel ou tel procédé [1]. »

Parmi les romans contemporains, celui de Butor est en outre, de ce point de vue, particulièrement intéressant. Il a été reçu par le public à la fois comme un « nouveau roman » et comme un roman traditionnel. La notion de

---

1. Cf. B. Tomachevski, « Thématique », in *Théorie de la littérature,* p. 299 et 300.

« nouveau roman » n'est pas, comme on l'a dit souvent, une simple invention des critiques, elle correspond bien au sentiment d'un « écart » entre certaines œuvres et certaines normes. Mais, parmi les nouveaux romans, *La Modification* est certainement un de ceux qui respecte le plus les « règles du genre ».

Cette contemporanéité de l'œuvre simplifie, d'autre part, l'analyse en facilitant la compréhension de la « situation » recréée dans le livre. Le système de références de l'auteur est certes infiniment plus large et plus complexe que celui du lecteur moyen (et en particulier que le mien!) [1], mais on peut admettre que notre univers quotidien est historiquement et sociologiquement le même que le sien ou, en tout cas, très proche. Il en est de même pour notre univers mental. Les limites de la compréhension et les erreurs d'interprétation seront donc imputables à l'ignorance ou l'inconscience dans laquelle nous sommes, aujourd'hui, de notre propre situation, et non pas à une ignorance que pourraient compenser des recherches purement érudites.

Mais les vraies raisons ne sont pas là. Si j'ai choisi *La Modification*, c'est que ce livre, lorsque j'ai commencé à le considérer de près, m'a fascinée et que j'ai voulu par ce travail prendre conscience des raisons de cette fascination. « Le critique, dit Georges Blin, est, par excellence, le lecteur qui dépouille l'illusion d'être l'auteur ou le héros, celui qui doit identifier l'empreinte qu'il reçoit [2]. » J'ai voulu identifier cette empreinte.

Le critique, en outre, veut être utile, il veut être entendu, et c'est Butor qui, dans ses propos sur « Le critique et son public », m'éclaire sur une autre raison de mon choix : « De même, dit-il, que le véritable écrivain est celui qui ne peut supporter que l'on parle si peu ou si mal de tel ou tel aspect de la réalité, qui se sent dans l'obligation d'attirer l'attention sur celui-ci, définitivement il l'espère, non qu'il s'imagine le moins du monde qu'après lui il n'y ait plus à en parler, bien au contraire, ce qu'il désire étant

---

1. C'est d'ailleurs là, avouons-le, un des principaux obstacles à la compréhension de l'œuvre. Les allusions ne sont que très partiellement déchiffrées.
2. G. Blin, *Leçon inaugurale*, p. 40.

que l'esprit reste pour toujours alerté; de même le critique le plus utile est celui qui ne peut supporter que l'on parle si peu ou si mal de tel livre, de tel tableau, de telle musique, et l'obligation est aussi durement ressentie dans ce domaine que dans tout autre [1]. »

1. Michel Butor, « Le critique et son public », *Répertoire II*, p. 134. Entre le moment où j'ai entrepris ce travail et celui où je l'ai mené à bien, plusieurs travaux sur l'œuvre de Butor ont vu le jour. Je dois citer en particulier le livre de E. Hönisch, *Das gefangene Ich. Studien zum inneren Monolog in modernen französischen Romanen*, Heidelberg, 1967, dont une partie est consacrée à l'analyse de *La Modification*. Notre propre livre était pratiquement rédigé lorsque nous en avons pris connaissance, nous n'avons donc pu en tenir compte que pour des points de détail.

CHAPITRE PREMIER

LE VÉRIFIABLE

> « *Ce train qui est parti comme il part tous les jours à huit heures dix de Paris-Lyon.* »
> « *Utiliser les images liées à ces noms.* »

I. LE PROBLÈME DU VÉRIFIABLE

1. *Vérifiable et situation.*

« Vous avez mis le pied sur la rainure de cuivre et de votre épaule droite vous essayez en vain de pousser un peu le panneau coulissant. Vous vous introduisez par l'étroite ouverture... » (p. 9).

Ce lieu dans lequel vous entrez, est un compartiment de troisième classe, dans un train français, à destination de l'Italie. Voici en effet la « *porte coulissante* » (p. 12), les banquettes en « *moleskine verte* » (p. 10 et 12), surplombées de filets « *de métal aux trous carrés* » (p. 10), « *le rideau bleu... dans lequel est tissé le sigle S.N.C.F.* » (p. 10), les « *photographies* » (p. 104) sur les parois, le « *cendrier* » (p. 42), « *la veilleuse bleue* » (p. 29), la « *longue plaque de métal vissée sur laquelle s'étale... l'inscription bilingue :* « *Il est dangereux de se pencher au dehors. È pericoloso sporgersi* » (p. 14) et « *cet étroit tapis de métal entre les banquettes, décoré de rayures en losanges* » que bientôt « *vous sentez chauffer* » (p. 19).

Ce compartiment, lisons-nous dans « *l'indicateur Chaix pour la région Sud-Est* » (p. 24), fait partie du « *rapide 609* » (p. 27).

« Ce train, qui est parti comme il part tous les jours à huit heures dix de Paris-Lyon... s'arrêtera à Dijon et en repartira à onze heures dix-huit, il passera à Bourg à treize heures deux, quittera Aix-les-Bains à quatorze heures quarante et une... s'arrêtera vingt-trois minutes à Chambéry pour assurer une correspondance, et au passage de la frontière depuis seize heures vingt-huit jusqu'à dix-sept heures dix-huit pour les formalités... il arrivera à Turin Piazza Nazionale à dix-huit heures vingt-six..., en repartira à vingt heures cinq, quittera la station Piazza Principe à Gênes à vingt-deux heures trente-neuf, atteindra Pise à une heure quinze, et Roma-Termini enfin demain matin à cinq heures quarante-cinq » (p. 27-28).

Mis au courant, dès le départ, de la destination du train, des principales étapes du voyage et de sa durée : « *vingt et une heures trente-cinq* » (p. 28), le lecteur est en outre averti, régulièrement, du passage des gares : *Fontainebleau-Avon, Montereau, Saint-Julien-du-Sault, Joigny, Laroche-Migennes, Laumes-Alésia, Darcey,* par exemple au cours des trois premiers chapitres, tandis qu'à la page 75 « *on aperçoit les premières maisons de Dijon* ».

On lui décrit également les paysages et les choses qu'il rencontrerait s'il effectuait réellement ce trajet. La banlieue parisienne avec ses terrains vagues et ses maisons grises, la forêt de Fontainebleau aux arbres dépouillés de leurs feuilles ; plus loin, plus tard, la Bourgogne, ses vignobles et les tuiles vernissées de ses maisons, le lac du Bourget, les tunnels des Alpes, les lumières sur la montagne, le port de Gênes avec ses bateaux aux hublots illuminés, et enfin, annonciatrice de Rome, « *la grande raffinerie de pétrole avec sa flamme et les ampoules qui décorent, comme des arbres de Noël, ses hautes tours d'aluminium* » (p. 228).

Toutes ces indications se réfèrent à une réalité extérieure au roman. Nous avons connu de tels compartiments ou aurions pu les connaître, nous avons effectué ce trajet ou pourrions le faire. En précisant que son héros utilise « *l'édition du 2 octobre 1955, service d'hiver, valable jusqu'au 2 juin 1956 inclus* » (p. 25) de l'indicateur Chaix, et en nous indiquant qu'il serait possible de trouver « *de plus amples renseignements* » sur ce train aux tableaux 500 et 530 (p. 28), l'auteur dévoile d'ailleurs clairement son procédé [1].

Celui-ci paraît bien proche de ce « réalisme objectif »

---

[1]. Avec les formalistes russes nous entendons par « dénudation du procédé » la mise en évidence par l'auteur, dans l'œuvre même, des principes de construction qui la régissent.

dont on s'accorde à reconnaître qu'il caractérise, en partie, l'art des romanciers réalistes de Balzac à Simenon. Il suffit pour s'en convaincre d'imaginer une édition critique de *La Modification* établie sur le modèle de celles qu'Antoine Adam, Henri Martineau ou Pierre-Georges Castex ont réalisé, par exemple, pour *Illusions perdues, La Chartreuse de Parme* et *Eugénie Grandet* [1]. Le critique butorien, comme le critique balzacien ou stendhalien, retrouverait sans doute les indicateurs et guides utilisés par l'auteur de *La Modification*. A l'instar d'Henri Martineau pour les itinéraires italiens du héros de Stendhal [2] le critique érudit vérifierait l'exactitude des itinéraires empruntés par Léon Delmont au cours de ses fréquentes promenades parisiennes et romaines. Il pourrait nous dire, qu'en effet, en 1955, c'était bien « *l'autobus 69* » (p. 53) qui desservait la ligne Notre-Dame - Palais-Royal, qu'en effet le restaurant *Tre Scalini*, où le héros a coutume de déjeuner avec son amie Cécile, se trouve bien à Rome et bien *piazza Navone*, qu'en effet une image de saint « invisible derrière sa vitre poussiéreuse » (p. 49) surplombe la porte de la maison de Cécile *55 via Monte della Farina*, mais qu'il n'est pas certain en revanche qu'il s'agisse de saint Antoine... Consultant *La Vie du rail*, il pourrait préciser si vraiment les compartiments de troisième classe français avaient droit à une décoration de miroirs et de photographies ou si ces ornements étaient réservés aux compartiments de première. Suivant l'exemple d'Antoine Adam ou Suzanne Jean Bérard pour la ville d'Angoulême dans *Illusions perdues*, il se demanderait si l'auteur est allé à Rome et, le cas échéant, rechercherait les dates et les circonstances de ses séjours, dans l'espoir de découvrir les « raisons » pour lesquelles il a choisi cette ville au lieu de Madrid ou Berlin [3]. Il découvrirait peut-être que l'appartement

---

1. H. de Balzac, *Illusions perdues*, introduction et notes par A. Adam, Classiques Garnier, 1956; — Stendhal, *La Chartreuse de Parme*, introduction et notes par H. Martineau, Classiques Garnier, 1961; — H. de Balzac, *Eugénie Grandet*, introduction et notes par P.-G. Castex, Classiques Garnier, 1965.

2. H. Martineau, qui a pris la peine de contrôler les nombreuses données géographiques fournies par le narrateur de *La Chartreuse*, en a, on le sait, constaté l'exactitude dans un très grand nombre de cas.

3. « S'il [Balzac] choisissait Angoulême pour théâtre de l'action, explique A. Adam, c'est qu'il y était venu rendre plusieurs fois visite à ses amis les Carraud. Pour rafraîchir ses souvenirs, il écrivit à Zulma Carraud; celle-ci lui envoya des renseignements sur la ville et prit la peine de joindre à son texte un croquis » (*op. cit.*, introd., p. viii).

ayant servi de « modèle » à celui de Léon Delmont, 15 place du Panthéon, était celui d'un ami de l'auteur [1]. Il soulignerait la valeur documentaire de la description du compartiment de troisième classe avec son système de chauffage tout particulier, et, qui sait même, sa valeur archéologique puisque ce type de chauffage, aujourd'hui, n'existe plus [2]. Il remarquerait que l'auteur « nous donne les premières évocations littéraires des voies électrifiées où la poésie abstraite des piliers et des caténaires commence à remplacer la poésie plus pathétique de la vapeur [3] ».

Il pourrait, autrement dit, confronter la réalité décrite dans le roman à une réalité extérieure à lui, puisque accessible par d'autres voies.

Il serait fort difficile en revanche d'appliquer la même méthode au roman de Robbe-Grillet *Dans le labyrinthe*, au *Château* de Kafka ou à *Comment c'est* de Beckett. Quelle est cette ville dont on ne nous dit pas le nom, dont les rues, toutes semblables, se croisent à angle droit en perspectives indéfinies et sont ensevelies sous la neige uniforme? Quand a eu lieu et où situer cette « défaite de Reichenfels »? Quels chemins emprunter pour aller au « Château », autres que ceux qu'indique le narrateur? Où retrouver, sinon dans le roman, « ce lieu innommable, sorte de souterrain fangeux et obscur, où le narrateur de *Comment c'est* se livre à ses rêveries désespérées et ses atroces expériences... ce lieu négatif et infernal, ce condensé de totale désolation... réfractaire à toute appréhension logique [4] »?

Fort différents suivant les œuvres, les rapports entre la situation et l'écriture varient aussi d'une œuvre à l'autre d'un même auteur. Il suffit, par exemple, de comparer

---

1. Comme l'auteur a bien voulu me le dire.

2. A moins qu'excédé par les nombreuses mentions de ce tapis de fer chauffant, il n'en fasse grief à l'auteur : « J'en ai relevé une quinzaine, soupire ainsi Jean Bertrand Barrère, et sans doute en ai-je laissé passer quelques-unes » (ce qui, soit dit en passant, est bien le cas puisque ce tapis est mentionné vingt-trois fois). « Ce genre de calorifère, remarque cet adversaire du Nouveau Roman, encore visible dans les vieux wagons au lendemain de la dernière guerre nécessitera une note de commentaire pour les générations futures, sinon dès à présent pour les jeunes lecteurs... » Un tel reproche ne manque pas de saveur sous la plume d'un admirateur de Balzac! J. B. Barrère, *La Cure d'amaigrissement du roman*, p. 24 et 91.

3. M. Baroli, *Le Train dans la littérature française*, Paris, thèse, 1963, p. 476.

4. Suivant la description de B. Bray, *La Notion de structure et le Nouveau Roman*, p. 61 et 62.

Dans le labyrinthe à *La Maison de rendez-vous* pour constater que ce dernier roman se réfère beaucoup plus que le premier à une situation précise : celle de l'homme d'aujourd'hui soumis à l' « esprit du temps ». Celle de l'homme d'aujourd'hui, qui, la tête remplie d'histoires et d'images, possède sur Hong Kong, les maisons de rendez-vous, les femmes en guêpières noires, les espions en smoking, tout un arsenal de clichés que les descriptions du livre ont pour effet de réanimer. L'expérience commune du lecteur et du narrateur peut être aussi et est souvent une expérience imaginaire ou intellectuelle : celle que la culture (culture savante ou culture de masse) leur a permis d'acquérir.

Tout roman est historique, puisqu'il est l'œuvre d'un homme ayant vécu ou vivant à un certain moment du temps, et puisqu'il s'adresse à des hommes également en situation, mais tous les romans ne le sont pas de la même façon. Si l'on a pu distinguer des différences essentielles à cet égard entre les œuvres d'un Balzac, d'un Stendhal ou d'un Zola, trois auteurs qui ont en commun d'appuyer leurs fictions sur l'Histoire, et de s'attacher à « peindre la réalité », ces différences éclatent lorsqu'il s'agit d'œuvres plus récentes. Bien sûr, pour entrer dans le « Château » de Kafka ou dans le « Labyrinthe » proposé par Robbe-Grillet, le lecteur doit avoir l'expérience de ce dont on lui parle : un chemin, une rue, un immeuble, un château, une chaise, une lampe, un soldat et même un arpenteur! Mais il s'agit d'une expérience très générale, commune sinon à tout homme du moins à tout « homme blanc et civilisé ». Comme dans les romans de Balzac, de Stendhal ou de Simenon, les lieux et les objets décrits dans *La Modification* font partie en revanche d'une constellation socio-historique précisément définie. La ville n'est pas une ville quelconque, déterminée comme ville par le simple fait qu'il s'agit de rues, d'immeubles et non de chemins et d'arbres, comme c'est le cas pour *Dans le labyrinthe*, mais une ville particulière, Rome, avec son Forum et ses temples en ruine, la Stazione Termini et ses immenses panneaux de verre transparent, la piazza Navone avec l'église de Borromini, et la fontaine des quatre grands fleuves (p. 50-51). Le train n'est pas seulement un train français, qui part de Paris pour arriver à Rome, mais l'auteur a choisi, comme se propose de le faire à son tour son héros, Léon Delmont, dans le livre qu'il projette d'écrire, « *de conserver entre ces deux villes leur distance, toutes ces gares, tous ces paysages qui les séparent* » (p. 233).

2. *Vérifiable et autosuffisance — Un exemple pris dans Balzac.*

Dans un roman, nous le savons, le réel n'est jamais consigné sans motivation [1]. Dans le roman de Butor comme dans ceux de Balzac ou de Stendhal les références à une réalité extérieure prennent leur sens des fonctions qui leur sont assignées dans l'œuvre [2]. Ces fonctions, d'autre part, ne sauraient être identiques dans *Illusions perdues*, *La Chartreuse de Parme* et *La Modification*. Dans la mesure cependant où les remarques qui précèdent ont mis en évidence certains points communs entre un roman comme *Illusions perdues* et *La Modification*, ne serait-ce que la mention, dans ces deux œuvres, de villes existantes : Angoulême, Paris et Rome, il ne nous paraît pas inutile de nous interroger d'abord sur le rôle joué par cette référence à une réalité extérieure dans le roman de Balzac.

Le roman, quel qu'il soit, se soustrait par principe à la vérification. Je peux sans doute aller vérifier ce qu'il me dit, chercher d'autres témoins, consulter d'autres guides, il n'en reste pas moins qu' « à partir du moment où un écrivain met sur la couverture de son livre le mot roman, il déclare qu'il est vain de chercher ce genre de confirmation. C'est par ce qu'il nous dit et par là seulement que les personnages (ou les lieux) doivent emporter la conviction, vivre, et cela même s'ils ont existé en fait [3] ». A la différence du récit véridique, « le roman doit suffire à susciter ce dont il nous entretient [4] ». Qu'il s'agisse de Balzac ou de Butor, d'*Illusions perdues* ou de *La Modification*, le problème est donc le même, si les solutions sont différentes. Dans la mesure alors où l'on peut reconnaître en Balzac le prototype du romancier et le père du roman réaliste, dans la mesure aussi où ses procédés sont mieux connus que ceux d'un Michel Butor, son œuvre se propose tout naturellement comme exemple. Certes, il ne peut s'agir ici d'analyser *Illusions perdues*, mais, en examinant la présentation d'Angoulême au début de ce roman, de préciser la nature du problème soulevé par le « vérifiable » et d'esquisser du

1. Comme l'a montré en particulier Georges Blin à propos de Stendhal. Cf. *Stendhal et les problèmes du roman*.
2. On entendra par fonctions les propriétés d'un élément de l'œuvre qui lui viennent de son rapport à l'ensemble.
3. Michel Butor, « Le roman comme recherche », *Répertoire I*, p. 8.
4. *Ibid.*, p. 8.

même coup la méthode que nous nous proposons d'appliquer, ultérieurement, à l'ensemble de *La Modification*.

Une confidence de Henry James éclairera notre propos. Dans la préface à une réédition de *Roderick Hudson*[1], Henry James constate avec regret combien l'évocation d'une petite ville de la Nouvelle-Angleterre, dans les deux premiers chapitres de son roman, « manque d'intensité ». Il remarque : « Nommer un lieu, dans un roman, c'est avoir la prétention de le représenter à un certain degré, et je parle ici, naturellement de l'utilisation de noms existants, les seuls qui aient du poids, c'est du moins ce que je supposais, mais visiblement j'avais tort. » Voici d'après lui les causes de son erreur : impressionné par « la grande ombre de Balzac » et fasciné par son « auguste exemple », il avait cru qu'il lui suffisait d'avoir, au sujet de cette « petite ville de province américaine », une certaine expérience vécue pour pouvoir en parler et qu'il lui suffisait de la nommer et d'en présenter les aspects locaux pour qu'elle se mît à « exister ». Il ne s'était pas rendu compte que Balzac, lui, lorsqu'il était question de Saumur ou de Limoges ou de Guérande, « faisait Saumur, faisait Limoges, faisait Guérande », qu'il ne se contentait pas de nommer la ville, ni même d'en extraire quelques données, mais qu'il s'agissait pour lui toujours de « faire quelque chose de la ville en question ». Et qu'ainsi, sous l'effet d'une « contagion admirative », il avait lui aussi « nommé » alors qu'il s'agissait de « faire », à son tour, et par ses propres moyens[2].

Et en effet, nous le savons aussi, Balzac a fait Saumur comme il a fait Angoulême. N'est-ce pas d'ailleurs ce que les études de sources, conduites dans une perspective génétique, amènent leurs auteurs à conclure? La reconstitution de la situation de l'auteur, au moment de sa création, n'a-t-elle pas (ou ne devrait-elle pas avoir) pour principal intérêt de permettre de mesurer l'écart qui sépare l'œuvre de ce qui l'a rendue possible? Les études génétiques ne débouchent-elles pas sur la constatation d'une élaboration et d'une transformation par l'auteur de ses matériaux[3]?

1. Publié en 1876, réédité en 1907.
2. H. James, *The Art of the Novel*, p. 8.
3. Cet écart entre l'œuvre et la réalité qui est censée lui avoir servi de modèle n'est pas sans créer de grandes difficultés aux chercheurs de sources : « Aucune des maisons de l'ancienne Grand-Rue de Saumur ne rappelle la maison Grandet », constate ainsi P.-G. Castex, qui a trouvé

Si l'on peut souhaiter que l'étude de la genèse de l'œuvre ne s'arrête pas à cette constatation mais se prolonge par une analyse de cette élaboration et de cette transformation, il faut reconnaître qu'une étude formelle doit tenir compte, absolument, de ce que l'œuvre est « faite ». Il faut donc renverser les perspectives, traiter le texte comme il se présente, dans son autosuffisance, et chercher d'abord en lui les éléments qui permettent de saisir et comprendre ce qu'il nous dit. Voyons ainsi comment Balzac dans *Illusions perdues* offre au lecteur les éléments nécessaires et suffisants à la saisie d'Angoulême, ville où se passe la première partie de l'action.

Le héros principal, Lucien Chardon, quitte son ami David Séchard pour rejoindre sa sœur Ève, et prendre connaissance de la réponse de Mme de Bargeton, à qui il a demandé de bien vouloir recevoir son ami, chez elle. Lucien, nous dit alors le narrateur :

« descendit à l'Houmeau par la belle promenade de Beaulieu, par la rue du Minage et la Porte Saint-Pierre. S'il prenait ainsi le chemin le plus long, dites-vous que la maison de madame de Bargeton était située sur cette route. Il éprouvait tant de plaisir à passer sous les fenêtres de cette femme, même à son insu, que depuis deux mois il ne revenait plus à l'Houmeau par la porte Palet » (p. 35)[1].

en revanche des « ressemblances frappantes » entre cette dernière et celle d'un médecin de Tours, décrite par Balzac dans *Les Martyrs ignorés*. « Au reste, ajoute-t-il, par l'apparence comme par les dimensions, les deux maisons ne sont pas comparables », et il conclut : « Peu importe, dès lors, que sa fantaisie créatrice lui ait fait choisir une ville déterminée pour cadre de son roman. Il a sacrifié aux nécessités de cette convention en situant avec quelque précision la maison dans le haut Saumur, à l'ombre de la Citadelle; il n'a pas poussé le scrupule jusqu'à décrire une maison effectivement édifiée à cet endroit : une telle soumission au réel serait d'ailleurs contraire à sa méthode, qui tend, sauf exception, à désarticuler et dépayser le réel. » *Eugénie Grandet*, p. 25, 41 et 42.

Suzanne Jean Bérard, dans sa thèse consacrée à *La Genèse d' « Illusions perdues »* ne prend pas son parti si facilement de cette « méthode » balzacienne... Qu'on en juge : « L'étude des sources extérieures est dans le cas de Balzac décevante et particulièrement quand il s'agit d'*Illusions perdues* »... « Le conteur conte avec tant de sérieux, accumule si bien les détails, les citations, les références, les dates, les généalogies, que nous finissons par nous prendre à son jeu. Quel malheur que rien de tout cela ne soit authentique et que cet univers balzacien examiné au grand jour, révèle au contraire une inépuisable fantaisie, l'indifférence aux réalités, l'incohérence consentie, un mépris concerté de l'authenticité ». S. J. Bérard, *La Genèse d' « Illusions perdues »*, Paris, Armand Colin, 1961, t. II, p. 299 et 314.

1. Étant donné le grand nombre de citations nous indiquons la pagination dans le texte en suivant l'édition Garnier.

Tout en évoquant des lieux précis, le narrateur fournit les explications nécessaires à leur compréhension : il complète les données topographiques par une remarque psychologique [1] qui rappelle que la perspective est celle de Lucien et qui confère aux lieux décrits une valeur affective ; il n'hésite pas en outre à utiliser le procédé rhétorique de l'interpellation au lecteur.

Intéressé par cette Mme de Bargeton dont il ne connaît encore que le nom mais dont il sait qu'elle est aimée du héros, le lecteur attend la suite. En maître du suspense, le narrateur choisit ce moment pour interrompre le récit et introduire la description d'Angoulême :

« Il est d'autant plus nécessaire d'entrer ici dans quelques explications sur Angoulême qu'elles feront comprendre madame de Bargeton, un des personnages les plus importants de cette histoire » (p. 36).

L'introduction de la description dans le récit, à la suite de la présentation des personnages est motivée par le rôle que va jouer la ville pour le héros. Le narrateur prend la peine, dans le roman même, de le souligner! Passons maintenant à la description de la ville :

« Angoulême est une vieille ville, bâtie au sommet d'une roche en pain de sucre qui domine les prairies où se roule la Charente... L'importance qu'avait cette ville au temps des guerres religieuses est attestée par ses remparts... Sa situation en faisait jadis un point stratégique également précieux aux catholiques et aux calvinistes; mais sa force d'autrefois constitue sa faiblesse d'aujourd'hui; en l'empêchant de s'étaler sur la Charente, ses remparts et la pente trop rapide du rocher l'ont condamnée à la plus funeste immobilité... Depuis longtemps le bourg de l'Houmeau s'était agrandi... au pied du rocher et sur les bords de la rivière, le long de laquelle passe la grand'route de Paris à Bordeaux... Le faubourg de l'Houmeau devint... une ville industrielle et riche, une seconde Angoulême que jalousa la ville haute où restèrent le Gouvernement, l'Évêché, la Justice, l'Aristocratie. Ainsi l'Houmeau, malgré son activité et son active et croissante puissance, ne fut qu'une annexe d'Angoulême... » (p. 36 et 37).

Telle que l'on vient de la présenter, cette description d'Angoulême semble sortir d'un livre d'histoire ou d'un bon guide touristique. Elle ne prend cependant tout son sens

[1]. Sur les différentes rédactions de ce passage par l'auteur, cf. S. J. Bérard, *La Genèse d'« Illusions perdues »*, p. 38 et 73.

que replacée dans le contexte. Par sa division en « *ville
haute et ville basse* », qui est matérialisée par le rocher
dominant et le bourg de l'Houmeau qui s'était agrandi
« *comme une couche de champignons* » (p. 37) à ses pieds;
par la situation sociologique respective de ses habitants :
« *En haut* la Noblesse et le Pouvoir, *en bas* le Commerce
et l'Argent » (p. 37); par la « *distance locale* », bien plus forte
encore que la « *distance morale* », (p. 38) qui sépare les
habitants du faubourg de ceux de la haute ville et par
conséquent Lucien Chardon de Mme de Bargeton, ainsi
que « *ces barrières morales* », élevées par les mœurs du pays,
« *bien plus difficiles à franchir que les rampes* par où des-
cendait Lucien » (p. 36); Angoulême représente, comme
Mme de Bargeton, « cette *haute proie* » qu'il lui faut « *conqué-
rir* » (p. 67), la première étape que doit franchir le héros,
le « *premier bâton de l'échelle par laquelle il devait monter à
l'assaut des grandeurs* » (p. 69).

Présentée au début du récit, incarnant le premier obstacle
et la première étape, Angoulême préfigure aussi le second
obstacle et la seconde étape, autrement dit Paris. Ce
deuxième aspect d'Angoulême est également présent dans
la description qu'en donne l'auteur. Si la « gloire » est le
« *pont volant* » (p. 36) qui permettra à Lucien de franchir
la distance qui sépare la ville basse de la ville haute, si
Mme de Bargeton est « la *reine* d'Angoulême, » et si l'hôtel
de Bargeton est « un *Louvre* au petit pied » ou un « *hôtel
de Rambouillet dont les grandeurs brillaient à une distance
solaire de l'Houmeau* » (p. 52), nous savons aussi que
« tous ceux qui se rassemblaient dans cet hôtel étaient
*les plus pitoyables esprits, les plus mesquines intelligences,
les plus pauvres sires* à vingt lieues à la ronde » (p. 52).
Nous savons que Mme de Bargeton elle-même, « *loin du
centre où brillaient les grands esprits*, a dû laisser « *perdre
sans fruit les richesses brutes cachées dans [son] cœur* »
(p. 44). Nous savons que « ces mêmes choses » (p. 46) qui
ont su « *enivrer* » et « *fasciner* » Lucien, si bien que les
heures passées près d'elle furent pour lui « *comme un de
ces rêves qu'on voudrait rendre éternels* » (p. 57), auraient
semblé « à quelque perspicace observateur, *les débris
d'un magnifique amour écroulé aussitôt que bâti, les restes
d'une Jérusalem céleste*, enfin l'amour sans l'amant »
(p. 46). Que Lucien ne voie pas « *la flétrissure des joues
couperosées* » de la « reine d'Angoulême » et se laisse prendre « *comme un papillon aux bougies* » aux « *points lumineux* » qu'offrent « ces *yeux de feu* », « ces *boucles élégantes*

où *ruisselait la lumière*, et « cette *éclatante blancheur* » (p. 46), peu importe, le narrateur, lui, nous le fait remarquer, comme il nous a fait, par ailleurs, remarquer que les vieilles familles du haut Angoulême étaient « perchées sur leurs rochers comme de *vieux corbeaux* défiants » (p. 38).

La description ambivalente de la ville et de sa principale habitante prépare donc ce qui va suivre : les conquêtes du héros, auxquelles vont succéder le désenchantement d'*Un grand homme de province à Paris*. Angoulême est la première étape mais aussi, déjà, la métaphore de l'illusion. Déjà s'esquisse dans les termes mêmes utilisés pour la décrire : distance solaire, distance locale, distance morale, loin du centre, cette redistribution des valeurs locales qui va se réaliser plus loin, lors du déplacement du centre de l'action et de l'intérêt d'Angoulême à Paris. « Le cercle », pouvons-nous lire au début de la deuxième partie, « *le cercle s'élargissait*, la société prenait *d'autres proportions* (p. 172)... Il se préparait chez madame de Bargeton et Lucien un *désenchantement* dont la cause était Paris. La vie s'y *agrandissait* aux yeux du poète comme la société prenait une *face nouvelle* aux yeux de Louise » (p. 173).

On voit donc que les signifiés géographiques, historiques, sociologiques et psychologiques que Balzac fait intervenir dans sa description d'Angoulême prennent un sens par les rapports que l'auteur a établis entre eux et l'ensemble de l'œuvre. Tout un réseau de correspondances sémantiques, analogiques, métaphoriques relie entre eux les éléments décrits dans ce passage et rattache ce passage lui-même à la totalité du roman (ainsi d'ailleurs qu'à l'ensemble de *La Comédie humaine*).

Balzac a donc fait Angoulême et il l'a faite avec des mots. Comme le formule fort bien Henri Mitterand, à propos, justement, du style de Balzac : « Le langage romanesque découpe une réalité re-vue, imaginée, rêvée, et la restitue porteuse des apparences de la réalité, mais en fait recréée par le langage du romancier [1]. » C'est à partir de ce langage que le lecteur imagine cette réalité extra-verbale qui se présente ici sous le nom d'Angoulême.

S'il y a donc, pour le lecteur, un rapport à une réalité extérieure au roman, ce rapport est indirect. C'est grâce à

---

1. Henri Mitterand, « A propos du style de Balzac », *Europe*, janvier 1965, nᵒˢ 429-430, p. 156.

l'œuvre et à partir d'elle que nous allons au réel et non l'inverse. Les références à une réalité géographique ou historique accrochent le lecteur, captent son attention et facilitent sa croyance. Elles lui permettent de saisir ce qu'il ne sait pas à partir de ce qu'il sait : « *Vous seuls pauvres ilotes de province* pour qui les distances sociales sont plus longues à parcourir que pour les Parisiens... *vous seuls comprendrez* le bouleversement qui laboura la cervelle et le cœur de Lucien Chardon, quand son imposant proviseur lui dit que les portes de l'hôtel de Bargeton allaient s'ouvrir devant lui » (p. 54). Vous seuls non, mais tous ceux qui, interpellés par le narrateur et séduits déjà par le héros dont ils ont fait la connaissance dans les pages précédentes, sont prêts à accompagner celui-ci dans sa descente le long des rampes qui séparent Angoulême de l'Houmeau et à recevoir les « explications » du narrateur sur la ville. Tous ceux aussi qui se laissent entraîner par la force des comparaisons et la puissance suggestive des images.

Le nom de la ville ne renvoie donc qu'indirectement et accessoirement à l'Angoulême des livres de géographie et des guides bleus et il est même fort possible que pour certains, sensibles avant tout à la dynamique du roman, il n'y renvoie pas du tout. On peut alors se demander si vraiment ce sont les vestiges des maisons anciennes d'Angoulême qui nous « aident à nous représenter l'hôtel de Bargeton », comme le suggère Antoine Adam[1], ou si ce n'est pas plutôt la description de la ville par Balzac qui nous aide « aujourd'hui » à voir les maisons de cette ville et qui nous incite à les rechercher. De même cet intérêt que nous pouvons porter aux vieilles portes à boulons des maisons de Tours et de Saumur, dont P.-G. Castex reproduit les photographies dans son édition d'*Eugénie Grandet*, ne vient-il pas de ce que nous avons été frappés par cette « porte *en chêne massif, fendue de toutes parts, frêle en apparence... solidement maintenue par le système de ses boulons* qui figuraient des dessins symétriques », la porte de « la maison à M. Grandet »? La force de cette impression, à son tour, ne vient-elle pas de ce que nous venons de lire, presque dans les mêmes termes : « Quoique de mœurs *faciles et molles en apparence*, M. Grandet avait un *caractère de bronze*[2] »?

1. Cf. A. Adam, *Illusions perdues*, p. 35.
2. H. de Balzac, *Eugénie Grandet*, p. 25 et 20.

S'il n'est pas contestable que les lieux décrits par Balzac aient souvent une valeur documentaire, historique, sociale ou archéologique, il faut reconnaître que ces valeurs mêmes leur sont conférées par le style. Ce sont les rapports institués par l'auteur entre les éléments d'un lieu ou d'un objet et les autres éléments du monde romanesque, ce sont les images et les comparaisons utilisées pour les qualifier, qui font d'Angoulême le prototype des villes de province divisées en ville haute et en ville basse, ou de « la maison à M. Grandet », le type des maisons que l'on trouve à Saumur et à Tours ou dans bien d'autres villes encore, à la même époque.

Du point de vue génétique, qui vise à saisir les méthodes de l'auteur et les lois de son activité créatrice, il n'est sans doute pas sans intérêt de savoir que Balzac a « rafraîchi ses souvenirs » en demandant des renseignements à Zulma Carraud, mais on voit bien que d'un point de vue structural le fait n'est pas pertinent.

Nous faisions allusion plus haut aux photographies et miroirs qui se trouvent dans le compartiment, décrit par Butor, en nous demandant si de tels ornements n'étaient pas réservés aux compartiments de première classe. La détermination de ce détail ne nous avancerait que fort médiocrement dans la compréhension du roman. Il suffit qu'un certain nombre de faits proposés par le narrateur nous paraissent vrais pour que nous acceptions les autres : la présence de photos et de miroirs dans ce compartiment est accréditée par celle du rideau bleu ou du tapis de fer chauffant, objets dont nous avons pu ou pourrions facilement vérifier l'existence. L'intérêt, d'autre part, que l'on peut porter à ces photos et à ces miroirs vient du fait que ces ornements « *illustrent* » le compartiment (p. 185) : tandis que les miroirs donnent lieu à tout un jeu de reflets dont on verra l'importance, les photographies représentent des lieux, objets ou monuments, qui sont chargés de sens pour le héros et ont, par conséquent, un rôle précis dans le roman.

Les remarques que l'on vient de faire à propos de la présentation d'Angoulême dans *Illusions perdues* pourraient s'appliquer à n'importe quelle autre description romanesque et en particulier à celles de *La Modification*. Il s'agissait de rappeler que même dans un roman réaliste traditionnel les descriptions ne comptent pas pour elles-mêmes, en montrant que, bien avant Robbe-Grillet (et

comme Stendhal, Flaubert ou Butor), Balzac aurait pu
dire : « Je ne décris pas, je construis [1]. »

Cette analyse préalable nous permet surtout de saisir
quels aspects de la construction romanesque il faut prendre
en considération si l'on veut rendre compte du fonctionnement de telle description et plus généralement du rôle
joué par les références. Caractérisation des personnages,
point de vue du narrateur et du héros, organisation du
temps dans la progression narrative, développement des
motifs en thèmes [2], tout cela, outre les procédés destinés
à produire le vraisemblable à partir du vrai, joue un rôle
dans la présentation d'Angoulême au début d'*Illusions
perdues*. Il faudrait donc poursuivre cette analyse par une
étude des personnages : Lucien Chardon et Mme de Bargeton ainsi que de leurs rapports; il faudrait préciser la
perspective narrative en distinguant le point de vue du
narrateur « omniscient », dont on a vu qu'il se manifestait
par ses interpellations au lecteur et par ses commentaires,
et le point de vue du héros dont les projets infléchissent
l'ensemble de la description, il faudrait repérer les éléments qui, dans ce passage, rappellent ce qui précède
et annoncent ce qui va suivre, relever systématiquement
les motifs : lumière, blancheur, cercle, distance par exemple,
et retracer leur destin dans l'œuvre tout entière. Certes
les procédés de construction de Balzac lui sont particuliers
et ce serait tout un travail que de montrer en quoi et comment ils le sont! Mais, il nous semble que cette singularité
pourrait justement être mise en évidence par l'analyse
systématique des aspects de la construction romanesque
que l'on vient d'évoquer.

Si les procédés de Butor lui sont également particuliers,
il est clair que, pour *La Modification* comme pour *Illusions*

---

1. A. Robbe-Grillet, *La Littérature aujourd'hui*, p. 45.
2. Étant donné la confusion qui règne dans l'emploi de ces termes (cf.
à ce sujet Elizabeth Frenzel, *Stoff Motiv und Symbolforschung*), il est nécessaire de les préciser. Nous entendrons par motif tout élément de l'œuvre
susceptible d'être isolé par l'analyse, sans préjuger de sa fonction : descriptive ou narrative, réaliste ou symbolique, etc., et par thèmes les unités
de sens constituées par un ensemble de motifs, telles qu'elles se manifestent
dans l'œuvre même. Notre emploi des termes est donc proche de celui des
formalistes russes (cf. *Théorie de la littérature*, p. 268, 269) et, dans la
mesure où nous considérons les motifs comme des « unités expressives
plus petites que le thème », de celui qu'en fait Paul Zumthor dans *Langue
et techniques poétiques à l'époque romane*, p. 128. Cet emploi s'oppose en
revanche à celui qu'en font les comparatistes inspirés par la *Motivge-
schichte*. Cf. R. Trousson, *Un problème de littérature comparée. Les études de
thèmes*, essai de méthodologie, Minard, 1945; *Situations*, 7, p. 12 et 13.

perdues, le rôle joué par les références ne peut être déterminé qu'en fonction de la totalité du roman. On ne s'attendra donc pas à ce que nous précisions, dès maintenant, les diverses et nombreuses fonctions du tapis de fer chauffant, des noms de gare, des monuments romains ou autres signifiés auxquels renvoient les indications du texte.

Le fait seul cependant que Butor, contrairement à la plupart des romanciers contemporains, ait introduit dans son roman un grand nombre d'indications vérifiables et se donnant en outre comme telles, mérite réflexion. Quelles sont-elles? Sur quels aspects du monde portent-elles? Comment sont-elles introduites et distribuées? Dans quelle mesure le fait qu'elles paraissent vérifiables (et non pas seulement vraisemblables) est-il significatif? Voici ce qui peut retenir, dès maintenant, notre attention.

II. LE VÉRIFIABLE DANS « LA MODIFICATION » OU L'INSERTION DE L'ESPACE ROMANESQUE DANS L'ESPACE RÉEL

1. *Efficacité rhétorique de la localisation.*

De quoi nous parle-t-on et de quelle manière? Le narrateur l'indique avec insistance : « *C'est bien ici, c'est bien ce compartiment* » (p. 21), que nous avons laissé un instant pour parler d'Angoulême. C'est bien ici, dans ce compartiment de troisième classe d'un train français entre Paris et Rome qu'on nous propose d'entrer. Les références à une réalité extérieure ont pour premier effet de susciter notre croyance en faisant appel à notre expérience. Nous reconnaissons immédiatement cette rainure de cuivre, ce panneau coulissant, ces rideaux bleus, ces banquettes et ces filets pour les bagages. Exactes, dans la mesure où l'expérience nous permet d'en juger, précises, banales, ces indications, bien loin de nous dépayser, renvoient à une situation dans laquelle « chacun de nous a pu un jour se trouver [1].»

Exactes, précises, banales, ces indications frappent aussi

---

1. Mais que, comme le précise Georges Raillard à propos des diverses situations proposées par Butor dans ses romans, « il n'a pas eu ni le courage ni la patience de tirer au clair ». Michel Butor, *Livres de France,* n° 6, 1963, p. 5.

par leur nombre. Le narrateur semble se livrer à un véritable inventaire des lieux et des objets, arrêtant son regard et le nôtre sur les détails les plus insignifiants : les cendriers de métal, le sigle S.N.C.F. tissé dans le rideau, les losanges dessinés sur le tapis de fer, les caténaires, l'horloge grise sur le quai de la gare, les rails, la veilleuse bleue, la plaque de métal portant l'avertissement : « *È pericoloso sporgersi* — Il est dangereux de se pencher au dehors. » Objets, détails que notre regard n'enregistre d'habitude que machinalement et sans y faire attention. Objets, détails qui ne sont pas mentionnés une seule fois, ce qui suffirait pour indiquer qu'il s'agit d'un compartiment de tel type, mais sont évoqués ou décrits dix fois, vingt fois au cours du récit, jusqu'à vingt-trois fois pour le tapis de fer chauffant!

Aucun principe de sélection ne semble donc, à première vue, dicter le choix des mentions d'objets. Tous apparaissent sur le même plan : la banquette où va s'asseoir le héros et le cendrier, le paysage qu'il contemple et le rideau bleu. L'accent ne porte pas sur la valeur typique des lieux et des choses, mais au contraire sur leur aspect contingent. C'est ici, maintenant, dans ce compartiment particulier, dont les moindres particularités sont énumérées et inventoriées avec insistance, que nous sommes invités à nous installer et non pas dans n'importe quel compartiment, analogue à celui-ci.

Ce compartiment, d'autre part, est un lieu mobile. Les indications fournies par l'indicateur Chaix, les noms de gares et les renseignements relatifs à l'horaire vont permettre de suggérer cette mobilité et de marquer les étapes d'un itinéraire.

Rappelons que l'extrait de l'indicateur Chaix se trouve placé au début du roman; dès le départ, le lecteur est prévenu du programme qui l'attend. Il connaît les lieux de passage, les distances à parcourir et le temps qui sera nécessaire pour accomplir le trajet. Au fur et à mesure que les pages se succèdent, ces indications se vérifient en quelque sorte, par la mention successive et comme inéluctable des gares qui « passent ». La nécessité romanesque repose donc ici sur une nécessité géographique et sociale. Les noms des gares indiquent en effet clairement le chemin parcouru et celui qui reste à parcourir : Fontainebleau succède nécessairement à Paris comme Dijon à Fontainebleau et il faudra des heures et des kilomètres avant d'arriver à Rome. Les noms seuls de ces villes, Dijon ou Gênes par exemple, permettraient donc déjà de se repérer dans l'espace comme dans le temps, puisqu'il s'agit de lieux dont on connaît les situations respectives; le narrateur, cependant, a jugé bon de compléter ces indications relatives aux lieux par de nombreuses indications de temps qui correspondent à celles que prévoyait l'indicateur officiel de la S.N.C.F. (on sait d'ailleurs la tradition d'exactitude qui règne dans cette Compagnie!). Alors que nous sommes partis de la gare de Lyon à *huit heures dix*, il est « *déjà bien plus de neuf heures* » (p. 22) entre Montereau et Saint-Julien-du-Sault, « *dix heures et quart* » tandis que passe la gare de Laumes-Alésia (p. 42), « *onze heures* » avant l'arrivée à Dijon, « *onze heures cinquante-trois* » au passage de Fontaines-Mercurey, « *quatre minutes par conséquent avant l'arrivée à Chalon* » (p. 88) et ainsi de suite, jusqu'à l'arrivée à Rome à cinq heures quarante-cinq le lendemain matin. L'indicateur Chaix offre donc un système de références précis, qui permet tout au long du récit de s'orienter dans l'espace et dans le temps. On remarquera aussi que les indications spatiales relaient les indications temporelles et vice versa. Lorsque les formalités annoncées dans le Chaix pour l'arrivée à Modane sont décrites au début du chapitre vi (p. 132), nous pouvons en déduire qu'il est seize heures vingt-huit et que le train ne se remettra en marche qu'à dix-sept heures dix-huit...

A plusieurs reprises enfin, des listes de noms de gares, reproduisant l'ordre de leur succession réelle rappellent l'attention du lecteur sur le voyage qu'il est, avec le héros, en train d'accomplir.

La simple « localisation [1] », réalisée ici par les indications de mesures et de nombres, et par la nomination des lieux joue donc un rôle, en tant que telle, dans la structure du roman. Si l'on ne peut encore en déterminer toute la valeur

---

1. Les théoriciens germanistes, à la suite de Robert Petsch, dans *Wesen und Form der Erzählkunst* (1934), distinguent pour les opposer *Lokal* et *Raum*. Entendant par *Lokal* un lieu déterminé par de pures indications empiriques, mesures, nombres, etc... et par *Raum* un espace significatif, valorisé par les actions ou sentiments des personnages du roman. En partant de ces distinctions mais en les précisant par des exemples concrets Herman Meyer a montré que l'espace en tant que tel joue un rôle dans la structure et la signification des œuvres romanesques, qu'il doit par conséquent être considéré comme une des catégories fondamentales de la fiction (au même titre que le temps par exemple). Cf. H. Meyer, *Raum und Zeit in Wilhelm Raabes Erzählkunst* et *Raumgestaltung und Raumsymbolik*. On verra plus loin comment la perspective narrative valorise et poétise le « local » que nous décrivons ici.

poétique [1], il faut bien constater sa remarquable efficacité rhétorique [2]. En établissant son voyage fictif sur le programme d'un voyage réel, et en distribuant systématiquement au cours de la narration des références à une réalité vérifiable, l'auteur a fait d'une pierre deux coups. D'une part, il facilite notre adhésion à la fiction, sans avoir même à postuler la persistance des lieux dans lesquels l'action se déroule : nous ne pouvons la mettre en doute puisqu'il nous serait possible de refaire ce trajet et d'aller dans ces villes. D'autre part, et ceci est peut-être encore plus important, en accumulant les références à une réalité que nous pourrons expérimenter après avoir lu le roman, il prépare la survie de son œuvre dans l'esprit du lecteur. A ces objets et à ces lieux dont il est fait mention dans ce roman, mais que nous reverrons dans la réalité, nos pensées s'accrocheront, mais modifiées cette fois par les multiples valeurs que le roman leur aura associées.

Georges Blin l'a montré à propos de Stendhal, il ne s'agit pas là d'un problème si facile à résoudre : « Le plus souvent, en effet, le roman renonce à doter l'univers qu'il engendre d'une durée moins éphémère que la fascination qui la fonde : par un double effet de perspective que double une tacite convention, les lieux où il inscrit les événements s'y trouvent tellement tributaires du temps qui s'y déroule qu'ils perdent censément toute réalité du moment où la narration a atteint son terme. Le point final consacre une sorte de volatilisation du décor, un peu comme au théâtre la chute du rideau sert à exorciser la scène, à l'annuler en tant qu'espace imaginaire; les lieux n'existent plus lorsque plus rien n'a lieu, et leur subtilisation, qui coïncide avec la générale liquidation de la conscience hypnotisée, intervient, le roman fini, d'autant plus naturellement que le site de la narration ressortissait à une spatialité d'essence utopique, même là où l'encadrement se trouvait spécifié à l'extrême. » C'est pourquoi, explique-t-il, des romanciers comme Stendhal et Balzac cherchent à conjurer cette « éclipse » par toutes sortes de procédés narratifs, dont le rôle est strictement rhétorique :

1. Robert Petsch déniait à la pure « localisation » toute valeur poétique, *Wesen und Form der Erzählkunst*, p. 182. Herman Meyer a montré en revanche à propos d'un roman comme *Poggenpuhls,* que des indications empiriques, précisions géographiques ou topographiques par exemple, peuvent déjà être expressives par rapport à la totalité du roman. Cf. *Raumgestaltung*, p. 621 et 622.

2. Michel Butor parle à ce propos de « grammaire du récit ». Cf. G. Charbonnier, *Entretiens*, p. 17.

emploi du présent ou commentaires du narrateur. « S'il est, en effet, publié, fût-ce avec une audace un peu indiscrète, que le théâtre des événements leur survit, c'est tout l'ensemble narratif qui reçoit droit de cité dans le temps solide [1]. » Nous verrons que Butor ne se contente pas du procédé que nous venons de décrire pour établir la persistance des lieux dans lesquels il veut nous faire entrer. Il est important cependant de souligner le fait qu'il ait choisi pour cadre de l'action un voyage programmé, et qu'il se soit référé pour l'établissement de ce programme à l'indicateur *officiel* des chemins de fer français : la durée du récit se trouve ainsi perpétuellement soutenue par la durée d'un voyage, elle-même commandée par l'existence de lieux dont la persistance au-delà de l'action proprement romanesque ne peut être mise en question. Si l'on tient compte en outre de la distribution des informations de lieux et de temps à l'intérieur du récit, on s'aperçoit que celui-ci n'est pas seulement soutenu par les références à une durée et un espace extérieurs à lui, mais articulé par rapport à eux. Les indications horaires par exemple n'ont pas seulement pour fonction d'inscrire la modification dans un temps donné comme objectif. Placées généralement au début ou à la fin de chaque chapitre, elles contribuent à en marquer les différentes étapes [2].

2. *Examen de quelques détails agrandis de* La Modification *dans* Mobile *et* 6 810 000 litres d'eau par seconde. *Le modèle du collage.*

Si l'espace romanesque s'insère nécessairement dans un espace réel, il n'en reste pas moins un espace fictif. Ce que des romanciers comme Balzac ou Stendhal pouvaient considérer comme un défaut auquel ils s'efforçaient de remédier par des procédés destinés à susciter l'illusion de réalité, apparaît à beaucoup de romanciers contemporains comme une des conditions mêmes de la fiction narrative et comme sa principale vertu. Aussi n'est-ce pas seulement la référence aux romanciers réalistes (au sens historique du mot) qui est éclairante pour déterminer la signification du procédé utilisé par Butor, mais la référence à des romanciers comme Robbe-Grillet, Jean Ricardou, Philippe Sollers ou Claude Simon.

1. G. Blin, *Stendhal et les problèmes du roman*, p. 77.
2. Cf. à ce sujet le tableau I, p. 291. Nous revenons sur cet aspect du roman dans les chapitres iv et v.

Malgré leurs différences profondes, ces romanciers ont en commun d'utiliser des procédés de présentation et de narration qui mettent à nu cette « fascination » dont parle Georges Blin. L'insertion du monde romanesque dans le monde réel est camouflée au lieu d'être affichée et l'on peut dire qu'avec eux « le roman renonce à doter l'univers qu'il engendre d'une durée moins éphémère que la fascination qui le fonde » et qu'il renonce « à postuler la persistance des lieux ». Le roman autrement dit « renonce » à s'affirmer autre chose qu'un roman ou la fiction autre chose que fiction.

On sait, par exemple, avec quelle vigueur Alain Robbe-Grillet s'est défendu contre les interprétations réalistes de ses œuvres. Lors d'une interview avec *Tel Quel*, il insiste sur le fait que dans *L'Année dernière à Marienbad* les personnages « commencent à exister seulement lorsqu'ils paraissent sur l'écran la première fois; auparavant ils ne sont rien; et le film terminé ils ne sont rien de nouveau. Leur existence ne dure que çe que dure le film, c'est-à-dire une heure et demie ». De même, déclare-t-il, dans *La Jalousie* « aucune réalité n'existait en dehors de celle des phrases du livre; son déroulement ne s'opérait nulle part ailleurs que dans la tête du narrateur, c'est-à-dire de l'écrivain et du lecteur; son présent s'inventait lui-même comme au fil de l'écriture, et se réinventait sans cesse, se ressassait, se modifiait et se contredisait lui-même sans jamais s'entasser pour constituer un passé — donc une « histoire » — et le livre terminé, on s'aperçoit qu'il n'avait rien laissé derrière lui, qu'il s'était effacé à mesure de sa création [1] ».

C'est en des termes analogues qu'un Claude Simon explique à Madeleine Chapsal la raison pour laquelle il préfère employer le participe présent : « Si un romancier écrit : "il ouvrit la porte", c'est affirmer que cette action s'est bien produite, qu'elle s'est produite à un moment bien défini et qu'elle ne se reproduira plus. On voit tout ce que cela postule : l'histoire racontée est présentée comme bien "réelle", et le romancier prétend la rapporter fidèlement. Si au contraire j'écris "ouvrant la porte" ce qui sous-entend "je le revois ou je l'imagine en train de..." je n'affirme rien d'autre qu'une vision, une image et non pas quelque chose qui s'est passé un certain jour dans une prétendue réalité,

---

1. A. Robbe-Grillet, « La littérature aujourd'hui », *Tel Quel*, été 1963, p. 44.

mais qui se passe très précisément au moment où j'écris et qui peut se reproduire plusieurs fois puisque l'image se présente autant de fois que ma mémoire ou mon imagination la suscitent[1]. »

Ce que Robbe-Grillet et Claude Simon déclarent ici du temps et des personnages s'appliquerait aussi aux lieux. Ces romanciers ne recréent pas des situations pour compenser l'absence de « situation », mais recréent des situations pour mettre à nu leur pouvoir d'invention et d'intervention[2]. Une telle littérature apparaît de plus en plus clairement tendue vers une exploration de l'imaginaire et de ses pouvoirs, par l'exercice de l'écriture[3]. Aussi les rapprochements que certains ont cru pouvoir faire entre les romanciers de la soi-disant « école du regard » et « les romanciers mineurs de l'époque réaliste et naturaliste de Champfleury à Henry Céard[4] » semblent bien procéder d'une erreur d'optique, résultant elle-même d'une illusion rétrospective.

Michel Butor cependant, s'il fait sa part et même sa grande part à l'imaginaire, introduit toujours dans ses œuvres un grand nombre d'éléments qui non seulement permettent au lecteur de raccrocher l'œuvre à une réalité préexistante, mais le contraignent même à le faire. Il en résulte que, bien loin de s'effacer à mesure de la lecture, elle s'y consolide de plus en plus, et qu'au lieu de ne rien laisser derrière elle, elle s'introduit solidement dans l'expérience sensible et pratique du lecteur.

La Modification, sur ce point comme sur beaucoup d'autres, annonce les œuvres ultérieures de l'auteur. Celui-ci considère d'ailleurs que « l'ensemble de [ses] livres forme un tout en accroissement[5] ». Et cela, non seulement parce que de nouveaux livres s'ajoutent aux précédents mais parce que chaque œuvre développe des structures et des thèmes amorcés ou traités partiellement dans les œuvres antérieures. *La Modification* apparaît ainsi comme un cas particulier de ce qui est donné dans *Degrés* tandis

1. C. Simon, *Il n'y a pas d'art réaliste*, entretien avec Madeleine Chapsal, *Quinzaine littéraire*, n° 41, 15-30 décembre 1967.
2. Le roman de Jean Ricardou, *La Prise de Constantinople — La Prose de Constantinople*, Paris, Minuit, 1965, illustre remarquablement cet aspect nouveau de l'art romanesque.
3. Cf. à ce sujet Philippe Sollers, « Logique de la fiction », *Tel Quel*, n° 15, et A. Robbe-Grillet, *Pour un Nouveau Roman*, p. 30.
4. J.-B. Barrère, par exemple, dans *La Cure d'amaigrissement du roman*, p. 77, ou Jean Bloch-Michel dans *Le Présent de l'indicatif*, p. 66.
5. Cf. G. Charbonnier, *Entretiens*, p. 12.

que *Mobile* peut être vu comme un « détail agrandi » de ce même *Degrés* [1].

S'il n'entre pas dans notre propos d'étudier les rapports de *La Modification* avec l'ensemble de l'œuvre de Butor, cette image de l'agrandissement (au sens où l'on parle d'agrandissement photographique) nous incite à examiner ses œuvres ultérieures. Le rôle joué par les coordonnées spatio-temporelles et par la mention de nombreux noms propres, voilà certains détails de *La Modification* dont ces œuvres proposent des agrandissements. L'étude de ces détails devrait donc nous permettre d'éclairer certains aspects du problème posé par « le vérifiable » dans ce roman.

Il suffit d'un simple coup d'œil sur ces œuvres, je pense surtout à *Mobile* et *6 810 000 litres d'eau par seconde*, mais c'est aussi le cas pour *Degrés*, *Réseau aérien* et *Description de San Marco*, pour constater le rôle essentiel des coordonnées spatio-temporelles que l'on peut qualifier d'objectives. Les mois et les saisons, les alternances du jour et de la nuit, les heures : heures légales des réseaux horaires dans *Mobile*, heures des horloges égrenées par le carillon de Westminster dans *6 810 000 litres d'eau par seconde* fournissent le système de références à partir duquel les rapports de l'espace et du temps sont systématiquement réfléchis et formalisés.

6 810 000 litres d'eau par seconde, étude stéréophonique sur les chutes du Niagara, se découpe en douze sections numérotées en chiffres romains de I à XII. La première fait fonction de présentation, la dernière de Coda, tandis que les autres sont affectées d'un titre renvoyant à un thème : Les couples — Les noirs — Le voile de la mariée — Les illuminations — Les réveils — Les brouillards — Les fantômes — Le Styx — Le froid. A l'intérieur de ces sections s'ouvrent plusieurs « parenthèses » ou variations dans lesquelles interviennent d'autres thèmes et d'autres voix (les thèmes étant soutenus par les voix) qu'il nous est loisible de lire (d'écouter) ou de sauter. Chacune de ces sections (dont la fonction peut être comparée à celle des chapitres d'un roman) est consacrée à un mois de l'année, depuis le mois d'avril jusqu'au mois de mars l'année suivante. Chacune d'entre elles comprend un certain nombre d'heures, indiquées par une sonnerie. Le nombre d'heures contenu dans chaque section est soumis à un ordre croissant

1. Cf. Charbonnier, *Entretiens*, p. 13 et 14.

selon une progression arithmétique : deux heures, trois heures, quatre heures, etc., jusqu'à douze heures pour la Coda. Enfin, chacune d'entre elles (à l'exception de la première) est annoncée par un « prélude » : le carillon de Westminster sonne les heures selon une progression décroissante comme dans un compte à rebours. Tandis que la deuxième section consacrée au mois de mai est annoncée par les onze premières notes du carillon et contient deux heures, l'avant-dernière section consacrée au mois de février n'est plus annoncée que par deux notes du carillon mais comprend onze heures. Tandis que le lecteur progresse dans sa lecture suivant la direction suggérée par le compte à rebours, il voyage mentalement à travers la réalité représentée, à la fois en douze mois et en trois jours et demi et trois nuits (total des heures égrenées). Comme l'indication des heures à l'intérieur des sections interrompt le cours du texte et intervient de plus en plus fréquemment, il est sensible à une accélération du temps. « Derrière ce temps qui s'accélère il y a cette espèce d'accélération absolue, d'accélération immobile, dont l'image est formée par les chutes du Niagara elles-mêmes [1]. »

Ces structures spatio-temporelles fournissent donc un cadre mobile, à l'ensemble des voix et des motifs contenus dans le texte. Ce cadre n'est pas purement formel car à chaque mois et à chaque heure correspondent des motifs différents. Ces structures réfléchissent artistiquement de manière à la fois concrète (visuelle et auditive) et abstraite (conceptuelle) les durées multiples de notre exploration des chutes du Niagara et du livre.

On sait aussi l'importance des données géographiques dans *Mobile :*

nuit noire à
CORDOUE, ALABAMA, le profond Sud

nuit noire à
CORDOUE, ALASKA, l'extrême Nord

nuit noire à
DOUGLAS, temps des montagnes, ARIZONA, Far West

Ces phrases inaugurent les trois premières pages du livre. Dès le début, nous sommes confrontés à un espace éclaté. Au cours de la même nuit (mais est-ce la même?)

1. G. Charbonnier, *Entretiens*, p. 139-140.

nous voici projetés au sud, au nord, à l'ouest des États-Unis d'Amérique. Le même nom Cordoue, ce nom de ville européenne, est un point mobile, un signe qui fait passer le lecteur, instantanément, de l'Europe à l'Amérique ou de l'Amérique à l'Europe, et en Amérique même d'un bout à l'autre du continent. A cet espace éclaté correspond un temps multiple : « temps des montagnes », « temps central », « temps oriental », « temps du pacifique ». L'Amérique vit sur plusieurs temps : tandis qu' « *il fait déjà jour depuis longtemps à Concord, temps oriental* », « *il fait encore nuit noire à Corning, temps du pacifique* ».

Mobile, comme son nom l'indique, peut être lu par n'importe quel bout : on peut se plonger dans le livre à n'importe quelle page, emprunter certaines directions, se laisser prendre à certains aspects. Il faut commencer par se laisser bousculer, envahir comme lorsqu'on débarque dans un pays neuf. Cet apparent chaos est soutenu par une structure serrée et très précise que l'on découvrira peu à peu. Le lecteur s'aperçoit vite que ce voyage à travers les États-Unis est très précisément programmé (comme celui de Léon Delmont entre Paris et Rome) et qu'il peut, s'il le désire, suivre l'itinéraire proposé par le livre.

L'ouvrage se développe en quarante-neuf sections qui nous introduisent chacune dans un État différent. Chacune de ces sections couvre une heure de temps, toutes ensemble nous mènent de la nuit au jour puis de nouveau à la nuit — au jour — à la nuit.

Comme dans *6 810 000 litres d'eau par seconde,* les indications précises de temps : « *encore quatre heures à* DIXON, *temps des montagnes* », « *Il est cinq heures du matin à* LINCOLN », « *Le soleil se lève à* LINCOLN *temps central* », sont doublées de motifs relatifs au jour ou à la nuit : « *les rues désertes* », « *les champs déserts* », « *un rayon de soleil* sur la plaine », par exemple pour le matin, ou « *la vague de sommeil* qui vient du Nouveau-Brunswick »... « Les rochers, les îles, *la nuit* »... « *La vague de sommeil aéré* qui vient du Maine »... « *Il rêve* qu'il s'embarque sur la mer »... pour la nuit. La répétion et les variations de ces motifs contribuent à donner au livre sa densité poétique. Le temps se déploie comme un temps vivant : temps cosmique, celui de la pluie et du soleil, de la nuit et de la lune; temps humain illustré par les rêveries du jour ou les rêves de la nuit... Ce voyage, entrepris alors qu'il faisait « *nuit noire à* CORDOUE, ALABAMA, *le profond Sud* », s'achève aussi la nuit mais cette fois « *la nuit claire pleine d'étoiles.* Nuit de germination », nous laissant au seuil de bien des découvertes sur cette « Terra incognita », que l'on vient d'explorer. Comme dans *La Modification*, les coordonnées spatio-temporelles objectives soutiennent donc et articulent les développements thématiques.

On sait d'autre part que ces œuvres s'offrent comme des constructions, rigoureuses et complexes, de matériaux empruntés à une réalité préexistante : récits historiques, poèmes célèbres, textes publicitaires, ou s'y référant directement : villes, États, œuvres d'art, sites remarquables, objets fabriqués. Il s'agit donc de « collages » dont l'efficacité poétique procède du choix des éléments et de leur organisation, et non pas de la recréation par l'écriture des éléments eux-mêmes.

Dans *Mobile*, par exemple, l'auteur ne décrit pas les villes de Cordoue, Douglas, New York, Florence, pas plus qu'il ne décrit les innombrables montagnes et collines, rivières et ruisseaux, lacs, forêts, chutes, cavernes, grottes dont il donne les noms. Il se contente aussi d'énumérer en les juxtaposant ces choses disparates : réclames d'essence, objets fabriqués, églises, oiseaux, fragments de conversation ou de catalogues publicitaires, automobiles, crèmes glacées, églises, réserves d'Indiens :

« Caltex — " nous devons nous être trompés de chemin " — les lacs du Verger, Muphysboro et Moïse » (*Mobile*, p. 56).

« Le lac de l'Épervier-Noir, ou le costume de Maître-de-la-Lune : "l'homme de demain. Tout d'une pièce, satin de rayonne jaune avec dessins stencilés rouges, noir et gris, capuchon et masque spatial en plastique" » (*Mobile*, p. 97).

« La rivière Chiskaskia qui se jette dans l'Arkansas — l'église catholique romaine —, le mont Jackfork, — ou le "Nouveau Livre de Cuisine" de la série "Meilleurs Logis, Meilleurs Jardins" » (*Mobile*, p. 225).

Les descriptions ou les commentaires ne sont pas de l'auteur lui-même mais sont empruntés à Jefferson, Benjamin Franklin, l'Indien Winnebago John Rave, ou à l'auteur anonyme du catalogue publicitaire de Sears Roebuck and Co., par exemple[1]. C'est à travers ces

---

1. Dans *6 810 000 litres d'eau par seconde* sont introduites, au début du livre et à la fin, deux descriptions des chutes du Niagara par Chateaubriand. La première reproduit celle de la note du chapitre XXIII, IIe partie de l'*Essai historique, politique et moral sur les Révolutions anciennes et modernes, considérées dans leurs rapports avec la Révolution française*, la

textes, empruntés à d'autres, que le lecteur découvre le racisme contre les noirs, le passé mythique indien, les valeurs fondamentales de la société américaine, ses obsessions actuelles.

Butor ne décrit donc pas, n'explique pas, mais cite, énumère et organise. Ces noms renvoient à des lieux ou des œuvres chargés d'histoire, à des objets chargés de sens, ces textes révèlent la mentalité de leurs auteurs et celle de leurs destinataires. C'est enfin de l'organisation des références et des textes cités que surgissent les significations que le lecteur est appelé à déchiffrer, à découvrir, et, dans une grande mesure, à inventer.

Parce qu'on ne lui décrit pas Cordoue, qu'on ne lui explique pas Cordoue, c'est à lui qu'il incombe de rapprocher, pour les interpréter, ces signes disposés sur les premières pages du livre [1] :

CORDOUE, ALABAMA, le profond Sud
CORDOUE, ALASKA, l'extrême Nord.

Parce qu'on ne lui décrit pas ces montagnes et ces lacs américains, qu'on ne lui en dévoile pas les charmes, c'est à lui qu'il revient de délivrer le « génie du lieu [2] » enfermé dans les noms mêmes [3] de ces monts :

seconde, légèrement différente, reproduit celle qui figure dans *Atala, ou les amours de deux sauvages dans le désert*. Entre ces deux versions de la description des chutes par le célèbre écrivain, l'auteur intercale toutes sortes de « variations », exécutées à partir du texte de Chateaubriand. L'auteur intègre donc systématiquement dans son propre langage les éléments d'un autre langage et fait subir au texte poétique dans ce cas le même traitement qu'aux lieux et aux objets auxquels il se réfère dans d'autres cas.

1. Notons que la présence de certains signes manifeste l'absence de certains autres. Ainsi, l'absence de *Mobile*, ville de l'Alabama, dans le livre qui porte ce titre. « J'avais, explique Butor, mentionné la ville de Mobile dans les premières pages et puis l'évolution du livre a fait que j'ai supprimé la mention de la ville de Mobile à la première page parce que c'était inutile... Le seul fait qu'il y ait Mobile sur la couverture, et puis Alabama dans la première page, représente la ville de Mobile, Alabama, ville dont la présence m'intéressait à plus d'un titre; premièrement parce que c'est un nom français... d'autre part parce que c'est un des points critiques du racisme américain. » G. Charbonnier, *Entretiens*, p. 137 et 138.

2. Dans *Le Génie du lieu*, Michel Butor tente d'étudier l'effet produit sur son esprit par certaines villes méditerranéennes et par l'Égypte. Il tente « d'élucider ces œuvres humaines que sont les villes ». Cf. Madeleine Chapsal, *Les Écrivains en personne*, p. 66 et 67. C'est à cette étude, à cette élucidation qu'il nous incite par ses livres.

3. Sur le choix des noms propres et leur importance dans cette œuvre, cf. G. Charbonnier, *Entretiens*, p. 159 à 163.

du Roi de la Tempête,
Tête de Démon et de Tromperie,
du Cœur,
du Rendez-vous,
du Serpent,
de l'Aigle chauve...

de ces lacs :

du Fer à Cheval,
du Baume et de l'Ours,
Muphysboro et Moïse,
du Grand arbre de Vie,
de l'Esprit et de la Vierge,
de l'Ile perdue,
de la Vallée aux sources,
des Démons...

de ces innombrables rivières et ruisseaux, forêts, chutes,
buttes, cavernes, grottes... cités dans le texte.

Les énumérations systématiques de ces sites naturels,
la variété quasi infinie des noms communique le sentiment
de l'immensité et la richesse inépuisable du continent
américain. La seule magie évocatoire des noms propres
suffit à suggérer ces rapports profonds et obscurs qui
dans les temps anciens ont lié l'homme à la nature. Monts
du *Cœur*, Monts du *Rendez-vous*, que d'images liées à
ces noms! Du *grand Arbre de Vie* indien à la *Vierge* chrétienne, que de rapprochements possibles!

A cette variété s'oppose l'unité stéréotypée de la culture
industrielle illustrée par ces objets et ces images identiques
les uns aux autres que le lecteur retrouve tout au long du
livre et à n'importe quel endroit du livre : les mêmes auto-
routes et les mêmes automobilistes, les mêmes affiches de
Coca-Cola, les mêmes restaurants Howard Johnson (« ou
vous pourrez demander s'ils ont de la glace à la framboise,
ou vous pourrez... »). Les mêmes ou quasi les mêmes. Ou
encore la fausse multiplicité des objets fabriqués décrits et
vantés par les prospectus publicitaires : carreaux de salles de
bains ou revêtements pour le sol aux coloris innombrables,
faux bijoux ou faux tapis, pilules amaigrissantes ou anti-
conceptionnelles, réveille-matin-radiophonique, fauteuil-
relaxateur-vibrateur... Et l'on pourra interpréter l'abon-
dance et la complication de ces objets comme les signes
à la fois d'un besoin de confort matériel et spirituel et de
l'impossibilité de le satisfaire.

Un des effets remarquables du procédé utilisé par Butor dans les œuvres que l'on vient d'évoquer est en tout cas son efficacité rhétorique. En proposant une sorte de « collage » l'auteur semble s'effacer complètement derrière ce qu'il présente de sorte que le lecteur est appelé à saisir directement et activement la réalité soumise à son attention. « Tous les reportages, récits de voyage, documents sur l'Amérique — et il y en a eu d'excellents —, remarque ainsi Raymond Jean, ont échoué en ceci qu'ils ont accumulé à l'usage du lecteur des renseignements et des réflexions critiques sur cette terre périodiquement découverte, mais ne lui ont jamais permis d'en avoir une intuition concrète, une sorte de vision, de perception sensorielle qui seule coïnciderait réellement avec ce qu'ils verraient s'ils y étaient soudain transportés. Et cela faute d'un langage capable d'établir une communication directe et, dans le sens le plus strict du terme un contact. Or, les États-Unis ne peuvent être saisis que dans un contact, tout s'y définissant d'abord à un double niveau physique : celui des possessions matérielles et celui de la nature, (paysages tout court et paysages urbains), dont le lieu commun est un certain espace. C'est même ce qui crée ce dépaysement très fort que l'on éprouve, lorsque venu d'Europe, on met pour la première fois le pied en Amérique. On ne peut faire grief à Butor d'avoir ressenti cela et d'avoir tenté de le rendre hors de la médiation d'un discours [1]. »

Il est vrai que dans les véritables collages (où pourtant il ne s'agit pas de textes et de mots, donc d'une réalité verbale, mais d'objets perceptibles : fragments de bois ou de papiers, pièces de monnaie, objets fabriqués en série), les fragments intégrés à la toile perdent leur réalité primitive et s'irréalisent dans le contexte du tableau. Tandis que les peintres d'autrefois visaient par leurs techniques à susciter l'illusion de réalité, il semble bien que beaucoup d'artistes modernes n'introduisent ces fragments de réalité brute dans leurs œuvres, que pour en manifester l'étrangeté.

Au lieu donc d'illustrer la thèse selon laquelle l'œuvre d'art littéraire s'insère dans le monde, un rapprochement avec le « collage » tel qu'il se réalise dans les arts plastiques, permet au contraire d'illustrer la thèse (dont on a vu

1. R. Jean, *La Littérature et le réel*, p. 226.

d'ailleurs qu'elle n'était pas antinomique à la précédente) de son autonomie essentielle.

Prenant ainsi pour exemple un roman de Sybren Polet intitulé *Verboden Tijdt*, dans lequel l'auteur, avant de nous montrer son héros faisant un voyage de Lokien à Tanger, cite un passage d'un guide touristique dans lequel sont fournis les renseignements sur la ville où le héros doit se rendre, S. Dresden remarque que dans ce cas comme dans celui des collages : « La réalité (verbale) offerte par le guide touristique est sans plus reproduite. Au lieu cependant de donner l'impression que l'on a à faire à une réalité véritable, à une ville existante, ce passage paraît plutôt totalement intégré dans l'atmosphère du roman et par conséquent aussi irréel que le reste [1]. »

Sans doute, et l'on pourrait faire la même constatation à propos du passage emprunté à l'indicateur Chaix dans *La Modification*. Il n'en reste pas moins que cette « irréalité » ou cette « réalité » n'est pas tout à fait la même que celle qui est produite par d'autres procédés littéraires et c'est cette différence que notre analyse s'efforce d'illustrer.

Il suffira encore de comparer la représentation dans un tableau d'un miroir par des procédés proprement picturaux à l'intégration dans la toile d'un miroir réel pour mieux comprendre les rapports différents que ces deux allusions à la réalité entretiennent avec le spectateur. Dans le premier cas, celui par exemple du célèbre portrait des époux Arnolfini, le miroir peint reflète d'abord ce qui est dans le tableau et ne reflète qu'indirectement le monde extérieur. Dans le second, au contraire, c'est ce monde extérieur à la toile que le miroir reflète immédiatement et en particulier dans ce monde, le visage même du spectateur! [2]

Certes, un livre n'est pas un tableau. La réalité qui peut y être intégrée n'est qu'une réalité verbale. (On peut voir là une des raisons pour lesquelles Michel Butor utilise de plus en plus des textes déjà écrits.) L'exemple fourni par le « collage » n'en est pas moins éclairant. Il permet, nous semble-t-il, d'illustrer certains aspects du « réalisme » de Michel Butor et de marquer ce qui le distingue des romanciers de l'école réaliste. Tandis qu'il s'agissait, comme l'a si bien dit Maupassant : « pour faire vrai, de donner l'illu-

---

1. S. Dresden, *Wereld in Woorden*, p. 113.
2. Comme dans certaines œuvres du *pop' art*, celles de Lichtenstein ou de Jacques Van der Heyden, par exemple.

sion complète du vrai », de telle sorte « que les réalistes de talent devraient plutôt être appelés des illusionnistes [1] », il s'agit sans doute pour Butor, et déjà on va le voir, dans *La Modification*, de dénoncer l'illusion romanesque en confrontant le lecteur avec des fragments, choisis certes, mais présentés « tels quels », de « ce monde en train de changer », ce monde qui est le nôtre en même temps que le sien.

3. *Les noms propres et l'insertion du roman dans l'espace historique.*

La Modification, il est vrai, est loin de dénoncer tout à fait l'illusion romanesque et nous verrons que l'auteur adapte à son propos les procédés les plus classiques de ces « illusionnistes », les réalistes de talent. Il est cependant remarquable que l'on ne trouve pas dans ce roman de véritable description de Rome ou de Paris, mais, à leur place, d'innombrables références aux rues, monuments, œuvres d'art que ces lieux recèlent. Comme dans les œuvres que l'on vient d'évoquer les noms propres jouent ainsi, par eux-mêmes, un rôle essentiel. C'est un aspect du roman que l'on ne peut négliger.

Le seul nom de Rome, affirme le *Guide bleu*, suffit à évoquer chez un esprit cultivé trois mille ans d'Histoire. Que dire alors si à ce nom de Rome s'ajoutent ceux du *Forum* et du *Capitole*, du *temple d'Agrippa* et de la *Maison dorée de Néron*, de *Pietro Cavallini* et de *Michel-Ange*, de *Borromini* et du *Bernin*, celui aussi de la *Stazione Termini*, ce chef-d'œuvre de l'architecture contemporaine ?

Que dire alors si à ce nom de Rome s'ajoutent ceux de ces lieux et monuments, évoqués page 38 :

place de l'Esedra (sa fontaine, ses arcades);
la Via Nazionale;
l'hôtel Quirinal;
le monument à Victor-Emmanuel;
le Corso;
le palais de Venise;
le Gesù;
Sant'Andrea della Valle;

1. G. de Maupassant, *Le Roman*, préface de *Pierre et Jean* (1887). Cité par M. Raimond, *Le Roman après la Révolution*, p. 276.

la place du Gesù;
le Capitole;
le Campidoglio;
le Largo Argentina, « avec sa route médiévale... et quatre temples en ruine de l'époque républicaine »...

ou de ceux-ci, à la seule page 54 :

la coupole du Saint Suaire à Turin;
l'escalier du Palais Balbi à Gênes;
la Tour de Pise;
un joueur de flûte de Tarquinia;
la place Saint-Pierre;
l'obélisque du cirque de Néron (transporté là par l'ordre de Sixte Quint);
l'église de Luques;
l'arc de Trajan à Benévent;
le théâtre olympique de Vicence;
la Sicile;
la rue des Pyramides;
l'Italie;
le Théâtre-Français;
trois mauvaises statues représentant les fils de Caïn;
l'arc de triomphe du Carrousel;
celui de l'Étoile;
l'aiguille grise de l'Obélisque;
des sarcophages;
des copies en bronze des antiques du Vatican;
la victoire de Samothrace;
Guardi;
Magnasco;
Watteau;
Chardin;
Fragonard;
Goya...

ou de ceux-ci encore, désignant cette fois les lieux représentés par *Pannini*, « peintre de troisième ordre », mais peintre de Rome, dans « ces deux grands tableaux symétriques » (p. 55), « galeries de vues de la Rome moderne », « galeries de vues de la Rome antique ».

« A gauche » donc : le *Colisée*, la *Basilique de Maxence*, le *Panthéon*, « tels qu'ils étaient encore il y a deux cents ans à peu près au moment où *Piranèse* les a gravés », trois chapiteaux blancs, « qui sont ceux du *temple de Mars Ultor* sous les traits d'*Auguste* dans le forum de celui-ci, maintenant très hauts sur leurs magnifiques colonnes », le portique du *temple d'Antonin et Faustine*, « avec la *façade de l'Église* que l'on avait construite à l'intérieur et que l'on n'a pas encore démolie », *l'arc de triomphe de Constantin*, celui de *Titus*, les *thermes de Caracalla*, et « le mystérieux *temple rond, dit de Minerva Medica*, que l'on croise en train lorsqu'on arrive à la gare » (p. 55).

« A droite » : le *Moïse de Michel-Ange* et... toutes les *fontaines du Bernin*... celle des *Fleuves, piazza Navona*, celle du *Triton*, près du *palais Barberini*, celle de la *place Saint-Pierre*, celle des *escaliers de la Trinité des Monts*... (p. 58).

Que dire alors si à ces noms s'ajoutent encore ceux de plus de quatre-vingt-dix œuvres d'art, sans compter les nombreuses périphrases? De même que les photographies de *Carcassonne* et de *l'arc de Triomphe de l'Étoile* (p. 104) «illustrent» le compartiment, ces références aux monuments aux œuvres d'art célèbres illustrent, remarquablement, le roman.

« Les monuments de Rome sont des chapitres de l'Histoire du monde [1]. » En chacune de ces œuvres d'art « s'incarne et persiste un moment de l'histoire [2] ». Ces lieux, ces objets privilégiés sont liés, d'une façon ou d'une autre, à certaines « régions de notre conscience [3] ». C'est de notre histoire, de notre passé, de notre culture qu'il s'agit ici. L'exactitude, le nombre des références, auquel il faudrait ajouter les innombrables allusions aux idéologies, croyances, mythes qui font aussi partie de notre patrimoine culturel, ne permettent pas d'en douter.

4. *Texte et contexte* — Les Tableaux de Pannini *comme mise en abîme.*

La Modification, comme plus tard *Mobile* ou *6 810 000 litres d'eau par seconde*, offre donc un système précis et complexe d'allusions, reliant le monde du livre à la situation du lecteur. A l'instar du héros, nous devrons

« essayer d'approfondir et de cerner, de capter et d'utiliser les images liées à ces noms, portes de bien étranges découvertes, à n'en pas douter sur le monde chrétien... si fallacieusement connu, sur ce monde

---

1. E. Mâle, *Rome et ses vieilles églises*, Paris, Flammarion, 1962, p. 14.
2. Comme le dit Michel Butor à propos de Cordoue dans *Le Génie du lieu*, p. 19.
3. *Ibid.*, p. 195.

encore en train de s'écrouler, de se corrompre, de s'abattre sur vous »... (p. 139).

Portes de bien étranges découvertes sur le monde chrétien et aussi sur le monde païen. Comment faudra-t-il alors déchiffrer ces allusions? Le Panthéon évoquera-t-il pour nous comme pour Léon Delmont le visage de Cécile,

> « et ceci non seulement parce que *son nom évoque pour vous* tout naturellement celui du temple qu'Agrippa avait dédié aux douze dieux, mais aussi parce que la frise de guirlandes, juste à la hauteur de votre appartement, est parmi tous les efforts de décoration classique une des imitations les plus réussies des plus beaux ornements romains »? (p. 67).

ou évoquera-t-il plutôt Victor Hugo parce qu'il y est enterré; le quartier latin parce que nous y avons fait nos études ou encore l'époque à laquelle Paris jouait le rôle de Capitale du monde civilisé? Ce « lac lamartinien » dont on nous parle page 57 ranimera-t-il des souvenirs scolaires et fera-t-il sourire ou découvrirons-nous au contraire, grâce à cette allusion, certains aspects occultés du poème célèbre? Seul le contexte du livre nous le dira.

C'était, disions-nous, parce que l'auteur ne décrit pas, parce qu'il n'explique pas, que le lecteur est obligé de déchiffrer, d'interpréter ce qui lui est proposé dans un livre comme *Mobile*. Mais si l'auteur ne décrit pas, n'explique pas, il propose un choix et une organisation. « L'ensemble de l'architecture de *Mobile* a été fait ainsi à partir des répétitions de noms, de la mise en évidence des répétitions de noms », parce que « ce retour des noms est lié à une caractéristique fondamentale de l'économie américaine qui est une économie de multiplication des objets en un très grand nombre d'exemplaires [1] », parce que cette répétition des noms est en général « liée à une communauté de civilisation, une communauté d'implantation historique [2] ». Mais, précise l'auteur, « dans le réseau des noms tendu sur toute la superficie des États-Unis... j'ai relevé ceux qui pouvaient entrer à l'intérieur de mon livre [3] ».

De même, les textes de Jefferson, Benjamin Franklin ou Carnegie, sont bien des documents et choisis pour tels.

---

1. G. Charbonnier, *Entretiens*, p. 163.
2. *Ibid.*, p. 163.
3. *Ibid.*, p. 164.

A elles seules, par exemple, les *Notes sur l'État de Virginie*, rédigées par Jefferson à l'intention de correspondants français, nous apprendraient comment autrefois, des Américains voulaient se présenter aux Français[1], nous montreraient l'intelligence et la sensibilité de leur auteur, nous révéleraient certains aspects du problème noir aux États-Unis. Mais découpées en morceaux choisis, insérées « dans un contexte qui va souligner tel ou tel mot », elles prennent une tout autre portée, sont lues dans un tout autre esprit. « Pour un Américain, raconte Butor, il y a dans cette citation de Jefferson et dans la façon dont elle est faite, une espèce de blasphème, de sacrilège contre un des dieux lares de la maison américaine. Il y a vraiment là une statue dont le masque a été arraché[2]... »

Réflexion et formalisation de l'espace et du temps, répétitions significatives de noms, juxtaposition contra-punctique de citations, mise en relief des différentes couches du texte par la typographie, c'est une *étude pour une représentation* des États-Unis qu'offre un livre comme *Mobile*. De même et par des procédés d'organisation analogues quoique différents c'est une certaine représentation du réel que nous offre un roman comme *La Modification*. Comment, c'est ce qu'il faudra précisément montrer mais ce que d'ores et déjà des références aux tableaux de Pannini permettent d'indiquer.

Ces *deux tableaux symétriques* (p. 55) figurent en effet assez bien, par un procédé de mise en abîme[3] cher à l'auteur, la manière dont le récit représente ces deux aires de culture, l'Antiquité et le Christianisme, auxquelles renvoient les noms cités dans le roman.

Ces deux tableaux représentent l'un la Rome antique, l'autre la Rome moderne : des lieux fréquentés par le héros mais fréquentables par le lecteur, comme ce « mystérieux temple rond dit de Minerva Medica *que l'on croise en train lorsqu'on arrive à la gare* » (p. 55). Ils représentent des lieux choisis par le peintre et disposés suivant les lois d'une

---

1. G. Charbonnier, *Entretiens*, p. 209.
2. *Ibid.*, p. 211-212.
3. On sait l'importance prise par cette notion, introduite dans la critique littéraire par André Gide en 1893, citée et utilisée par Claude-Edmonde Magny dans son *Histoire du roman français depuis 1918*, p. 269-270, citée récemment encore par Jean Ricardou dans ses *Problèmes du Nouveau Roman*, p. 171-189. On connaît aussi la fortune du procédé chez les écrivains contemporains.

certaine perspective. Ces lieux ou ces monuments ne sont pas peints directement (sur le motif) mais sont des représentations de représentations, puisqu'il s'agit de *collections imaginaires,* de *galeries de vues* (p. 55). Or, si dans un livre comme *Mobile* Butor propose des textes déjà écrits et même souvent déjà cités par d'autres[1], les œuvres et les lieux évoqués ou décrits dans *La Modification* sont déjà par eux-mêmes objets de représentations culturelles. Pour déchiffrer leurs significations, il faudra donc à la fois tenir compte de notre propre représentation des choses (lecteurs plus ou moins cultivés) et de celle de l'auteur qui les a disposés à notre intention dans une certaine perspective.

Ces tableaux ne figurent pas seulement des lieux célèbres et déjà peints mais ont en outre

« ceci de remarquable qu'il n'y a aucune différence de matière sensible entre les objets représentés comme réels et ceux représentés comme peints, comme s'il [le peintre] avait voulu figurer sur ses toiles la réussite de ce projet commun à tant d'artistes de son temps : *donner un équivalent absolu de la réalité...* » (p. 55).

Ils ne figurent pas seulement des tableaux mais aussi les *personnages* qui les contemplent, et « *se promènent parmi les* sculptures entre les murs couverts de paysages, *en faisant des gestes d'admiration, d'intérêt, de surprise, de perplexité...* » (p. 55).

Certes, le roman de Butor ne donne pas un « équivalent absolu de la réalité ». Pas plus que ne le donne Pannini ou « ces grands architectes *illusionistes* du baroque romain » qui « grâce à leurs *merveilleux systèmes de signes... donnent à imaginer des monuments rivalisant dans l'effet et le prestige avec les énormes masses réelles des ruines antiques* » (p. 55). Mais cette allusion indique l'importance qu'il faudra accorder aux moyens mis en œuvre dans le roman pour susciter l'illusion de réalité. Elle suggère aussi qu'à l'instar des architectes romains, « *intégrant méthodiquement, comme base même de leur langage* » (p. 56), les détails de l'ornementation antique, l'auteur a intégré systématiquement, dans *La Modification* (comme plus tard dans *Description de San Marco, Mobile* et *6 810 000 litres d'eau par seconde*) les fragments d'une culture ancienne.

De même, on peut voir dans ces personnages intégrés à

1. Cf. G. Charbonnier, *Entretiens,* p. 208.

la toile et contemplant les tableaux représentés, une image des personnages du roman, contemplant eux aussi, s'extasiant, admirant, les monuments de Rome ou les tableaux du Louvre. Préfigurant ces œuvres dans lesquelles lecteurs et spectateurs font partie en tant qu'acteurs [1], ce passage suggère que dans *La Modification* c'est nous-mêmes, lecteurs, qui sommes aussi représentés...

---

1. Ou sont du moins appelés à y participer plus activement que par le passé, grâce par exemple à de nouvelles dispositions scéniques. Ainsi lors de la représentation de *6 810 000 litres d'eau par seconde* dans la salle mobile du théâtre de la Maison de la Culture à Grenoble. « On n'est plus devant une scène, devant le cadre d'un tableau on est dedans », explique Butor à ce sujet dans *La Quinzaine littéraire*, n° 44 du 1er au 15 février 1968, p. 14.

CHAPITRE II

LE VRAISEMBLABLE

> « *Tout d'un coup, dans une vive échancrure
> soudaine de l'horizon, vous avez vu le soleil
> poindre, balayant de ses rayons horizontaux
> la table à laquelle vous étiez assis en déta-
> chant superbement tous les objets, même
> les miettes, les soulignant de longues
> ombres.* »

I. LE PROBLÈME DU VRAISEMBLABLE

1. *La motivation réaliste.*

Ici, dans ce compartiment (p. 12), sur le filet de métal, « *vous apercevez* » « cette *serviette noire bourrée de dossiers* » « dont les *coins colorés s'insinuent par une couture défaite* » (p. 10), ce « *porte-documents d'un noir un peu cendré, d'asphalte dont baille en partie la longue fermeture éclair* » (p. 11), cette « *légère mallette gainée de toile écossaise imperméabilisée, avec deux serrures de mince cuivre éclatant* » (p. 10), « *ces deux grandes valises semblables, flambant neuves en peau de porc...* » (p. 11), « *votre propre valise* » enfin « *recouverte de cuir vert bouteille à gros grain* » (p. 11).

Tandis que sur le sol s'accumulent peu à peu « *miette de biscuit* » (p. 93-95), « *pépins de pomme* » (p. 111), « *étoiles de papier* » (p. 119) et « *traces boueuses* » (p. 119), vous pouvez observer, entre les « *souliers fauves* » du voyageur

« un autre, noir, verni, la pointe tournée en sens inverse, luisant dans l'ombre, se fermant sur une chaussette de coton bleu marine que recouvre l'ourlet d'un pantalon de drap à menues raies de deux gris très voisins, sur lequel un mince fil blanc déploie ses spires... » (p. 24).

Dehors, « *une voiture à accumulateurs se fraye un chemin sinueux parmi la grise foule affairée, encombrée* » (p. 13). Un peu plus loin : « *l'espace extérieur s'agrandit brusquement* » et défilent sous « *votre regard* » :

« le dos lépreux de ces grands immeubles *que vous connaissez si bien*... cette étroite bande d'herbe hirsute et fanée, ce café dont le rideau de fer se lève, ce coiffeur qui possède encore une enseigne une queue de cheval pendue à une boule dorée... cette grande cheminée lézardée, cette réserve de vieux pneus, ces petits jardins avec leurs échalas et leurs cabanes, ces petites villas de meulière dans leurs enclos avec leurs antennes de télévision » (p. 14).

« Au-delà de la fenêtre *cette pluie dont la venue n'était que trop certaine* depuis le départ, *la voici qui commence tout doucement en très fines gouttes* » (p. 58), puis « *devenue plus violente* [frappe] la vitre de *grosses gouttes qui commencent à descendre lentement* » (p. 69) « *qui ruissellent lentement* (p. 81) *couvrent la vitre* (p. 83) *brouille la fenêtre* (p. 85) cette pluie « *s'atténue* » (p. 88) et cesse enfin, laissant les vitres « *sèches mais sales* » (p. 114).

Ces précisions, relevées parmi bien d'autres, particularisent la situation : c'est ici et maintenant, en telles circonstances, que l'action est censée avoir lieu.

Elles proposent d'autre part les éléments d'une situation vraisemblable. Chaque motif est introduit comme un « motif probable pour la situation donnée [1] » et répond à l'idée que le lecteur se fait du vrai et du possible. Rien de plus vraisemblable, en ce sens [2], que cette pluie, puisqu'on est en automne et que l'on quitte Paris, cette foule affairée sur le quai de la gare de Lyon, et ces débris s'accumulant sur le sol d'un compartiment de troisième classe français...

Il en est de même pour la présentation des personnages habitant le compartiment. Nous ne nous attendons peut-

1. Comme il se doit d'après Tomachevski, lorsqu'il s'agit de produire l'illusion de réalité en respectant l'exigence de vraisemblance du lecteur. B. Tomachevski, « Thématique », in *Théorie de la littérature*, p. 285.
2. Sur les différents sens du terme vraisemblable, cf. le numéro de *Communications*, 11, 1968. Il s'agit ici du premier sens dit naïf, celui d'après lequel il s'agit d'une relation à la réalité.

être pas à rencontrer dans un train français ce « *petit homme
au teint très rose, ... coiffé d'un chapeau melon... un Anglais
vraisemblablement* » (p. 12), nous ne nous étonnons guère
en revanche d'y voir entrer cet « *homme rougeaud, essoufflé* »
(p. 14) plein de « *sotte assurance et de vulgarité... un représentant à n'en pas douter* » (p. 21), ni d'y trouver « cet *homme
grisonnant plongé... dans la lecture d'un épais volume* »
(p. 21)... « les yeux fixés sur les lignes... un crayon dans sa
main droite, *marquant de temps en temps une croix dans la
marge* » (p. 43), « *(ce ne peut être qu'un professeur)* » (p. 26)
préparant « un cours sans doute... qu'il doit donner cet
après-midi... *vraisemblablement à Dijon puisqu'il n'y a pas
d'autre université* sur la ligne avant la frontière » (p. 43).
Et dans ce train à destination de Rome ne sont déplacés
ni « cet *ecclésiastique* d'une trentaine d'années » (p. 11)
ni ces *jeunes époux*, « ce ne sont pas seulement des
amoureux... *puisqu'ils* ont tous les deux leur anneau
d'or » (p. 11) en route vers Syracuse par exemple, « d'après
ce que vous en avez entendu dire, les photographies que
que vous en avez vues, *tout à fait adaptée à un voyage de
noces* » (p. 27). Quant à l'entrée à Dijon de cette femme
« vêtue de noir... avec un visage déjà ridé et un chapeau
garni de tulle et de grosses épingles à boules... tenant d'une
main une valise de paille et un cabas, de l'autre un garçon
d'une dizaine d'années » (p. 80), elle n'est pas plus inattendue que celle, à la frontière, des ouvriers et vieillards
italiens.

La présence des voyageurs réunis comme par hasard
dans ce compartiment est parfaitement motivée sur le
plan réaliste : au même titre que les objets dont les particularités sont soigneusement décrites, les caractéristiques
attribuées aux personnages peuvent se justifier en « termes
d'expérience [1] ». En introduisant dans le récit un témoin
situé, qui observe et commente les faits qui se présentent,
l'auteur ne manque pas de dénuder son procédé : il vise à
nous faire croire que l'œuvre se conforme au réel et non à
ses propres lois.

---

1. A la suite des formalistes russes nous parlerons de « motivation réaliste » lorsqu'il sera possible de « justifier une convention artistique en
termes de vie ». Cf. V. Erlich, *Russian Formalism*, p. 166. On sait que pour
les formalistes ce type de motivation sert à dissimuler la « motivation esthétique ». Cf. à ce sujet B. Tomachevski, *Théorie de la littérature*, p. 284,
et G. Genette, « Vraisemblance et motivation », *Communications*, n° 11,
p. 5 à 21.

Le vraisemblable ne se définit pas seulement par le rapport du texte à la réalité mais par son rapport à d'autres textes. Comme l'a souligné Tomachevski, « l'introduction d'un motif probable pour une situation donnée » représente un « compromis entre la probabilité objective et une tradition littéraire [1] ». On relève ainsi, parmi les procédés de présentation des personnages celui, traditionnel, de la caractérisation indirecte par les objets. Tandis que le chapeau « *garni de tulle et de grosses épingles à boules* » (p. 80) désigne la provinciale, la serviette noire bourrée de dossiers appartient « *selon toute vraisemblance* » (p. 10) au professeur. Tandis que les valises « *flambant neuves* » (p. 11) conviennent bien aux *jeunes époux,* cette valise de « *cuir vert bouteille à gros grain avec vos initiales frappées* »... est « *tout à fait convenable pour le directeur du bureau parisien des machines à écrire Scabelli...* » (p. 11).

Bien qu'il relève d'une tradition littéraire, dont Balzac fut un des principaux artisans, ce procédé peut être justifié, aujourd'hui encore, en termes d'expérience : « Décrire des meubles, des objets, c'est une façon de décrire des personnages », affirme Butor, parce que les « objets sont bien plus liés à notre existence que nous ne l'admettons communément [2] ». Attributs et possessions, ils révèlent l'âge, le milieu social, la profession, les habitudes de leurs propriétaires. L'auteur pense en effet avec Balzac que « l'homme, par une loi qui est à rechercher, tend à représenter ses mœurs, sa pensée et sa vie dans tout ce qu'il approprie à ses besoins [3] ». Ainsi comprendra-t-on qu' « *une sournoise rouille commence à ronger les anneaux* » (p. 11) de la valise de cet homme de *quarante-cinq ans, aux* « *traits tirés* » (p. 22), dont les cheveux « *se clairsèment et grisonnent* » (p. 9), *à* « *l'œil éteint* » et *aux nerfs crispés* (p. 22), de cet homme en proie à une *inquiétude* rongeante qui va chercher à Rome « *la guérison de toutes ces premières craquelures avant-coureuses du vieillissement* »... (p. 22) [4].

1. B. Tomachevski, *Thématique,* p. 285.
2. M. Butor, « La Philosophie de l'ameublement », *Répertoire II,* p. 54.
3. H. de Balzac, Avant-propos de *La Comédie humaine,* cité par Michel Butor, *Répertoire II,* p. 55.
4. C'est dans cette perspective qu'il faut comprendre aussi l'importance prise par les énumérations d'objets fabriqués dans *Mobile* et *6 810 000 litres d'eau par seconde.* « En ces objets peut s'inscrire tout ce que vous appelez le monde intérieur, explique l'auteur. Ainsi la mentalité américaine s'inscrit dans les milions d'objets manufacturés qui circulent d'un bout à l'autre des États-Unis. » « Réponse à Tel Quel », *Répertoire II,* p. 300.

Particularisation par le « détail vrai [1] », introduction grâce au narrateur d'un commentaire psychologique, caractérisation des personnages par les objets, tous ces procédés relèvent d'une esthétique réaliste qui repose sur une technique de l'illusion. Une technique dans la mesure où « pour faire vrai, le romancier doit donner l'illusion complète du vrai ». Il serait facile de montrer que les célèbres définitions que Maupassant a données du « réalisme » et des « réalistes », s'appliqueraient avec pertinence, à des romanciers aussi différents que Mme de La Fayette et Balzac, Tolstoï et Dickens, Henry James et Nathalie Sarraute. C'est d'ailleurs aujourd'hui [2] un lieu commun d'affirmer « que le roman n'est pas davantage apte à fournir du vrai que du réel, mais adjugé au seul vraisemblable [3] » et de reconnaître, par exemple, que « la vérité esthétique n'est pas la vérité judiciaire [4] ». Non seulement, les critiques se trouvent d'accord avec les romanciers sur ce point [5], mais avec eux les historiens, qui s'acharnent à découvrir les faits extérieurs à l'œuvre.

Produit d'artifices techniques et de conventions littéraires, le vraisemblable n'en fait pas moins appel à l'expérience du lecteur. On peut considérer ce recours à un au-delà de l'œuvre comme un « mal nécessaire », une concession faite par l'auteur au public non averti : « Sachant bien,

---

1. Au sens où l'entendait Balzac : « l'art du romancier consiste à être vrai dans tous les détails quand son personnage est fictif », Lettres sur la littérature, p. 289. Cf. à ce sujet M. Bardèche, *Balzac romancier*, p. 549.
2. C'était déjà un lieu commun de la rhétorique classique comme on peut en juger d'après les textes cités par H. Coulet dans *Le Roman avant la Révolution*, mais les théories réalistes et naturalistes en avaient jusqu'il y a quelques années oblitéré le sens.
3. G. Blin, *Stendhal et les problèmes du roman*, p. 8.
4. J. Prévost, *La Création chez Stendhal*, p. 269.
5. Citons par exemple Balzac : « L'historien des mœurs (entendons le romancier) obéit à des lois plus dures que celles qui régissent l'historien des faits; il doit rendre tout probable, même le vrai tandis que dans le domaine de l'histoire proprement dite, l'impossible est justifié par la raison qu'il est advenu. » *Les Paysans*, Paris, Gallimard, La Pléiade, vol. VIII, p. 154, ou, sur un autre plan, Nathalie Sarraute : « Il est permis de rêver d'une technique qui donnerait au lecteur l'illusion de refaire lui-même ces actions (drames souterrains) avec une conscience plus lucide, avec plus d'ordre, de netteté et de force qu'il ne peut le faire dans la vie, sans qu'elles perdent cette part d'indétermination, cette opacité et ce mystère qu'ont toujours ses actions pour celui qui les vit. » *L'Ère du soupçon*, p. 140, ou François Mauriac, qui après avoir exprimé des vœux analogues, affirme que dans la mesure où il prétend « faire concurrence à la vie » ou même la « représenter », « l'art du romancier est une faillite ». Cf. *Le Roman*, p. 28, et *Le Romancier et ses personnages*, p. 118 et 121.

constate avec dépit Tomachevski, le caractère inventé de
l'œuvre, le lecteur exige cependant une certaine correspondance avec la réalité et il voit la valeur de l'œuvre dans
cette correspondance. Même les lecteurs au fait des lois
de composition artistique ne peuvent se libérer psychologiquement de cette illusion [1] ». C'est pourquoi les premiers
formalistes russes se sont efforcés de montrer dans ce qui
apparaît l'effet d'une motivation réaliste primaire, l'effet
secondaire d'une motivation esthétique. C'est pourquoi
certains sémiologues, dont le projet est « de montrer que
les discours ne sont pas régis par une correspondance avec
leur référent mais par leurs propres lois [2] », s'efforcent d'écar-
ter le sens « naïf » du vraisemblable, celui d'après lequel il
s'agit d'une relation à la réalité, pour s'attacher à dégager
les « lois du texte » qui le soutiennent [3].

Comprise cependant comme un « compromis entre la
probabilité objective et la tradition littéraire », la notion
de motivation réaliste nous paraît susceptible de rendre
compte de l'ambiguïté du vraisemblable telle qu'elle se
manifeste entre autres dans les textes que l'on vient de
citer. Les motifs sont introduits selon certaines conventions,
que nous nous attacherons précisément à dégager, mais on
ne voit pas que l'appel à l'expérience du lecteur puisse
être considéré comme un mal nécessaire. Il semble bien,
au contraire, que la mise en œuvre de certains procédés
ait d'abord pour fonction de ranimer cette expérience.

2. *L'esthétique de l'imitation et le réalisme artistique.*

Particularisation par le détail vrai, commentaire psychologique, caractérisation indirecte des personnages, ces
procédés relèvent, disions-nous, d'une esthétique de l'illusion. On peut même se demander s'il ne s'agit pas ici
d'une « esthétique de l'imitation », au sens où l'entendait
Tolstoï. « L'essence d'une telle esthétique » consiste d'après
lui « à rendre les détails qui accompagnent ce qui est décrit
ou représenté. Lorsqu'il s'agit d'art littéraire, cette méthode
consiste à décrire jusque dans les plus petits détails, les
aspects, visages, ornements, gestes, sons, habitations des
personnages, avec tous les incidents qui se présenteraient

1. « Thématique », in *Théorie de la littérature*, p. 285.
2. T. Todorov, « Le vraisemblable », in *Communications*, 11, introduction, p. 2.
3. *Ibid.*, p. 2.

dans la vie [1] ». C'est bien de cette façon que procède Butor lorsqu'il décrit la banlieue parisienne, en énumérant toutes les choses que l'on peut voir défiler au-delà de la fenêtre du train ou lorsqu'il propose à notre attention les faits et gestes suivants :

« Vous étendez vos jambes de part et d'autre de celles de cet intellectuel qui a pris un air soulagé et qui arrête enfin le mouvement de ses doigts, vous déboutonnez votre épais manteau poilu à doublure de soie changeante, vous en écartez les pans, découvrant vos deux genoux dans leurs fourreaux de drap bleu marine, dont le pli repassé d'hier pourtant, est déjà cassé, vous décroisez et déroulez avec votre main droite votre écharpe de laine grumuleuse, au tissage lâche, dont les nodosités jaune paille et nacre font penser à des œufs brouillés, vous la pliez négligemment en trois et vous la fourrez dans cette ample poche où se trouvent déjà un paquet de gauloises bleues, une boîte d'allumettes et naturellement des brins de tabac mêlés de poussière accumulés dans la couture » (p. 12).

Tolstoï, on le sait, conteste radicalement l'efficacité artistique d'une telle « méthode » : « L'essence de l'art réside dans la communication par l'artiste de ses sensations et de ses sentiments. Or, la communication de la sensation ne coïncide pas avec la description des détails de ce qui est rapporté et est même dans une grande mesure empêchée par leur surabondance [2]. » L'objection est loin d'avoir perdu son actualité. La « méthode de l'imitation » n'a jamais eu bonne presse et sous le nom de « réalisme objectif » se trouve contestée ou récusée par maint critique ou auteur contemporain.

Aussi n'est-il pas sans intérêt d'examiner leurs arguments qui, pour porter sur Stendhal ou Balzac, n'en sont pas moins éclairants pour Butor.

Gilbert Durand qui insiste pourtant dans *Le Décor mythique de la Chartreuse de Parme* sur « la nécessité descriptive » dans le roman et les impératifs du « réalisme », s'empresse d'ajouter : « chez le romancier de génie, comme dans l'immémoriale littérature des contes, des légendes et des mythes, point n'est besoin que ce réalisme soit objectif. Bien mieux, lorsque le récit s'appesantit sur la description objective, l'encombrement des qualificatifs descriptifs bouche l'essor de l'imagination du lecteur et lui fait perdre le sens que peut véhiculer le récit... Tel nous semble bien

---

1. Léon Tolstoï, *Qu'est-ce que l'art?* (1897), in *Complete Works* (1904), vol. XXII, cité par M. Allot, *Novelists on the Novel*, p. 74.
2. *Ibid.*, p. 75.

être, précise-t-il, le défaut du réalisme trop poussé et du naturalisme chez Zola, déjà même chez Balzac et à plus forte raison chez Robbe-Grillet [1] ».

« De longs détails tuent l'imagination [2] », il s'agit là d'une remarque de Stendhal lui-même que Georges Blin avait déjà longuement commentée : « Parce qu'il s'est bien gardé de surcharger son roman de renseignements accessoires, de descriptions circonstanciées, et bref, de toutes les précisions qui obligent le lecteur à pousser jusqu'à l'image expressive et tyrannique », Stendhal, explique-t-il, sollicite l'imagination du lecteur. « De là, l'impression de célérité que nous donnent toujours ses récits : on y saisit les faits et les rapports, non comme des pensées amenées à maturité, ni comme de stables relations d'objectivité, mais comme autant de directions et de repères pour une poursuite que ni la réflexion, ni la contemplation ne viennent retarder. L'imagination laissée libre de meubler ainsi à sa guise les vides, s'enchante également de fournir et de ne fournir que ce qui l'aide ou lui plaît. Quand, au contraire, un romancier ne lui abandonne le soin d'aucune invention de détails, elle se désintéresse, elle abdique, elle cède la place à une fausse perception que progressivement l'attention déserte. Et voilà pourquoi, le constat balzacien, pourtant si expressif, dans la mesure où il s'abstient de demander à l'imagination son concours, fait le tour d'un objet laissé pour compte et inerte, trop complet pour être sincèrement pris en charge par une intention visuelle : la conscience se laisse signifier bien plus qu'elle ne l'anime, et à peine l'a-t-elle épelé et cerné, qu'elle l'a déjà déposé sur le bord

---

1. G. Durand, *Le Décor mythique dans la Chartreuse de Parme*, p. 13. Balzac, on le sait, avait prévu l'objection et nous ne résistons pas au plaisir de citer ce passage de la préface aux *Scènes de la vie privée :* « Certains esprits pourront lui reprocher de s'être appesanti sur des détails en apparence superflus... Il sera facile de l'accuser d'une sorte de garrulité puérile. Souvent ses tableaux paraîtront avoir tous les défauts des compositions de l'école hollandaise sans en offrir les mérites », auquel répond dans la postface le passage suivant : « La marque distinctive du talent est sans doute l'invention. Mais aujourd'hui que toutes les combinaisons possibles paraissent épuisées, que toutes les situations ont été fatiguées, que l'impossible a été tenté, l'auteur soutient que les détails seuls constituent le mérite des ouvrages improprement appelés romans. » H. de Balzac, *Préfaces*, textes établis par J.-A. Ducourneau, p. 59 et 60. Faut-il rappeler d'ailleurs que bien loin d'être « objectives », les descriptions balzaciennes sont enrichies de métaphores innombrables et complexes, de sorte qu'elles produisent des effets de grossissement à la fois épique et lyrique? Quant au « réalisme objectif » de Robbe-Grillet, nous y reviendrons plus loin.

2. Stendhal, *Rome II*, p. 406, cité par G. Blin, *Stendhal et les problèmes du roman*, p. 35.

du chemin... L'inventaire, le catalogue et les exhaustives
« descriptions matérielles »... échouent donc à réaliser cette
totale présence au monde que provoque dans un court
circuit la simple image éclair du poète [1]. »

Certes, il est bien vrai que chez Stendhal : « le moude
est là, non escamoté ou rêvé », et dans la mesure même où
il est évoqué « au travers d'une sensation rapide telle que le
héros lui-même l'interprète : en fonction de son intérêt et
dans le cadre de son avenir » [2]. Mais s'il est vrai que dans le
cas de Stendhal le réalisme est essentiellement subjectif,
que le « miroir est avant tout miroir de l'âme [3] », on ne voit
pas qu'il soit pour autant justifié de dénier aux descriptions
détaillées, aux inventaire, et catalogues, et aux descriptions
de Balzac en particulier, le pouvoir de réaliser la « présence
au monde » du lecteur.

« Le type de vision que le roman de Stendhal propose
— peut-on concevoir de réalisme plus authentique? poursuit Georges Blin, c'est celle même que nous prenons dans
l'ordinaire de notre conduite. Le monde n'y est saisi comme
coercitif qu'au niveau des « expédients » auxquels il nous
réduit, et comme pittoresque que par un mouvement
d'abstraction qui pour le mettre « en valeur » l'arrache à
notre prise ». « Tant s'en faut, précise-t-il, que Stendhal se
laisse hanter par le monde au point de le doter comme le
font volontiers Balzac et Zola d'un mode d'existence fantastique, mythique ou mythologique [4] ». Or, là encore, si
Stendhal a peut-être « eu raison » (ou ses raisons) de « ne
pas hypostasier le monde, de ne le désigner dans la narration que latéralement [5] » s'il a peut-être eu raison d'avoir
« refusé d'employer dans le Rouge : deux pages à décrire
la vue que l'on avait de la fenêtre de la chambre où était le
héros, deux autres pages à décrire son habillement, et
encore deux pages à représenter la forme de son fauteuil [6]»
comment ne pas admettre que Balzac a eu raison, lui aussi,
d'employer six pages à décrire la pension Vauquer, même
(ou surtout) s'il lui confère ainsi une dimension mythique!

On remarquera qu'à l'inverse de Georges Blin, c'est pour

1. G. Blin, *Stendhal et les problèmes du roman*, p. 35-36. L'auteur se réfère
ici aux théories de Sartre sur l'imagination. Cf. *L'Imaginaire*, p. 86-88.
2. G. Blin, *ibid.*, p. 98 et 100.
3. G. Durand, *Le Décor mythique dans la Chartreuse de Parme*, p. 14.
4. G. Blin, *op. cit.*, p. 108.
5. *Ibid.*, p. 109.
6. Lettre-article à Salvagnioli sur le Rouge. *Lettres II*, p. 349, cité par
G. Blin, *ibid.*, p. 37.

son incapacité de conférer au monde romanesque une dimension mythique que Gilbert Durand conteste la valeur du « réalisme objectif » : « Ce que cherche le grand romancier, c'est à travers l'épaisseur sémiologique et banale du langage à toucher au cœur du lecteur ces grands ressorts archétypaux qui structurent en secret, les désirs, la rêverie et les préoccupations les plus intimes[1]. » Nous souscrivons volontiers à une telle assertion. C'est même une des raisons pour lesquelles Michel Butor nous apparaît comme un grand romancier. Mais l'on ne voit pas, là non plus, qu'il soit pour autant nécessaire d'ériger en règle universelle, permettant seule d'atteindre ce but, ce qui ne représente somme toute, qu'une certaine forme de réalisme.

Car c'est au nom d'une certaine forme de réalisme, que ces critiques en récusent une autre. La fonction reconnue aux descriptions dans *La Chartreuse de Parme* ou *Le Rouge et le Noir* semble oblitérer à leurs yeux les fonctions des descriptions chez Balzac, Zola ou Robbe-Grillet comme, réciproquement, le rôle qu'ils assignaient à leurs propres descriptions interdisait à Balzac et à Zola de comprendre celles de Stendhal, ou à Tolstoï celles de ses contemporains[2].

Bien qu'éloignées, apparemment, de notre propos ces considérations permettent d'éclairer les réactions de certains lecteurs aux descriptions du « Nouveau Roman » et particulièrement à celles de Michel Butor.

Tout se passe en effet dans les cas que l'on vient d'évoquer, comme si le critique, rempli de son sujet, s'identifiait à l'auteur qu'il étudie au point d'adopter sur la valeur de certains procédés les points de vue des écrivains eux-mêmes. Et certes, pour l'artiste, « l'invention formelle dans le roman bien loin de s'opposer au réalisme... est la condition *sine qua non* d'un réalisme plus poussé[3] ». Lorsque Tolstoï récuse la « méthode de l'imitation », c'est au nom d'une certaine conception de la communication du sentiment[4], lorsque Zola critique Stendhal, c'est au nom d'une certaine conception de l'homme et de son milieu[5], lorsque

1. G. Durand, *Le Décor mythique*, p. 14.
2. Cf. à ce sujet les analyses de G. Blin, *Stendhal*, p. 102, 103 et 111.
3. Michel Butor, « Le roman comme recherche », *Répertoire I*, p. 3.
4. On aurait pu également invoquer Maupassant qui s'inspire d'une esthétique analogue, celle de Tourgueniev qui « voulait que la description soit toujours indirecte et suggérée plutôt que montrée. Le talent descriptif lui paraissait tenir tout entier dans le choix du détail évocateur. » A. Vial, *Guy de Maupassant et l'art du roman*, p. 542.
5. Cf. E. Zola, *Les Romanciers naturalistes : Stendhal.*

Nathalie Sarraute dans *L'Ère du soupçon*, Robbe-Grillet dans *Pour un Nouveau Roman*, comme autrefois Virginia Woolf dans *Mr Bennet et Mrs Brown* [1], refusent certains procédés d'écriture et en préconisent d'autres, c'est au nom d'une meilleure et plus « réelle » vision des choses. Mais comme le souligne Nathalie Sarraute, les techniques d'un Dostoïevski et celles d'un Balzac ont eu et ont encore leur efficacité. Si « la vie... a abandonné ces formes autrefois si pleines de promesses, et s'est transportée ailleurs [2] », cela ne signifie pas qu'on ne puisse plus lire aujourd'hui Balzac ou Dostoïevski, cela signifie qu'on ne peut tirer profit des faux Balzac, des faux Dostoïevski, pas plus d'ailleurs que des faux Stendhal.

Les critiques que l'on vient de citer, décident à partir d'un exemple privilégié de ce que doit être la bonne description ou la bonne forme, mais il en est d'autres qui érigent en règle universelle, non pas un cas particulier et exemplaire, mais tout simplement ce qui leur est bien connu, et ce dont la valeur est généralement reconnue.

Comme l'avait fort bien vu Roman Jakobson : « Alors qu'aux yeux de l'artiste (« réaliste révolutionnaire ») ne paraît « réel » ou « vraisemblable » que ce qui est nouveau par rapport aux formes précédentes qu'il juge périmées, ne paraît réel ou vraisemblable aux yeux du public que ce qui est exprimé sous une forme qu'il est accoutumé à percevoir. » C'est pourquoi « l'historien de la littérature considère que les œuvres les plus vraisemblables sont les œuvres réalistes du siècle dernier [3] ». C'est pourquoi, également, les descriptions ne respectant pas les préceptes des manuels du bien écrire : mise en valeur du détail significatif ou évocateur, intégration du détail à l'ensemble, subordination des descriptions à l'action et aux personnages, seront dans un roman considérées comme aberrantes, inutiles ou confuses.

Or, il est clair que Michel Butor n'a pas respecté ces préceptes pas plus qu'il ne s'est soumis par ailleurs à l'impératif des phrases courtes [4]! Si la valise de Léon Delmont est « *tout à fait convenable* pour le directeur de la maison Scabelli », on ne voit pas très bien à quoi servent

---

1. V. Woolf, in *L'Art du roman* (1924), Seuil, 1963.
2. N. Sarraute, *L'Ère du soupçon*, p. 62.
3. R. Jakobson, « Du réalisme artistique », in *Théorie de la littérature*, p. 100.
4. Michel Butor s'explique sur ce dernier point dans ses *Entretiens* avec G. Charbonnier, p. 93.

en revanche ces « *pépins de pomme écrasés* » sur une rainure du
tapis de fer chauffant, « *un peu de leur pulpe blanche sortant
par les déchirures de leur mince écorce* » (p. 111), ces « *brins de
tabac mêlés de poussière* » (p. 12) ou ce « *mince fil blanc* » sur
« *l'ourlet d'un pantalon de drap à menues raies de deux gris
très voisins* » (p. 24)... Si la présentation des personnages
nous les donne à voir sous l'aspect de voyageurs que nous
pourrions rencontrer dans des circonstances semblables,
l'importance accordée aux détails de leur habillement ou de
leurs gestes peut nous faire perdre de vue l'ensemble. Les
notations relatives à la pluie ou aux véhicules que l'on
aperçoit de la fenêtre du compartiment, sont trop souvent
répétées pour avoir simplement pour fonction de situer
l'action par la mention des circonstances de lieu et de temps.
Ne suffit-il pas de lire dans un roman de Simenon : « les bour-
geons avaient éclaté le matin même, mouchetant les arbres
d'un vert tendre... la brise gonflait son veston déboutonné[1] »
pour être avec Maigret sur un boulevard au printemps?

Pourquoi se demande alors Etiemble « trois pages pour
décrire une chaise, pourquoi pas trois cents[2] ». Pourquoi
se demande Robert André « ce regard [qui] enregistre un
spectacle à la manière d'une plaque photographique[3] »?
« Absurde est la description objective », décidera avec eux
Jean Bloch-Michel[4].

« Il aime s'arrêter sur l'inessentiel » : c'est « le jugement
classique que porte la critique conservatrice de tous les
temps sur l'innovateur contemporain » remarquait Jakobson et ceci parce que « l'objet est caractérisé par des traits
qu'hier nous considérions comme les moins caractéristiques,
les moins dignes de figurer en littérature, les traits qu'on
ne remarquait pas[5] ». Inessentiels, en ce sens, ce tapis de

1. G. Simenon, *Maigret et le clochard*, Paris, Presses de la Cité, 1958,
p. 11.
2. Cité par J. Bloch-Michel, *Le Présent de l'indicatif*, p. 102.
3. R. André, « A propos du Palace de Claude Simon », in *N.R.F.*, juin
1962. Cité par J. Bloch-Michel, *op. cit.*, p. 102. Mais Claude Simon est
assimilé dans ce cas à Robbe-Grillet et à Butor...
4. *Ibid.*, p. 102.
5. R. Jakobson, « Du réalisme artistique », in *Théorie de la littérature*,
p. 102. Plutôt que de chercher des exemples chez les critiques contemporains de Butor, nous citerons à l'appui cette « perle » d'un contemporain de Proust : « Cher ami », écrivit l'éditeur Humblot à Louis de
Robert après avoir lu les premières pages de *Du côté de chez Swann*, « je
suis peut-être bouché à l'émeri, mais je ne puis comprendre qu'un monsieur puisse employer trente pages à décrire comment il se tourne et se
retourne dans son lit avant de trouver le sommeil »... Cité par F. C. Green,
The Mind of Proust, Cambridge, 1945, p. 6.

fer chauffant, ces rails et caténaires, ces miettes et ces débris parce qu'ils n'avaient pas jusqu'ici été jugés dignes de figurer dans un roman. Inessentiels ce fil sur une chaussette, ces pépins de pomme écrasés, mais dans la mesure où l'on ne saisit pas le rapport qu'ils entretiennent avec l'ensemble du récit[1]. « Essentiels » en revanche, ces traits dont nous avons parlé plus haut mais parce qu'ils sont introduits selon des procédés de composition tout à fait familiers.

Les modes traditionnels de présentation facilitent sans doute l'appréhension de l'œuvre, permettent la reconnaissance. Ce sont cependant ces traits inessentiels, qui, parce qu'ils nous résistent, rendent l'œuvre perceptible et nous forcent à la lire. Au lieu de reconnaître nous avons l'impression de découvrir, au lieu de revoir ce que nous avons déjà vu, nous avons l'impression de voir pour la première fois. Aux modes traditionnels de présentation s'opposent ainsi ce qu'à la suite des formalistes russes nous appellerons les procédés de singularisation. C'est-à-dire l'ensemble des moyens mis en œuvre pour « obscurcir la forme », « augmenter la durée de la perception », « ralentir la connaissance », « donner la sensation de l'objet comme vision et non comme reconnaissance[2] ».

La précision et l'accumulation des détails, le grossissement de détails à première vue insignifiants, les répétitions de descriptions d'objets différents, les comparaisons et métaphores inhabituelles, tels sont les principaux procédés de singularisation qu'offre *La Modification*. Ils ont bien pour effet d'augmenter la durée et la difficulté de la perception, de faire appel à l'activité du lecteur. Comment? Au profit de quoi? C'est ce que nous allons tenter de montrer maintenant.

---

1. Lors du « Débat sur le roman » qui a eu lieu à Cerisy en 1964, plusieurs participants ont souligné l'impression d'irréalité que leur procuraient les descriptions du « Nouveau Roman », « plus c'est réel plus j'ai l'impression d'irréel », remarque par exemple M.-J. Durry. M. de Gandillac répond fort justement : « Cette impression d'irréalité ou d'absurdité provient du fait que les relations habituelles sont supprimées et que nous ne voyons pas le pourquoi qui relie les éléments juxtaposés. » *Tel Quel*, n⁰ 17, p. 25 et 53.

2. V. Chklovski, « L'art comme procédé », in *Théorie de la littérature*, p. 83 et 80, et R. Jakobson, « Du réalisme artistique », *ibid.*, p. 106.

II. LE VRAISEMBLABLE DANS « LA MODIFICATION »
OU LES PROCÉDÉS DE SINGULARISATION

1. *Banalité; précision; agrandissement du détail : le modèle photographique.*

Reconnaissons d'abord que la plupart des passages que nous avons cités ne sont guère suggestifs. Il est vrai que dans la description de la banlieue parisienne ou celle des vêtements du voyageur l'accumulation des détails bouche l'essor de l'imagination. On admettra en revanche, que notre capacité d'attention est fortement sollicitée. La minutie de ces descriptions, l'absence apparente de choix dans l'énumération des détails, la détermination par les démonstratifs [1], les répétitions insistantes, sont des caractéristiques qu'il faut rapprocher de l'exactitude des indications référentielles dont nous avons plus haut souligné l'importance. Il s'agit de présenter au lecteur une situation contingente et de le forcer à s'y arrêter.

Banalité dans le choix de l'objet, précision dans l'observation, agrandissement du détail, ces traits peuvent légitimer une comparaison de ces descriptions avec les images que nous donne la photographie. C'est ce que n'ont pas manqué de faire certains critiques. Ainsi Jean Bloch-Michel déclare : « [Michel Butor] ne nous parle pas de ce que nous avons mal vu et qu'il est obligé de souligner pour que nous en comprenions le sens, il nous parle de ce que nous connaissons parfaitement bien, de ce qui ne nous a jamais échappé, mais qu'il fixe dans l'immobilité du récit comme le photographe dans l'immobilité de l'image. Voici un exemple extrait de *La Modification*: "Son profil épais vous masque celui de l'ecclésiastique dont vous ne voyez plus que la main posée sur l'appui de la fenêtre, les doigts tremblant à cause du mouvement général, l'index frappant doucement, machinalement, silencieusement au milieu du bruit, la longue plaque de métal vissée sur laquelle

1. Rappelons que « par opposition au possessif et aux articles, le démonstratif identifie dans ce qu'elles ont de plus individuel la personne ou la chose évoquée par le substantif auquel il se rapporte. On s'en sert pour les désigner d'une manière précise à l'exclusion de toutes les autres de la même espèce. » R. L. Wagner et J. Pinchon, *Grammaire française*, Paris, Hachette, 1962, p. 87.

s'étale, vous le savez (puisque vous ne pouvez pas vraiment la lire, que vous pouvez seulement deviner à peu près une à une quelles sont ces lettres horizontales qui vous apparaissent si écrasées, si déformées par la perspective), l'inscription bilingue : 'Il est dangereux de se pencher au-dehors — *È pericoloso sporgersi*' " (p. 14-15). On voit avec quel soin Michel Butor nous amène à ce *pericoloso sporgersi* que nous connaissons depuis toujours et qui a depuis long-temps cessé de nous intriguer et même que nous avons cessé de voir. L'important, c'est que cette image doit avoir sur nous un effet très attendu : celui de nous plonger dans une banalité sans signification, sans portée polémique, une banalité réelle et par conséquent objective, dans la repré-sentation qu'on nous en donne [1] ».

Jean Bloch-Michel souligne justement certains aspects de la description chez Butor mais ne semble pas voir que cette « banalité sans signification » en acquiert une, du moment même qu'elle est décrite, surtout « avec tant de soin »! Il ne semble pas non plus comprendre que la photographie ne fait voir « ce qui a depuis longtemps cessé de nous intriguer et même que nous avons cessé de voir » que dans la mesure même où elle est un art. Lorsqu'il explique « que la description des choses à travers un objec-tif » équivaut à une description des choses « à travers un œil indifférent », ce qui le conduit à trouver « absurde, la tentative du nouveau roman qui consiste à faire concur-rence au cinéma et à la photographie [2] », il devient évident que sa comparaison repose sur un malentendu. Il n'y aurait guère d'intérêt à le souligner si ce malentendu n'était encore si fréquent et si l'on ne trouvait d'autre part, dans le roman lui-même, un hommage explicite à la photographie. Une première fois lorsqu'est rappelée l'existence de « ce grand mur de pierre » que l'on peut voir près de Chalon, « sur lequel est inscrit : "En ce village... *Nicéphore Niepce inventa la photographie*" » (p. 184), une deuxième fois immé-diatement après, ce qui confirme peut-être l'importance de la référence, lorsqu'il est dit : « vous vous êtes mis à songer à *ces images de Paris* qu'elle [Cécile] a dans sa chambre romaine, l'arc de triomphe et l'obélisque, les tours de Notre-Dame et un escalier de la tour Eiffel, ces quatre images sur les deux murs de chaque côté de la

---

1. J. Bloch-Michel, *Le Présent de l'indicatif*, p. 100.
2. *Ibid.*, p. 95. L'auteur fait ici allusion à Robbe-Grillet, mais il l'assi-mile sur ce point à Michel Butor.

fenêtre *comme celles qui illustrent ce compartiment* (p. 185).

Erica Hönisch qui propose elle aussi, mais pour en discuter le bien-fondé, une comparaison avec la photographie, fait justement remarquer que bien loin d'être décrits « à travers un œil indifférent » le compartiment et les objets qui s'y trouvent sont au contraire décrits tels qu'ils sont vus par le voyageur. Une conscience doute, suppose, interprète, établit des rapports, cherche des significations [1]. » Il est curieux d'ailleurs que parmi les possibilités que lui offrait *La Modification* d'illustrer sa thèse de l'objectivité des descriptions, Jean Bloch Michel ait précisément choisi un passage dans lequel cette conscience se manifeste sans ambiguïté.

N'est-il pas dit, en effet, que cette inscription sur la plaque de métal vissée « *vous ne pouvez pas vraiment la lire, vous pouvez seulement deviner à peu près une à une, quelles sont ces lettres horizontales qui vous apparaissent si écrasées, si déformées par la perspective* ».

Cette constatation cependant n'enlève pas toute validité à une comparaison avec la photographie. « Il est inutile d'insister, affirme Pierre Francastel, sur le fait que le choix d'un objectif exerce une influence décisive sur la nature de l'image obtenue » ni « sur le fait que l'image photographique est une image sélectionnée non une image brute [2]. » Il le faut au contraire, et rappeler avec lui que c'est le développement même de l'art photographique qui a ruiné l'idée d'une vision « objective et privilégiée » (unique) des choses : « L'autorité traditionnelle de la vision artistique et même de l'objet a été mise en cause, la photographie a confirmé les recherches de ceux qui recherchaient de nouveaux objets — c'est-à-dire de nouveaux groupements de

---

1. E. Hönisch, *Das gefangene Ich*, p. 46-47.
2. P. Francastel, *Peinture et société*, Gallimard, Idées-Arts, 1965, p. 129. L'auteur vise à montrer le caractère relatif, parce que lié à une certaine civilisation, de la vision de l'espace instaurée par les peintres de la Renaissance : « La découverte de la photographie n'est pas, bien au contraire, un argument en faveur du réalisme absolu de la vision spatiale de la Renaissance. La photographie — la possibilité d'enregistrer mécaniquement une image dans des conditions plus ou moins analogues à celles de la vision — a fait apparaître non pas le caractère réel de la vision traditionnelle, mais son caractère systématique au contraire. Les photographies sont prises, encore aujourd'hui, en fonction de la vision artistique classique... mais, poursuit Francastel, essayez de placer un objectif grand angle au centre d'une croisée de cathédrale gothique et regardez l'extraordinaire document que vous obtiendrez. » *Ibid.*, p. 33.

sensations — au lieu de leur donner l'impression que la nature fournissait d'elle-même le découpage [1]. »

Marcel Proust l'avait bien vu :

« Les dernières applications de la photographie — qui couchent au pied d'une cathédrale toutes les maisons qui nous parurent si souvent, de près, presque aussi hautes que les tours, font successivement manœuvrer comme un régiment, par files, en ordre dispersé, en masses serrées, les mêmes monuments, rapprochent l'une contre l'autre les deux colonnes de la Piazzetta tout à l'heure si distantes, éloignent la proche Salute et dans un fond pâle et dégradé réussissent à faire tenir un horizon immense sous l'arche d'un pont, dans l'embrasure d'une fenêtre, entre les feuilles d'un arbre situé à un premier plan et d'un ton plus vigoureux, donnent successivement pour cadre à une même église, les arcades de toutes les autres — Je ne vois que cela qui puisse autant que le baiser, faire surgir de ce que nous croyions une chose à aspect défini, les cent autres choses qu'elle est tout aussi bien, puisque chacune est relative à une perspective non moins légitime [2]... »

Photographié ou décrit, l'objet est extrait de son contexte pratique, vu sous un certain angle, éclairé sous un certain jour. A la manière de ce soleil qu'à l'instar du héros, vous avez un jour vu poindre : « balayant de ses rayons horizontaux la table à laquelle vous étiez assis, *en détachant superbement tous les objets, même les miettes, les soulignant de longues ombres* » (p. 208) certaines photographies [3], certaines descriptions de Butor révèlent que le monde est infiniment plus riche en apparences qu'on ne l'aurait cru [4].

1. P. Francastel, *Peinture et société*, p. 130.

2. M. Proust, *A la recherche du temps perdu*, Gallimard, Pléiade, 1954, t. II, p. 364. G. Poulet cite ce passage pour illustrer précisément les « changements de perspective qui abondent dans *A la recherche du temps perdu* ». Cf. *L'Espace proustien*, p. 106-107.

3. Celles de Bill Brandt, par exemple, *Ombres d'une île*, album préfacé par Michel Butor, éd. Le Bélier-Prisma, 1966.

4. La photographie n'enregistre pas que des objets banals. Elle permet aussi de fixer l'image des objets mémorables tels ces monuments parisiens ou romains évoqués dans *La Modification*. Au même titre que les indications du Chaix et en particulier les noms de gares, ces reproductions, on le verra, servent de point de départ au souvenir et à la rêverie du personnage. Comment ne pas songer ici encore au narrateur de la *Recherche* et à sa passion pour les guides touristiques, l'indicateur du chemin de fer, les noms de Balbec, Venise et Florence, et pour cette « grande photographie de Saint-Marc » qu'on lui a prêtée un jour. Cf. M. Proust, *Du côté de chez Swann*, IIIe partie, « Noms de pays », Pléiade, t. I, p. 383 à 394.

2. *Énumération, distribution — L'expression de la durée.*

Minutie dans la notation, agrandissement du détail, à ces caractéristiques s'ajoute l'énumération : énumération des objets qui défilent « dehors », « au travers de la vitre », énumération des gestes du personnage en train de s'installer, énumération des détails de ses vêtements : « *la triple manche blanche, bleue et grise, de votre chemise, de votre veston, de votre manteau* » (p. 13). Tandis que la minutie de la description rapproche l'objet décrit du spectateur en une sorte de gros plan, l'énumération mime les étapes d'un déroulement qui s'effectue au ralenti.

Joseph Warren Beach et Claude-Edmonde Magny [1] ont déjà relevé de tels procédés dans le roman moderne et ont souligné leurs effets. C'est à un tel gros plan que l'on peut comparer par exemple la description par laquelle débute *La Condition humaine* de Malraux ou le passage de *Chance* de Conrad, cité par Joseph Warren Beach. Michel Butor singularise ces procédés devenus classiques en supprimant le lien explicite entre l'objet décrit et le héros-spectateur, en transférant les verbes actifs du sujet à l'objet et surtout en répétant et en distribuant, selon des rapports précis, les descriptions au cours du récit.

Citons d'abord un exemple de description au ralenti :

« Vous voyez la moitié de la robe d'Agnès, puis sa jambe qui se lève, décrit un arc hésitant, la pointe oscillant comme une aiguille de galvanomètre, au-dessus de vos genoux croisés l'un sur l'autre, et ce morceau de jupe à plis, réfléchissant la lumière du corridor, se déploie... comme une grande aile de faisane ; sa main s'appuie sur votre épaule puis sur le dossier à côté. Elle se retourne, pivote sur le talon qu'elle a réussi à faire entrer, le bord de sa jupe étalé sur votre pantalon, vos genoux serrés entre les siens, une grimace se peignant sur son visage maintenant presque complètement dans l'obscurité bleue, l'autre aile de faisane se refermant, se retourne encore une fois, appuie ses deux mains sur les épaules de Pierre, roule jusqu'à sa place où elle se tient maintenant assise toute droite, la tête un peu en avant, regardant passer le paysage noir et bleuté avec quelques lampes faisant des taches sur quelques murs » (p. 224).

La différence la plus significative entre la narration et la description serait peut-être, d'après Gérard Genette,

1. J. Warren Beach, *The 20th Century Novel*, p. 347 et 408. C.-E. Magny, *L'Age du roman américain*, p. 61 et suivantes.

« que la narration restitue, dans la succession temporelle de son discours, la succession également temporelle des événements, tandis que la description doit moduler dans le successif la représentation d'objets simultanés et juxtaposés dans l'espace [1] ». On voit qu'en décrivant des objets en mouvement, Michel Butor a, en quelque sorte, résolu cette opposition. L'énumération, qui respecte l'ordre chronologique des gestes et les décompose en parties distinctes, suppose du lecteur qu'il épelle le monde en même temps qu'il poursuit sa lecture. Il est engagé par les verbes de mouvement à suivre l'action au fur et à mesure qu'elle se déroule. Le temps de la lecture est amené à coïncider avec le temps de l'aventure.

De tels passages, bien qu'animés d'un très léger et comme imperceptible mouvement intérieur, constituent cependant des points d'arrêts dans le flux de la narration. Pour rendre compte de leurs fonctions à l'intérieur de celle-ci, il faut tenir compte non seulement de leur construction comme passages isolés, mais de la manière dont ils sont distribués, et des rapports que l'on peut établir entre eux. Nous allons donc juxtaposer les différents passages relatifs à un même objet et reconstituer sur la page ce qui normalement ne se reconstitue que dans l'esprit du lecteur. Relevons, par exemple, les différentes mentions du tapis de fer chauffant :

« Sur le tapis de fer chauffant entre les banquettes *les raies de fer s'entrecroisent* »... (p. 56).

« Sur le tapis de fer chauffant *vos deux pieds raclent* » (p. 58).

« Le petit garçon... *fait tomber une partie [du papier* d'argent] sur le sol chauffant et vibrant » (p. 88).

« Sur le tapis de fer chauffant, *oscille une miette de biscuit* » (p. 93).

« Sur le tapis de fer chauffant, la *chaussure* du militaire *écrase la miette...* » (p. 95).

« Sur le tapis de fer chauffant *le soulier...* du jeune époux *recouvre presque entièrement la tache... que dessine le morceau de biscuit écrasé* » (p. 99).

« Sur le tapis de fer chauffant, *la boule de papier* journal *roule* jusqu'aux souliers de l'Italien » (p. 100).

« Le jeune militaire... *donne un coup de pied dans la boule de papier* journal *qui oscillait* sur le tapis de fer et *la chasse sous la banquette* » (p. 101).

« Sur le tapis de fer chauffant, *vous voyez un pépin de pomme sauter* d'un losange à un autre » (p. 103).

---

1. G. Genette, « Frontières du récit », *Communications*, n° 8, p. 158.

« Sur le tapis de fer chauffant... *les deux pépins* de pomme *sont écrasés* sur une rainure, un peu de leur pulpe blanche sortant par les déchirures de leur mince écorce » (p. 111).

« Sur le tapis de fer chauffant, *dans les traces boueuses* laissées par les souliers humides de ceux qui viennent du dehors..., *vous considérez la constellation de minuscules étoiles de papier* rose ou carton brun *qui viennent d'être découpées* dans les billets » (p. 119).

« Sur le tapis de fer chauffant, *le pied* gauche de Lorenzo Brignole en se déplaçant *bouleverse et recouvre en partie la petite constellation d'étoiles* roses et brunes, *projette la boule de papier* journal, que ses pérégrinations compliquées sous la banquette viennent d'amener dans cette région, de l'autre côté de la rainure... » (p. 127).

Tandis qu'à la page 232, parvenus à la fin du livre et par conséquent du voyage :

« Sur le tapis de fer chauffant..., *vous considérez les poussières, les minces ordures qui se sont accumulées et comme incrustées au cours de ce jour et de cette nuit.* »

et qu'à la page 233, quelques instants plus tard :

« Sur le tapis de fer chauffant, *vous considérez vos souliers tout marqués de balafres grises.* »

Sans doute, la notification de ce tapis de fer, a-t-elle une valeur documentaire. Elle permet aussi de localiser l'action : celle de l'ouvrier italien qui pousse la boule de papier sous la banquette, celle surtout du personnage principal qui, enfermé dans le compartiment, observe ce qui s'y passe et enregistre tous les détails. Mais ces répétitions avec variations ont aussi pour fonction d'exprimer la durée, le temps vécu : le présent qui se transforme en passé. D'une part, l'attention du lecteur, est à chaque reprise ramenée ici, dans ce compartiment, devant cet objet particulier (ce qui lui permet, entre autres de mesurer la modification intérieure du héros en la comparant à ce point relativement fixe[1].) D'autre part, cet ici est chaque fois différent, nous sommes en voyage, des heures et des kilomètres nous séparent de l'arrivée.

Tandis donc que « *dehors* » la neige succède à la pluie, la nuit au jour, que la lune se lève et éclaire les montagnes, tandis que le temps passe : ce temps cosmique à l'intérieur duquel s'inscrit toute histoire individuelle; « *ici* », à l'inté-

---

1. Comme l'ont signalé S. Dresden, *Wereld in Woorden*, p. 113, et J-P. Faye, « Débat sur le roman », *Tel Quel*, n° 17, p. 53.

rieur du compartiment, le tapis de fer se modifie, la chaleur augmente, la veilleuse bleue s'allume. L'histoire s'inscrit dans une durée unifiée et vivante calquée sur les « rythmes objectifs [1] » du jour et de la nuit, et elle propose en même temps, une aventure particulière à vivre ici et maintenant.

La répétition de cet objet « d'une banalité insignifiante » force enfin le lecteur à lui accorder une valeur obsédante. Il ne peut pas faire abstraction de la situation : « *C'est bien ici, c'est bien ce compartiment* », qui sur le mode de la lecture et tout au long des heures et des kilomètres nous est donné à contempler. « Nous sommes contraints « d'épouser la continuité locale du voyage [2] » et de subir ce que l'on a précisément coutume d'appeler l'action du temps. Enfermés dans « *l'espace de ce train qui vous emporte* » (p. 21) dans cette « *salle roulante* » (p. 26), cette « *chambre provisoire et mouvante* » (p. 185) nous sommes, avec le héros, « *obligés de suivre ces rails* » (p. 227).

3. *Variations — Démultiplication de l'espace.*

« Obligés de suivre ces rails », oui, mais ces rails sont eux-mêmes le foyer de voies multiples, ce lieu se démultiplie à l'infini, ce voyage s'ouvre sur d'autres voyages. Tandis que les variations introduites dans les descriptions d'un même aspect expriment la durée concrète, les descriptions analogues d'aspects variés démultiplient l'espace. Grâce aux premières : répétitions avec variations, nous lisons le temps sur l'espace ; grâce aux secondes : variations répétées, l'espace lui-même devient mobile. Les unes et les autres s'unissent pour donner la sensation du changement : transformation du même dans l'autre.

Les descriptions analogues d'aspects variés. Ainsi parallèlement à celles de « *ce train qui roule régulièrement parmi les champs nus et les taillis bruns* » (p. 18), celle de ce « *bicycliste qui vire à l'angle* » (p. 13).

de cette « onze chevaux noire, [qui] démarre devant une église, suit une route qui longe la voie, rivalise avec vous de vitesse, se rapproche, s'éloigne, disparaît derrière un bois, reparaît, traverse un petit fleuve..., se laisse distancer, rattrape le chemin perdu,

---

1. Selon l'expression de Michel Butor, « Recherches sur la technique du roman », *Répertoire II*, p. 93. Parmi ces « rythmes objectifs », l'auteur compte les rythmes sociaux. Nous y reviendrons au chapitre v.
2. M. Butor, « Philosophie de l'ameublement », *Répertoire II*, p. 59.

puis s'arrête à un carrefour, tourne et s'enfuit vers un village... »
(p. 19);

de cette « route où roule un camion qui s'écarte, revient, disparaît..., est poursuivi par un motocycliste qui le dépasse selon une belle courbe..., se laisse distancer par lui, par votre train quitte la scène » (p. 27);

de cette autre route où « roule un énorme camion d'essence à remorque, s'approchant de la voie qui fait un virage serré au-dessus des champs après un pont sous lequel il s'engage » (p. 36);

de ce « motocycliste qui vire à sa droite, puis est masqué soudain par un grand autocar bleu au toit couvert de bagages, vire à gauche vers une maison de garde-barrière que le train dépasse comme le car... » (p. 39).

de ce « *train de marchandises, avec des wagons frigorifiques* (p. 47), ou de ces autres « *chargés de longues poutres, d'automobiles inachevées* » (p. 72), et celles d'innombrables véhicules, qui « *de l'autre côté du corridor* » ou « *au-delà de la fenêtre* », ouvrent périodiquement à l'esprit du lecteur les espaces extérieurs, l'entraînent vers d'autres voyages, lui font imaginer d'autres itinéraires, font éclater ce lieu.

De la même façon, parallèlement aux descriptions de ce tapis de fer chauffant, dont « *les raies de fer s'entrecroisent comme de minuscules rails dans une station de triage* » (p. 56), de ce « tapis de fer chauffant aux *losanges semblables à un graphique idéal de trafic ferroviaire* » (p. 232), celles de « ces *poutrelles de fer qui se croisent* » (p. 13), du « *sol zébré d'aiguillages* » (p. 13), de cette « carte schématique de la région Sud-Est », avec les villes « *jointes d'épaisses ou minces lignes droites noires tel un réseau de craquelures* »... (p. 39), du « ciel gris *rayé de caténaires noires* » (p. 40), des gouttes de pluie qui « *tracent de petites lignes* sur la vitre » (p. 58), de ce « *signal en damier* » qui « *tourne* d'un quart de tour » (p. 85), des « *fils dans le ciel* », et des « *rails sur la terre qui leur répondent* » (p. 104), des « *premiers tramways* allumés *qui se croisent* dans les rues »... (p. 229).

A la manière de ces « *fils téléphoniques* » qui « *montent, s'écartent, redescendent, reviennent, s'entrecroisent, se multiplient, se réunissent, rythmés par leurs isolateurs* » (p. 15), s'écartent, reviennent, s'entrecroisent, se multiplient, se réunissent les différentes descriptions d'un même objet ou les descriptions analogues d'objets différents, rythmées par des blancs qui les isolent du reste du texte. Et comme ces fils téléphoniques, encore, que l'auteur nous décrit « *semblables à une complexe portée musicale, non point chargée de notes, mais indiquant les sons et leurs mariages par le simple jeu des lignes* » (p. 15), ce n'est pas seulement le rapport de chaque description à ce qu'elle décrit qui manifeste le sens, mais ce sont les rapports des descriptions entre elles, qui produisent celui-ci.

4. *Contre-épreuve — Comparaison avec Robbe-Grillet.*

Les théoriciens du roman, les Allemands surtout, se sont depuis longtemps efforcés de distinguer les éléments constitutifs de l'œuvre littéraire, en vue d'examiner leur fonctionnement respectif et d'en éprouver les effets.

Dans leurs efforts pour distinguer la description des autres modes de présentation (narration, scènes, commentaires, maximes, etc.) ils ont été amenés à lui reconnaître certaines caractéristiques fondamentales. E. Lämmert, dans son étude sur les « formes de construction du récit » en parle dans ces termes : « La description a lieu dans une perspective selon laquelle le narrateur se rapproche le plus possible de l'objet décrit. Ici, le narrateur suspend le cours du temps, le moment présent s'intemporalise dans la représentation et cette proximité a pour conséquence de renforcer au maximum "l'effet d'image" sur le lecteur. Nous entendons le mot "image" *(Bild)* au sens de Kayser comme une description fermée suscitant immédiatement l'illusion. Intemporalité et corrélativement absence de mouvement, sont ses caractéristiques. Elle est pour cette raison éminemment susceptible de servir de support au symbole, aussi bien dans la poésie que dans la littérature narrative. Ce qui passait dans le flux (littéralement, le vol : *Flug*) des événements singuliers, se condense et s'intemporalise ici dans une réflexion significative [1]. »

Ce sont ces caractéristiques mêmes de la description romanesque qui se trouvent accentuées, systématisées, poussées dans leurs conséquences, dans certains romans contemporains. « La description telle que l'envisagent Alain Robbe-Grillet et ses amis », remarque ainsi Bernard Pingaud, « accorde priorité à l'objet sur le spectateur, au monde sur l'homme ». Il se produit une « abolition du temps ». « La description n'est plus préparatoire, elle est, si l'on peut dire, définitive. L'anecdote romanesque s'efface en elle au même titre que l'observateur... Tout ce qui

---

[1]. E. Lämmert, *Bauformen des Erzählens*, p. 88, et W. Kayser, *Das sprachliche Kunstwerk*, p. 182.

arrive se trouve immédiatement annulé, figé dans un dessin dont le romancier nous décrit les figures successives sans jamais nous montrer comment on passe d'une figure à une autre. » « La "description objective" enfin aboutit à nous donner le sentiment de fascination à l'état pur [1]. » On sait aussi combien, dans ces romans, les passages descriptifs « réfléchissent » et condensent la narration, se chargeant du même coup de valeurs symboliques. Les procédés de singularisation mis en œuvre dans certains romans contemporains ne feraient donc qu'exploiter des possibilités qui étaient en germe dans les descriptions romanesques dites traditionnelles. Ce qui d'ailleurs n'aurait rien d'étonnant puisque les formes d'art nouvelles et cela surtout depuis le début du xxe siècle, se présentent souvent comme des expérimentations dégageant l'efficacité spécifique de formes anciennes.

On remarquera d'autre part que les traits par lesquels un Bernard Pingaud caractérise les descriptions de Robbe-Grillet et de ses amis, pourraient caractériser aussi celles de Butor. Ce n'est donc pas tout à fait par hasard si beaucoup de lecteurs et de critiques ont cru pouvoir rapprocher *La Modification* d'autres romans contemporains et en particulier de ceux de Robbe-Grillet. Dans les deux cas, on peut dire que les descriptions, par leur insistance et leur apparente objectivité, communiquent au lecteur le sentiment d'une opacité irréductible du monde et des choses; dans les deux cas, les inventaires et répétitions renvoient à une conscience « fascinée », perdue dans l'objet qu'elle contemple; dans les deux cas, elles constituent au cours du récit des points d'arrêt, des moments de rupture; dans les deux cas enfin, les objets décrits prennent valeur de symboles. Là aussi, ce sont les choses mêmes qui se modifient de sorte que le « spectacle n'est plus un décor où va se passer l'action, il est l'action même [2] ». Plus précisément encore, ne trouve-t-on pas dans *Le Voyeur* ou *La Jalousie* ces procédés mêmes que nous venons de relever dans *La Modification* : effacement du spectateur au profit de l'objet observé, minutie, agrandissement de détails à première vue insignifiants, inventaires, répétitions avec variations, descriptions analogues d'aspects variés?

Il suffit cependant de relire ces œuvres et de s'interroger

1. B. Pingaud, *La Technique de la description dans le jeune roman d'aujourd'hui*, p. 167, 169, 170, et 174.
2. B. Pingaud, *ibid.*, p. 170.

sur leurs effets pour reconnaître leurs différences et même leurs oppositions. Il faut donc dépasser le niveau des généralités et considérer de plus près les fonctions de ces procédés apparemment identiques dans ces différentes œuvres ; on s'apercevra vite qu'ils n'ont en commun que leur nouveauté par rapport aux procédés plus familiers de la description suggestive, dont la signification semble s'épuiser dans le rapport à l'objet décrit, ou celui de la description préparatoire et englobante, dont la signification est immédiatement perçue dans son rapport avec les personnages de l'histoire. Si, dans les deux cas, et grâce à la suppression des corrélations habituelles, appel est fait à l'activité du lecteur, cette activité aboutit à des résultats bien différents.

Lisons d'abord Robbe-Grillet :

1. La Jalousie :

« Maintenant l'ombre du pilier — le pilier qui soutient l'angle sud-ouest du toit — divise en deux parties égales l'angle correspondant de la terrasse. Cette terrasse est une galerie couverte, entourant la maison sur trois de ses côtés. Comme sa largeur est la même dans la portion médiane et dans les branches latérales, le trait d'ombre projeté par le pilier arrive exactement au coin de la maison [1]... »

2. Dans les couloirs du métropolitain :

« Ces corps sont au nombre de cinq, groupés sur trois ou quatre marches de hauteur, dans la moitié gauche de celles-ci, à proximité plus ou moins grande de la rampe qui se déplace elle aussi, du même mouvement, mais rendu plus insensible encore, plus douteux, par la forme même de cette rampe simple ruban épais de caoutchouc noir, à la surface unie, aux deux bords rectilignes, sur lequel aucun repère ne permet de déterminer la vitesse, sinon les deux mains qui se trouvent posées dessus, à un mètre environ l'une de l'autre, tout en bas de l'étroite bande oblique dont la fixité partout ailleurs semble évidente et qui progressent de façon continue, sans à coup, en même temps que l'ensemble du système [2]. »

Ces descriptions d'une terrasse dans *La Jalousie* ou de l'escalier mécanique du métro, ne sont pas plus suggestives que celles de la banlieue parisienne ou du voyageur assis sur la banquette dans *La Modification*. Mais si elles font appel à notre capacité d'attention, celle-ci ne se dirige pas, comme c'est le cas chez Butor, sur les particularités concrètes de l'objet décrit : le « *dos lépreux* des grands

1. A. Robbe-Grillet, *La Jalousie*, Paris, Minuit, 1957, p. 9.
2. Publié à la suite de *Dans le labyrinthe*, coll. 10-18, p. 244.

immeubles » (p. 13), les « *lettres peintes de carmin* » sur
l'épicerie, les « *vitres peintes en bleu* » des ateliers (p. 14),
la « *doublure de soie changeante* » du « *manteau poilu* »
(p. 12), la « *laine grumuleuse au tissage lâche dont les nodosités jaune paille et nacre font penser à des œufs brouillés* »
de l'écharpe du voyageur (p. 12). L'attention s'oriente
au contraire vers la perception abstraite des rapports
qui relient les objets entre eux ou les différents aspects
de l'objet : rapport entre *l'angle sud-ouest* et *l'angle correspondant*, entre les *deux parties égales* de l'angle, entre
la portion médiane et les *branches latérales* de la terrasse,
entre le *mouvement* des marches et celui de la rampe, etc.
Comme l'indique nettement le dernier mot du texte sur
l'escalier mécanique, il s'agit de repérer le fonctionnement
d'un « *système* ».

Quels sont ces micro-systèmes, comment fonctionnent-ils
exactement à l'intérieur des œuvres de Robbe-Grillet,
quelle est leur signification, nous renvoyons sur ces points
aux interprètes qualifiés de son œuvre. Que cette abstraction exprime une vision du monde qui s'ordonne dans
une perspective quasi scientifique, « selon les schémas
les plus universels [1] », ou s'inscrive dans une perspective
poétique selon les lois de l'analogie [2], elle s'oppose en
tout cas à l'aspect concret des descriptions de Butor.
Tandis que chez Robbe-Grillet la précision géométrique
et l'indifférence des mots neutres arrachent les objets
à l'instabilité du temps en les figeant dans des états
essentiels, la précision pittoresque et le choix des mots signi-
ficatifs insèrent les objets décrits par Butor dans un temps
vécu et manifestent leur qualité d'existants.

En dépit de leur divergences d'interprétation les critiques
de Robbe-Grillet s'accordent pour reconnaître dans son
œuvre un facteur d'incertitude. Bruce Morissette analysant
la description du quartier de tomate dans *Les Gommes*
remarquait déjà qu'il ne s'agissait pas d'une « simple nature
morte » ni d'un « exercice objectal de matérialisation littéraire » puisqu'un « élément d'incertitude » s'insérait dans
toute cette précision [3]. Cet élément d'incertitude (nous
laisserons de côté la question de savoir s'il faut l'attribuer
à la subjectivité des personnages, Wallas dans *Les Gommes*

1. J. Alter, *La Vision du monde d'Alain Robbe-Grillet*, p. 92.
2. Comme le pense G. Genette, « Un vertige fixé », postface à *Dans
le labyrinthe*, Paris, 10-18, 1964.
3. B. Morissette, *Les Romans de Robbe-Grillet*, p. 69, 70, et J. Alter,
op. cit., p. 89.

par exemple, ou à celle de l'écrivain qui affirme sa liberté
d'intervention), se retrouve dans le second des textes que
l'on vient de citer. On aura remarqué au milieu de ce vocabulaire d'une précision quasi scientifique : *cinq, trois et
quatre, hauteur, moitié, proximité, rectiligne, vitesse, système*...
la présence du mot *douteux* soulignant la difficulté qu'il
y a à comparer l'une à l'autre les vitesses respectives de
l'escalier et de la rampe. «*Aucun repère ne permet de repérer*»,
cette remarque qui concerne ici des vitesses, nous semble
caractériser un des aspects essentiels de l'œuvre de Robbe-
Grillet. Dans *Le Voyeur*, par exemple, l'accumulation des
précisions relatives aux objets n'a pour effet que de
désorienter de plus en plus le lecteur et le personnage :
« autour de lui, constate le narrateur, l'état de choses
ne fournissait aucun repère [1] ».

Cet élément d'incertitude, introduit par l'agrandissement
du détail (le quartier de tomate) et l'accumulation des
précisions *(Le Voyeur)*, s'affirme aussi avec l'utilisation des
autres procédés qui paraissent proches de ceux de Butor :
les descriptions variées d'objets semblables et les descriptions analogues d'objets différents.

La mention périodique d'une plantation de bananiers,
dont les plants sont plus ou moins coupés dans *La Jalousie*
est tout à fait comparable à la mention périodique du
tapis de fer chauffant dans *La Modification*. Il s'agit dans
les deux cas de références à des objets extérieurs au personnage et soumis à une modification dans le temps. Elles
offrent donc au lecteur un point de repère chronologique :
il est appelé à mesurer le temps écoulé sur les transformations d'un objet extérieur. C'est du moins ce qu'il ne manque
pas de faire. Lisant page 34 « *quelques régimes ont été coupés
déjà* » et un peu plus loin page 40 « *de nombreux régimes
paraissent mûrs pour la coupe. Plusieurs pieds ont été
récoltés déjà dans ce secteur* », il s'attend bien à lire page 80
que « *tous les bananiers ont été récoltés* ». Il s'étonne en
revanche d'apprendre quelques pages plus loin : « *qu'aucun
régime n'ayant été encore récolté* depuis la plantation des
souches, la régularité des quinconces est encore absolue ».
Encore ne s'étonnerait-il pas tant si les autres événements
mentionnés au cours du récit et qui, au même titre que les
bananiers lui servaient jusque-là de points de repère,
progressaient eux aussi à rebours. Mais tandis que la récolte
des bananes fait marche arrière, la construction d'un pont de

1. A Robbe-Grillet, *Le Voyeur*, Minuit, 1955, p. 144.

rondins, mentionnée elle aussi périodiquement, a progressé!

Bien loin de donner le sentiment d'une durée concrète, ces variations contradictoires désorientent le lecteur et lui interdisent de se repérer dans le temps. Un autre exemple particulièrement frappant est celui du verre qu'un des personnages, nommé Franck, dépose sur une table après l'avoir « *fini d'un trait* ». Alors qu'on nous dit page 108 : « *Il n'y a plus trace du cube de glace dans le fond* », nous lisons page 109, soit normalement quelques « instants » plus tard : « *Au fond du verre qu'il a déposé... achève de fondre un petit morceau de glace arrondi d'un côté* »! Nous sommes là dans un temps réversible ou plutôt dans ce monde inversé que proposent les films tournés à rebours. Bruce Morissette, qui cherche généralement à trouver une motivation réaliste aux procédés de Robbe-Grillet, commente ce passage en disant : « Il s'agit là évidemment dans cette dernière phrase, d'une régression vers une scène antérieure [1]. » Nous ne le pensons pas, puisque suivant sa propre remarque, il est fait mention dans le même paragraphe d'un repère différent : la disposition des rondins, et que celle-ci « semble en progression rapide sur la scène qui précède [2] ». Les deux repères temporels : présence ou absence de la glace dans le verre et disposition des rondins, sont donc cette fois encore contradictoires. L'on ne peut privilégier l'un ou l'autre, et il faut admettre que le temps proposé se réduit à celui seul de la lecture. Avec Jean Alter, on verra plutôt dans ce procédé qui « étend la notion d'incertitude au domaine de la présentation elle-même », « une manifestation... de l'autonomie absolue de l'œuvre d'art et partant de son indépendance à l'égard des lois du monde réel... Toute comparaison avec une réalité extérieure au roman... devient problématique : les choses s'affranchissent et se séparent de leurs homologues dans l'expérience vécue, se révèlent entièrement et exclusivement sujettes de la volonté de l'écrivain [3] ». Sur le plan réaliste, en tout cas, le lecteur est désorienté. Il est plongé dans un monde fluide, onirique et en perpétuelle voie de destruction. De même que le film tourné à l'envers ne restitue pas à proprement parler un temps passé mais présente des actes qui s'annulent au fur et à mesure qu'ils se déroulent (l'eau qui remonte à sa source

1. B. Morissette, *Les Romans de Robbe-Grillet*, p. 124.
2. B. Morissette, *ibid.*, p. 125.
3. J. Alter, *La Vision du monde d'Alain Robbe-Grillet*, p. 37.

ou la cigarette qui se reconstitue), ces descriptions abolissent au fur et à mesure le monde même qu'elles semblaient d'abord esquisser.

On ferait les mêmes constatations à propos des descriptions analogues d'objets différents. Celle de la tache noirâtre qui, sur le mur de la salle à manger, marque l'emplacement d'un mille-pattes écrasé, est analogue à celles de toutes les autres taches mentionnées dans le roman : tache d'huile dans la cour, tache formée par l'écaillement de la peinture sur la balustrade, tache sur la nappe, etc., elle est, d'autre part, analogue par sa forme, au scutigère, au défaut du verre dans les vitres, à une main crispée sur une nappe ou sur un drap, elle correspond encore à l'écrasement de mille-pattes sur le mur ou sur le sol, au grésillement d'un peigne dans des cheveux, au grésillement des insectes autour de la lampe... Mais ces correspondances, analogies, variations répétées, bien loin de contribuer à nous faire croire à la réalité objective des objets ou événements décrits, suggèrent au contraire une conscience en proie au délire. Délire du jaloux [1] auquel se superpose (mais organisé celui-ci) le délire du romancier démiurge. En outre, les objets se métamorphosent les uns dans les autres et entraînent dans cette métamorphose les lieux de l'action. De taille moyenne page 62, le scutigère est gigantesque page 163. Écrasé sur le mur de la salle à manger page 62, il l'est ensuite sur le carrelage page 64 et sur le plancher de la chambre page 166. Lors de la dernière scène de l'écrasement du mille-pattes, la salle à manger se transforme insensiblement en chambre à coucher, la nappe en draps de lits, les serviettes de table en serviettes de toilette. Là encore, comme dans un rêve, les lieux sont fluides et le lecteur ne sait plus où il est.

Pour rendre compte de ces descriptions, Bruce Morissette a proposé la notion de « corrélatifs objectifs [2] » : les objets

---

1. Selon B. Morissette, *Les Romans de Robbe-Grillet*, p. 145-146.
2. Familière à la critique anglo-saxonne la notion de « corrélatif objectif » a permis à Bruce Morissette « d'expliquer le fonctionnement des objets » dans les romans de Robbe-Grillet : la gomme dans *Les Gommes*, la cordelette dans *Le Voyeur*, la tache sur le mur dans *La Jalousie*, deviennent « le soutien ou le support des passions » des personnages, sans qu'il y ait de « correspondances » préalables, métaphysiques ou mystiques entre le monde et l'homme. Cf. B. Morissette, *Les Romans de Robbe-Grillet*, p. 32, 63, 65, 70, 96, 99, 127, 141. C'est en ce sens étroit que nous utiliserons le terme à propos de Butor. On rappellera cependant que l'inventeur de cette expression, le poète T. S. Eliot, en étend l'utilisation à d'autres

serviraient de supports aux sentiments du personnage et leur description exprimerait la subjectivité de ce dernier. Cette notion rend compte de certains aspects de ces descriptions et l'on verra que dans *La Modification* certains objets sont décrits de manière à jouer un rôle analogue [1]. Ce qu'il importait pour l'instant de souligner c'est que dans ce roman de Robbe-Grillet les descriptions d'objets ou d'événements n'ont pour fonction ni de faire voir ni de confirmer la permanence de lieux.

5. *Consolidation et poétique de la banalité.*

Les divers modes de présentation dans *La Modification* se conjuguent au contraire pour imposer un monde de plus en plus prégnant et solide. La minutie des descriptions et le grossissement des détails ont pour effet de « détacher superbement les objets » et de les « souligner » à notre intention. Les variations apportent à chaque répétition des éléments supplémentaires qui ne nient pas les précédents mais au contraire s'y ajoutent en consolidant les lieux et la durée dans l'esprit du lecteur. Les descriptions analogues d'aspects variés démultiplient l'espace.

Ce mouvement de consolidation du monde décrit se double, en outre, d'un mouvement d'amplification. Non seulement la durée concrète et particulière du compartiment s'inscrit dans une durée cosmique, celle des jours et des saisons; non seulement le lieu précis s'ouvre sur d'autres lieux, mais ce compartiment de chemin de fer constitue un véritable microcosme. On y trouve les heures de la journée et de la nuit; les différentes saisons : l'automne, saison où a lieu le voyage présent, mais aussi le printemps, l'été et l'hiver où ont eu lieu d'autres voyages; les âges de la vie grâce aux différents voyageurs : l'enfance avec le petit garçon, l'adolescence avec les deux jeunes gens, la jeunesse avec les époux en voyage de noces, l'âge mûr avec le héros, le professeur, la dame en noir et les ouvriers, la vieillesse enfin avec les vieillards italiens.

Un simple coup d'œil sur les comparaisons qualifiant les objets décrits confirme encore ces conclusions. D'une part, les aspects du monde décrits par Butor sont les plus

---

modes d'expression. Cf. T. S. Eliot : « Hamlet and his Problems », in *Critiques and Essays*, éd. Stallman, p. 387, et W. C. Booth, *The Rhetoric of Fiction*, p. 97.

1. Cf. chapitre IV.

ordinaires : ceux que, dans une situation donnée, nous ne pouvons pas ne pas voir; ceux auxquels nous ne prêtons généralement aucune attention : gouttes de pluie sur une vitre, pépins de pomme écrasés, brins de tabac. D'autre part, ces objets mêmes, dépouillés de leur signification pratique, extraits de leur contexte habituel s'enrichissent d'associations nouvelles, s'inscrivent dans une nature élargie aux dimensions du cosmos [1].

Les « petites lignes » tracées sur la vitre par les gouttes de pluie sont ainsi « *semblables à des centaines de cils* » (p. 58), les grosses gouttes, un peu plus loin, tracent des « *ruisseaux obliques* » (p. 69), « *ruissellent lentement, hésitantes, en une gerbe de lignes obliques irrégulières avec des tressaillements et des captures* « (p. 81), couvrent la vitre de toute une « *toile tissée* » (p. 83), raient la vitre « d'une *gerbe de petits fleuves semblables à des trajectoires de très lentes et très hésitantes particules dans une chambre de Wilson* » (p. 86).

Les tasses du wagon-restaurant sont « *bleu pâle comme un ciel de printemps incertain sur une ville du Nord* » (p. 20). Le fil blanc sur la chaussette « *déploie ses spires et son désordre de nuages cardés par le vent du matin* » (p. 24). La fermeture éclair d'un porte-document « *baille... comme la gueule aux dents très fines d'un serpent marin* » (p. 11). Une cigarette est décrite comme un « *petit tuyau de papier blanc rempli de brins de feuilles sèches* » (p. 43). La jupe à plis de la jeune voyageuse se déploie « *comme une aile de faisane* » (p. 224). Les traces boueuses sur le tapis de fer « sont *semblables à des nuages très menaçants de neige* ». (p. 119). Et, tandis qu'on nous parle de « la *constellation* de minuscules *étoiles* de papier rose ou carton brun qui viennent d'être découpées dans les billets » (p. 119), *la lune* écarte des *« nuages en forme de têtes d'oiseaux à grandes plumes et crêtes* » (p. 171) ou, « *semblable à l'empreinte de quelque bête nocturne* » « *teint de mercure* » les cheveux d'une voyageuse... (p. 208).

Si donc ces descriptions sont « objectives » dans la mesure où elles visent à restituer l'objet, elles sont aussi créatrices. La comparaison introduit l'objet décrit dans une sphère nouvelle qui non seulement n'est pas celle de la vie pratique, mais s'organise en une thématique dont les élé-

---

1. Il serait intéressant de comparer à cet égard l'art de Michel Butor à celui de Francis Ponge.

ments sont, pour la plupart, empruntés au domaine de la Nature.

On trouve ici, cette fois encore, le germe de ce qui s'affirmera plus tard comme une des constantes de l'art de Michel Butor. On sait l'importance que prendront ces phénomènes naturels et cosmiques : les oiseaux et la mer; le vent et les nuages, la lune, les étoiles et la nuit, dans ses ouvrages ultérieurs, *Mobile* et *6 810 000 litres d'eau par seconde*. Là aussi des durées à l'échelle humaine s'inscrivent dans des temps plus larges, historiques, mythiques, cosmiques. Là aussi des lieux particuliers et bien délimités : le site des chutes du Niagara ou les États-Unis d'Amérique sont resitués à l'intérieur de la planète tout entière (et même, par l'intermédiaire des allusions à la science-fiction dans *Mobile*, à l'intérieur de l'Univers). Là aussi les objets contingents et même méprisables, parce que destinés à la destruction : déchets en plastique sur une plage ou glaces à la vanille et à la fraise, sont reliés à ces « objets » éternels, que sont les vagues de la mer ou les couleurs du ciel[1]. L'artiste ne restitue pas le visible, il rend visible disait Klee, Michel Butor est un artiste et déjà dans *La Modification!* Mais l'on voit dans quel sens est orienté son effort, et le rôle que jouent dans ce cas précis des artifices, qui, à première vue, ne semblent relever que d'une simple rhétorique. Nous sommes passés de « la vraisemblance des décors » à la « vie étrange des objets » sans que, contrairement à l'opinion d'André Breton[2], l'un des effets nuise à l'autre.

« Le romancier est celui qui s'aperçoit qu'une structure est en train de s'esquisser dans ce qui l'entoure, et qui va poursuivre cette structure, la faire croître, la perfectionner, l'étudier, jusqu'au moment où elle sera lisible pour tous.

Il est celui qui aperçoit que les choses autour de lui commencent à murmurer, qui va mener ce murmure jusqu'à la parole. Cette banalité qui est la continuité même du roman avec la vie « courante », se révélant à mesure que l'on pénètre dans l'œuvre comme douée de sens, c'est toute la banalité des choses autour de nous qui va en quelque sorte

---

1. Cf. par exemple *Mobile*, p. 175, 191, 192, 197...
2. Cité par J. Plessen pour montrer l'assimilation par le « Nouveau Roman » de certains impératifs surréalistes. « Surréalisme et Nouvelle Critique », *Het Franse Boek*, juillet 1966, p. 135.

se renverser, se transfigurer, sans qu'il se produise cet ostracisme systématique d'une partie d'entre elles, si caractéristique de la poésie « classique » (celle d'Horace ou de Breton) [1]. »

Banalité des choses décrites, banalité aussi des modes de présentation, mais banalité reconnue, accentuée, structurée, intégrée, le « vraisemblable » tel qu'il se réalise dans *La Modification* doit être compris comme une contribution à cette « poétique de la banalité » qui, selon l'auteur, donne son sens à l'entreprise romanesque.

1. M. Butor, « Le roman et la poésie », *Répertoire II*, p. 25 et 26.

CHAPITRE III

LA PERSPECTIVE NARRATIVE

> « *Dans un roman, ce qu'on nous ra-
> conte c'est toujours aussi quelqu'un qui
> se raconte et qui nous raconte.* »

I. LES PROBLÈMES
DE LA PERSPECTIVE NARRATIVE

1. *L'intervention du personnage.*

« Vous vous introduisez par l'étroite ouverture en vous frottant contre ses bords, puis... votre valise assez petite d'homme habitué aux longs voyages, vous l'arrachez par sa poignée collante, avec vos doigts qui se sont échauffés... de l'avoir portée jusqu'ici...
Vos yeux sont mal ouverts, ... vos paupières sensibles et mal lubrifiées, vos tempes crispées, ... vos cheveux, qui se clairsèment et grisonnent, insensiblement pour autrui mais non pour vous, pour Henriette et pour Cécile, ni même pour les enfants désormais, sont un peu hérissés et tout votre corps à l'intérieur de vos habits qui le gênent, le serrent et lui pèsent, est comme baigné, dans son réveil imparfait, d'une eau agitée et gazeuze pleine d'animalcules en suspension » (p. 9).

Dès la première page, on nous parle d'un homme dont on nous précise aussitôt l'âge : « *vous venez seulement d'atteindre les quarante-cinq ans* » (p. 9), l'aspect physique, les sensations, les habitudes, les relations humaines, l'état d'esprit... C'est bien ce voyageur particulier, aux yeux mal ouverts, aux paupières sensibles, aux tempes crispées, que les

objets touchent, ce sont ses mains que le port de la valise
ont échauffées, c'est à sa poussée que la porte résiste,
c'est pour lui que les paroles du haut-parleur sont « *déformées* » (p. 13) et que la profonde vibration constante
du train est soulignée irrégulièrement de « *stridences et
d'hululations en touffes épineuses* » (p. 14).

Comme la deuxième personne désigne l'être à qui l'on
parle, le lecteur, destinataire obligé du message, se trouve
ici, en outre, explicitement désigné : « *Vous avez mis le pied
gauche sur la rainure de cuivre* », « *Vous êtes un homme élégant, vous portez un complet tergal* », c'est bien à nous, dans
les deux cas, que le discours s'adresse. On remarquera
l'efficacité rhétorique du procédé qui, impliquant le destinataire réel du message dans la situation décrite, l'incite
à s'engager dans la situation réelle [1]. Le passage suivant,
qui semble extrait d'un dépliant touristique [2], permet encore
mieux de s'en convaincre :

« ... vous vous promènerez dans toute cette partie de la ville, où
l'on rencontre à chaque pas les ruines des anciens monuments de
l'Empire...

Vous traverserez le Forum, vous monterez au Palatin,... vous
regarderez... le soir tomber sur les crocs des thermes de Caracalla...
vous redescendrez par le temple de Vénus et Rome et vous assisterez
à la fin du crépuscule, à l'épaississement de la nuit à l'intérieur du
Colisée, puis vous passerez près de l'arc de Constantin, vous prendrez
la via San Gregorio et la via dei Cerchi, le long de l'ancien Cirque

---

1. Les publicitaires le savent bien, qui, pour mieux persuader leurs
lecteurs d'utiliser les produits sur lesquels ils fournissent des informations, « personnalisent » ainsi leurs « messages ». On ne s'étonnera
pas de nous voir invoquer la publicité. L'intérêt marqué aujourd'hui
par les écrivains et les critiques pour les problèmes rhétoriques, est
évidemment lié à l'importance croissante des problèmes de communication, eux-mêmes liés au développement des techniques de communication de masse. En témoignent d'ailleurs les travaux du Centre
d'Etudes des Communications de Masse, dirigés par Roland Barthes
et publiés dans la revue *Communications*.

2. Qui serait publié par l'Office du Tourisme italien par exemple
comme celui-ci, par l'Office du Tourisme polonais :

DÉCOUVREZ LA POLOGNE

« Châteaux du Nord. Vous découvrirez Varsovie, " le bastion de la culture polonaise ". Vous verrez l'élégant palais de Nieborrow et l'immense
château fort teutonique de Malbork avec sa chambre de tortures. Vous
assisterez au concert des fameuses orgues d'Oliwa. Vous flânerez dans « la
longue rue » reconstruite à Gdansk. Vous regarderez le ciel de la Tour
d'observation de Nicolas Copernic à Frombork »... (Relevé dans *Le Nouvel
Observateur* du 5 avril 1967, n° 124.)

de Maxime; dans la nuit vous apercevrez le temple de Vesta à votre gauche et de l'autre côté l'arc de Janus Quadrifrons; alors vous rejoindrez le Tibre que vous longerez jusqu'à la via Giulia »... (p. 71-72).

De même cependant qu'il ne faut pas confondre le narrateur d'un roman à la première personne avec l'auteur[1], on ne peut identifier, littéralement, le lecteur avec cette personne dont on nous parle et à qui l'on parle. « Dans les éloges, les discours de réception à l'Académie Française ou les réquisitoires, celui à qui l'on parle avant tout est aussi celui dont on parle, mais dans le roman il ne peut y avoir d'identité littérale, puisque celui dont on parle n'ayant pas d'existence réelle est nécessairement un tiers par rapport à ces deux êtres de chair et d'os qui communiquent par leur moyen[2] ». Et en effet, je n'ai pas mis le pied sur la rainure de cuivre, je n'ai pas poussé, ne serait-ce qu'un peu, le panneau coulissant, sinon sur le mode de la lecture. A l'instar peut-être du rédacteur publicitaire, le narrateur ne cherche pas ici à s'exprimer mais à convaincre, c'est pourquoi le message dans sa forme est orienté vers le récepteur, mais ce récepteur c'est aussi et d'abord cet homme de quarante-cinq ans, marié à Henriette, « habitué aux longs voyages » (p. 9), cet homme à qui chacune des pierres du Palatin rappelle quelque parole de son amie Cécile (p. 72).

« Dans le roman, ce qu'on nous raconte c'est toujours aussi quelqu'un qui se raconte et qui nous raconte[3] » mais dans le roman quelqu'un ne se raconte et ne nous raconte que par l'intermédiaire de ce qu'il nous raconte. Or, si l'auteur est ici absent, comme il l'est nécessairement de

1. Comme on le fait si souvent lorsqu'il s'agit de Proust par exemple. Balzac l'avait déjà constaté, à ses dépens, lors de la publication du *Lys dans la vallée :* « Dans plusieurs fragments de son œuvre l'auteur produit un personnage qui raconte en son nom... Mais le " moi " n'est pas sans danger pour l'auteur. Si la masse lisante s'est agrandie, la somme de l'intelligence publique n'a pas augmenté en proportion. Malgré l'autorité de la chose jugée, beaucoup de personnes se donnent encore aujourd'hui le ridicule de rendre un écrivain complice des sentiments qu'il attribue à ses personnages; et s'il emploie le " je " presque toutes sont tentées de le confondre avec le narrateur... » H. de Balzac, *Le Lys dans la vallée,* Introduction et notes par M. Le Yaouanc, Paris, Garnier, 1966, p. 337, préface.

2. Michel Butor, « L'usage des pronoms personnels dans le roman », *Répertoire II*, p. 61-62.

3. *Ibid.*, p. 62.

tout roman (nous n'avons jamais affaire qu'à ses masques) [1],
si le narrateur lui-même est ici absent, puisqu'il n'apparaît
pas dans le récit comme « personne » (du moins pas immédiatement), le vous, en revanche, renvoie à un personnage
caractérisé.

Il est clair que l'emploi de la deuxième personne détermine dans une grande mesure les rapports du lecteur à ce
qu'on lui raconte. Aussi ne peut-il être question de prétendre avec certains, que le choix de la deuxième personne
« n'a aucune importance » sous prétexte que « le lecteur
malgré la surprise provoquée par ce vous inhabituel
s'absorbe très vite dans le présent illusoire de l'histoire et
identifie sa vision avec celle de ce vous aussi bien qu'avec
celle des je ou des il des autres histoires [2] ». Il paraît cependant nécessaire avant de déterminer la ou les fonctions du
« vous », d'examiner comment les informations sont liées
à ce tiers fictif qu'il désigne d'abord.

Revenons donc au texte. Il apparaît très vite que les
informations destinées à recréer la situation non seulement
sont liées au personnage mais s'organisent à partir de lui.

C'est de son point de vue : celui d'un homme, d'abord
debout dans l'embrasure de la porte, et cherchant une place,
puis assis et contemplant les paysages, que les lieux, les
objets et les gens sont donnés à voir. La succession des
paragraphes, inaugurés par des adverbes de lieu, la succession des verbes conjugués au présent, miment en l'arti-
culant les étapes progressives d'une investigation et d'une
installation :

« Un homme *à votre droite,* son visage *à la hauteur de votre
coude,* assis *en face de* cette place où vous allez vous installer pour
ce voyage, *un peu plus jeune que vous...* » (p. 10).

« *Sur la même banquette* que lui... un jeune homme *qui doit avoir*
fini son service militaire... tient dans sa main droite la gauche d'une
jeune femme... » (p. 10).

1. « Tout écrivain, déclare Butor, en constituant ses personnages, chasse
des masques accumulés sur son visage. L'écrivain va à la recherche de sa
nudité. Certains vont être capables d'enlever perpétuellement de leurs
visages de nouveaux masques; ils vont traverser les épaisseurs de leur
peau. Ils expulsent d'eux-mêmes les personnages romanesques. »
G. Charbonnier, *Entretiens,* p. 59.
2. Comme l'ont fait, entre autres, Wayne C. Booth que l'on vient de
citer, *The Rhetoric of Fiction,* p. 150, et Michel Raimond dans *Le Roman
depuis la Révolution,* p. 223.

« *De l'autre côté de la fenêtre...* un ecclésiastique... tente de s'absorber dans la lecture de son bréviaire... » (p. 11).

« *En face de vous...* à travers la vitre, à travers une autre vitre, *vous apercevez assez indistinctement...* un homme *de la même taille que vous, dont vous ne sauriez préciser* l'âge... » (p. 11).

« *Assis,* vous étendez vos jambes de *part et d'autre* de celles de cet intellectuel... vous déboutonnez votre épais manteau... » (p. 12).

« *Puis,* saisissant avec violence la poignée chromée..., *vous vous efforcez* de fermer la porte... » (p. 12).

« *A droite,* au travers de la vitre fraîche à laquelle s'appuie votre tempe... *vous retrouvez...* l'horloge du quai... » (p. 12).

« *Dehors,* une voiture à accumulateurs se fraye un chemin sinueux... un train, se retirant... *ouvre à vos yeux...* un autre quai... » (p. 13).

De même, tout au long du roman, les lieux et les objets, les personnes sont décrits en perspective, celle d'un homme en situation percevant, connaissant, imaginant, se souvenant. L'illusion perceptive selon laquelle dans un train en marche, le paysage semble « *courir à votre rencontre* » (p. 42) est ainsi rendue par l'inversion du sujet : « *Passe la gare de* Saint Julien du Sault (p. 27)... *Passe la gare de* Darcey » (p. 47) ou : « *apparaît,* avec sa casquette et sa veste blanche, *le garçon* du wagon-restaurant » (p. 80). Le décalage entre le perçu et le connu est marqué par une répétition qui explicite, de l'indéfini au défini, une sensation d'abord confuse : « *une main frappe* avec un objet métallique sur le carreau, *la main du contrôleur* avec sa pince poinçonneuse » (p. 46). Les choses semblent animées, ce que suggèrent les verbes pronominaux : « *La poignée* que vous teniez dans votre main *s'anime ; la porte s'ouvre* » (p. 220), « *la masse des bois* de moins en moins interrompue de villages ou de maisons, *tourne sur elle-même, s'entrouvre* en une allée, *se replie* comme *se masquant* derrière un de ses membres » (p. 16), ou bien elles semblent douées de subjectivité, rendue soit par des adjectifs qualificatifs : « *les champs rapides et le brumeux horizon lent* » (p. 23 et 24) soit par des verbes d'opinion : les nuages « *n'ont pas l'air de vouloir* se lever » (p. 51), cette porte « *refuse d'avancer* plus loin » (p. 12). Le savoir ou l'imagination compensent les limitations de la perception : « Soudain vous apercevez le coin d'une gare qui passe, *dont vous savez bien que* c'est celle de Bardonneccia, à travers cette fenêtre claire..., et du côté du corridor aussi *vous commencez à deviner*

quelque chose, l'épaisseur, l'opacité de la buée diminuant
les formes des monts qui se détachent sur le ciel » (p. 133).
Enfin, de même qu'il ne peut pas lire mais doit deviner
les mots écrits sur la plaque vissée, l'observateur ne peut
que supposer un titre au livre dans lequel est plongé le
« professeur », à partir de ces trois lettres visibles : L.E.G.
(p. 43) [1].

Enfermés dans un compartiment de chemin de fer, nous
sommes donc aussi enfermés dans une conscience. Mais
une conscience ne se limite pas aux facultés de voir, de
sentir et d'interpréter. Grâce aux rêves et aux souvenirs
du personnage, le lecteur est transporté ailleurs, dans
d'autres temps, dans d'autres lieux. Pour relier ces deux
villes : Paris et Rome et pour parler de ces deux villes,
l'auteur a choisi d'établir entre elles « une voie de communication normale » (p. 233), ce voyage en chemin de fer, il a
choisi aussi de « conserver » leurs relations géographiques
réelles : « leur distance, toutes ces gares, tous ces paysages
qui les séparent » (p. 233), il a en outre placé dans ce train,
un Parisien, amoureux d'une Romaine, habitué à se rendre
à Rome pour ses affaires.

Il est possible et même probable que le choix du personnage de Léon Delmont n'ait été pour l'auteur qu'un moyen
parmi d'autres [2], d' « étudier avec l'instrument romanesque

1. Le début de *L'Observatoire de Cannes* de Jean Ricardou, Paris,
Minuit, 1961, offre des effets de perspective analogues. Mais contrairement
à ce qui se passe dans *La Modification*, l'observateur, dans ce cas, n'est
pas caractérisé en personnage. L'aventure sera celle d'une vision sans
voyeur et d'une description sans scripteur :

 « Le wagon subit un imperceptible choc. Les piliers, les murs jaunes, les affiches,
les portes se déplacent vers la gauche, et les voyageurs attentifs à ce mouvement,
cessant ensemble les menus gestes de leur installation, regardent dehors.
 La jeune voyageuse blonde, assise dans le sens de la marche, l'épaule droite
appuyée contre la vitre qui sépare le compartiment du couloir, a tourné le visage
vers sa gauche... Les deux mains serrent contre les genoux un album dont la couverture est illustrée par une photographie en noir et blanc. Entre les doigts écartés en
étoiles quelques fragments de mots — corps, tempe — écrits en grosses majuscules
blanches, sont visibles. Il est imposible cependant de reconstituer, à partir d'un
nombre aussi réduit d'éléments, le titre de l'ouvrage, ni le sujet de la photographie »
(p. 11, 12).

2. C'est du moins ce que suggère cette déclaration de Butor à un critique italien : « Je pars d'une structure mais non pas d'une structure pure.
Je dispose au départ d'un groupe de thèmes mais ne parviens à savoir
ce que je veux dire qu'en travaillant sur les structures. Les personnages
en sont des cas particuliers, des détails : ils seront ainsi parce que le livre
doit être ainsi. Non, ils ne représentent jamais pour moi le point de départ. »
Cf. Claudio Barbati : *Incontro con Michel Butor.* L'auteur, on le sait,

la liaison entre Paris et Rome [1] », mais le choix d'un moyen n'est jamais indifférent pour le sens. Intégré à l'ensemble, cet élément particulier joue, en relation avec les autres, un rôle essentiel.

On remarquera en premier lieu que contrairement au compartiment et aux paysages qui passent, Paris et Rome ne sont pas perçues mais imaginées et remémorées par le voyageur. S'il en résulte que la description des villes est moins précise et minutieuse, celles-ci sont en revanche fortement particularisées par leur réfraction dans l'esprit du voyageur [2].

La ville présentée dans le premier chapitre est bien le Paris que nous connaissons avec la rue Soufflot, le Boulevard Saint-Michel et le Café Mahieu, et avec ces taxis dont les chauffeurs ne prennent pas la peine d'ouvrir les portières! (p. 18). Mais ce Paris, avec ses monuments, ses rues, ses autobus, est surtout la ville de cet homme d'affaires, marié et père de quatre enfants, enfermé dans le cercle étroit de sa famille et de son travail. De cette immense et complexe cité ne sont évoqués avec précision que quelques lieux privilégiés : les rues ou monuments groupés autour de la place du Panthéon où se trouve l'appartement du voyageur, l'avenue de l'Opéra où se trouve son bureau et la gare de Lyon, lieu de départ pour Rome. Ces trois groupes de lieux, dans lesquels il faut inclure ceux qui se trouvent sur les trajets des uns aux autres, concrétisent les trois faces du triangle moral dans lequel le héros se trouve enfermé à Paris : famille, travail, désir de liberté.

De ces lieux privilégiés, l'appartement quinze place du Panthéon est sans doute le principal et dans cet appartement la chambre conjugale qui résume en elle tout ce qu'il fuit, en partant pour Rome. Son évocation constitue la première vision de Paris et il n'est pas sans intérêt de s'y

dans ses œuvres ultérieures abandonnera le « personnage » au profit d'autres structures. Cf. à ce sujet G. Charbonnier, *Entretiens*, p. 70 et 197.

1. Michel Butor, « Entretien avec Léonce Paillard », in *Livres de France*, p. 8.

2. Comme l'ont déjà souligné Leo Spitzer in *Quelques aspects de la technique des romans de Michel Butor*, p. 52, et Erica Hönisch, *Das gefangene Ich*, p. 49, 50. Comme il s'agit d'un aspect essentiel du roman il est nécessaire de s'y attarder pour le préciser et pouvoir en tirer ultérieurement les conséquences.

attarder un peu. Le voyageur vient de s'installer — la gare de Fontainebleau vient de passer — il se remémore les quelques heures qui ont précédé son départ.

Il se revoit dans cette chambre le matin « tandis que *l'aube* commençait à sculpter les draps *en désordre* de votre lit, les draps qui émergeaient de *l'obscurité* semblables à des *fantômes vaincus, écrasés au ras de ce sol mou et chaud dont vous cherchiez à vous arracher* ». Il revoit cette « *lézarde* » au plafond, « *s'accentuant de mois en mois et que vous auriez dû depuis longtemps faire colmater et disparaître* », l'armoire à glace Louis-Philippe avec ces vêtements « *pendus* à leurs cintres, aux manches tombant toutes *droites et sans épaisseur* comme si elles habillaient *les bras raides et filiformes des ombres impitoyablement ironiques...* des précédentes femmes de *Barbe-Bleue* ». Il revoit sa femme Henriette avec « ses cheveux *autrefois noirs...* son dos se détachant devant la première *lumière terne et décourageante...* se dessinant de plus en plus à mesure qu'elle écartait et repliait *bruyamment* les volets de fer aux fentes *chargées de la poussière cotonneuse et charbonneuse* de la ville, avec ici et là quelques *points de rouille comme du sang coagulé* ». Sa femme « *frileuse resserrant* avec sa main droite son col orné d'une *piètre dentelle inutile sur sa poitrine affaissée* » et « *enfilant sa robe de chambre à grands carreaux gris et jaunâtres* » (p. 16).

On voit combien ce lieu est qualifié : à distance de Paris le voyageur en est d'autant plus proche sur le plan affectif. Toute cette évocation exprime sa gêne, son dégoût, sa peur de s'enliser et même, avec les allusions au sang coagulé et aux femmes de Barbe-Bleue, sa culpabilité.

Rome en revanche est la ville vers laquelle le héros se dirige. Elle n'est pas, d'abord, remémorée mais imaginée. Elle n'est pas refusée mais désirée. Dès le début du voyage, il s'y transporte en pensée, anticipant joyeusement le moment de son arrivée : Demain à Rome, « *la lumière augmentera...* » (p. 37). Après-demain, « *le soleil brillera* » (p. 70). Lundi soir « *la fontaine* du Bernin *sera lumineuse* » (p. 82).

Au réveil pénible dans la chambre parisienne aux volets poussiéreux et à la lumière terne et décourageante répond l'arrivée dans la gare « *aux immenses pans de verre* » et l'illumination progressive de la ville : « Vers sept heures », « *le soleil se lèvera vraiment... la lumière augmentera, s'enrichira, s'échauffera* peu à peu et lorsque vous quitterez la gare *à l'aurore*, la ville paraissant *dans toute sa rougeur profonde*, le sang ancien suant de toutes ses briques *teignant* toute sa poussière sous le *ciel qui sera clair et beau* vous n'en doutez pas... vous vous enfoncerez *tout à loisir dans cet air splendide romain* » (p. 37).

Au café, préparé par sa femme, bu dans l'agacement : « mais qu'avait-elle aussi besoin de se lever alors que vous auriez fort bien su vous débrouiller tout seul... incapable lorsqu'elle est là de vous faire confiance dans les détails, s'imaginant toujours vous être nécessaire et voulant vous en persuader... » (p. 16) s'oppose ce « caffè-latte mousseux » que « vous boirez *lentement, les mains libres et l'esprit libre* » (p. 37).

Au voyage en taxi (difficile à trouver et dont le chauffeur n'a pas pris la peine d'ouvrir la portière) à travers les rues encombrées de Paris, effectué dans la hâte et la peur de manquer le train, s'oppose l'évocation d'une longue et lente flânerie à travers les rues de Rome : « *sans rien vous contraignant, sans rien vous empêchant* d'explorer les détours si longs, si anguleux, si fantasques soient-ils, qui vous *séduiront* » (p. 38).

Tandis que lors de l'évocation de Paris, Léon Delmont part de sa chambre (dont il prend soin de refermer la porte avant qu'à son tour Henriette referme celle de l'appartement) pour se diriger vers la gare de Lyon, son itinéraire romain le conduit de la Stazione Termini, la « *gare transparente* », à la Via Monte della Farina où se trouve la chambre de Cécile dont il guettera l' « *ouverture* » des persiennes (p. 39).

L'évocation parallèle et inverse de ces lieux privilégiés : les gares et les chambres, concrétise les thèmes du voyage et de l'amour. On voit que si le livre est tendu entre les deux villes c'est aussi et peut-être d'abord parce qu'il est tendu entre deux femmes.

Si Léon est parti ce matin d'automne, c'est on le sait pour retrouver à Rome son amie Cécile, réaliser enfin après des mois et des années d'enlisement dans la vie conjugale ce « superbe amour, preuve de [son] indépendance » (p. 45) et de sa « jeunesse gardée » (p. 116). Il s'est embarqué dans l'intention d'annoncer à Cécile qu'il a trouvé pour elle une situation à Paris. Il a décidé de se séparer de sa femme et de vivre désormais avec Cécile, décidé de recommencer sa vie sur de nouvelles bases. « Ce voyage devrait être une *libération*, un *rajeunissement*, un grand *nettoyage* de votre corps et de votre tête » (p. 22). Il représente « une étape nécessaire vers la *clarification* » de ses rapports avec Henriette, « vers la *sincérité* entre vous *si profondément obscurcie* pour l'instant, vers sa *délivrance* à elle aussi... dans une certaine faible mesure » (p. 35). Si Léon Delmont est parti ce matin d'octobre c'est qu'il lui fallait « *enfin choisir entre ces deux femmes* » (p. 91), « *faire cesser cette imposture devenue constante* » (p. 32), ce mensonge installé que représente ses rapports avec sa femme et dans une certaine mesure avec Cécile aussi.

Ce trajet d'une ville à une autre est donc un trajet d'une femme à une autre, mais aussi d'une vie à une autre.

On vient de voir sous quel aspect apparaît Henriette lorsqu'elle est évoquée pour la première fois : avec ses traits tirés, soucieux, soupçonneux, sa poitrine affaissée, ses cheveux autrefois noirs, elle est en harmonie avec le désordre, le délabrement, l'obscurité de la chambre parisienne, la lumière terne et décourageante, l'air râpeux et le sol mou dont Léon ne parvenait pas à s'arracher. Si, la passion que le héros éprouve pour Cécile « *colore si bien toutes les rues de Paris que rêvant d'elle auprès d'Henriette [il rêve] de Rome à Paris* » (p. 52), le dégoût que lui inspire sa femme semble décolorer les lieux mêmes où elle est évoquée.

Henriette est donc pour le héros l'image même de la vieillesse, mais celle-ci n'est pas seulement physique, elle est aussi morale. Ses actions, pense-t-il, sont dictées par « la *mécanique de l'habitude* » (p. 17) ou par la « *crainte* de voir changer quelque chose à *l'ordre* auquel elle était habituée » (p. 31). Elle cherche, d'après lui, à l'enserrer dans un « *filet de petits rites* » (p. 31), elle se livre à une « *guerre d'usure* » (p. 68), dont il craint fort de sortir « *vaincu* » (p. 113). Elle n'éprouve pour lui que pitié et mépris, manquant totalement de confiance même pour les petites questions matérielles, comme on vient de le voir à propos du café matinal. Il ne voit plus en elle qu'un « *cadavre inquisiteur, une ombre tracassière* » (p. 35, 36) acharnée à sa perte.

De ce « *fade enfer* » (p. 23) qu'est pour lui sa vie conjugale, et dont il se dit que sans cette rupture il se serait refermé sur lui; de cette « *asphyxie menaçante* » (p. 32) qu'il lui faut fuir, Léon Delmont est loin d'être libéré. En témoigne le fait que tout au long de ce voyage il ne peut s'empêcher de penser à sa femme et à tous ces « *détails* » (p. 17) qui forment l'étoffe de sa vie à Paris. Il ne peut s'empêcher d'évoquer par exemple la « *dérisoire cérémonie familiale* » de son anniversaire, « au cours de laquelle vous avez eu l'impression qu'ils s'étaient tous entendus pour vous tendre un *piège*, que ces cadeaux sur votre assiette étaient un *appât*, que tout ce repas avait été soigneusement composé pour vous *séduire*... pour bien vous *persuader* que vous étiez *désormais un homme âgé, rangé, dompté...* » (p. 31-32). Il ne peut s'empêcher de repenser à tous ces petits faits et ne peut s'empêcher surtout de les interpréter, accordant aux événements les plus infimes une portée considérable : pourquoi, alors qu'elle a « une *attention étonnamment aiguisée pour ce genre de détails* » (p. 67), pourquoi Henriette n'a-t-elle rien dit lorsqu'il est rentré l'autre soir chez lui sans valise et s'est trouvé fort ennuyé d'être démuni de ses affaires de toilette? :

« sans doute y avait-elle pensé..., mais elle n'avait pas voulu vous le dire, elle avait préféré que vous découvriez la chose tout seul, pour mieux vous rabaisser..., non sur le plan de l'amour, il était trop tard, mais sur celui de *toutes ces petites questions matérielles* » (p. 67).

Dérisoires cérémonies familiales, petits rites, silences même, c'est :

« toujours cette même politique pour vous empêcher de faire le saut, pour éviter le scandale aux enfants, toujours cette même politique timorée, mesquine, toujours cette hypocrisie, alors qu'au fond d'elle-même elle la désire autant que vous, cette séparation, mais elle en a peur, elle a peur de la pitié de ses amies, elle a peur de ce que leurs camarades de classe diront aux enfants; c'est cela qu'elle n'ose pas affronter, aussi fait-elle tout ce qu'elle peut pour en retarder l'éclat, espérant qu'au bout d'un certain temps votre passion et votre détermination s'émousseront et que rien ne se passera » (p. 67).

Évocation obsessionnelle des petits événements de la vie quotidienne, accumulation d'hypothèses quant aux motifs et mobiles de sa femme, ressassement de griefs accumulés, expriment bien l'aliénation du héros, le poids d'un passé qui le tire en arrière, la permanence, au cours même de ce voyage qui devrait être libérateur, de cette

« demi-vie [qui] se refermait autour de vous comme une pince, comme les mains d'un étrangleur, toute cette existence larvaire, crépusculaire à laquelle vous alliez échapper enfin » (p. 34).

« Avec son *regard morne épuisé*, son regard *de morte*...
avec cette *flamme de mépris* dont elle vous *accable* comme
si vous étiez responsable de son trop évident amoindris-
sement » (p. 34), Henriette le poursuit et il ne peut s'en
délivrer.

La situation de Léon Delmont est celle d'un homme pris
au piège. Avec Henriette en tout cas, toutes les issues sont
bouchées, il est trop tard, il y a trop longtemps que sa
femme n'a plus confiance en lui, le mépris qui est « à l'origine de cette *déchirure* » (p. 31) a définitivement fait « son
œuvre de *durcissement* et d'*isolation*, de *vieillissement* et
de *destruction* » (p. 121). Le mépris a transformé Henriette
en cadavre et il ne reste plus à Léon qu'à

« chercher une autre femme pour essayer de recommencer, une autre
femme qui apparaisse toute différente, comme la jeunesse gardée »
(p. 116).

La seule issue, c'est de réaliser enfin « cette vie tout autre »,
cette vie qu'il n'a menée encore que quelques jours à Rome,

« cette autre vie dont celle-ci, celle de l'appartement parisien n'est
que l'ombre » (p. 32).

Léon Delmont est donc parti, il est en route vers Rome.
Il va bientôt franchir la frontière qui doit le faire péné-
trer dans ces « *régions heureuses et claires* » (p. 35) où règne
Cécile. Au fade enfer de la vie parisienne s'oppose ainsi
le paradis des amours romaines.
Avec

« ce grand châle blanc et sa robe à grands plis et à ramages violet
et sang... ses cheveux noirs tressés et enroulés au-dessus de son front :
ses lèvres peintes, ses sourcils terminés au crayon bleu mais sans rien
sur le reste de son visage, sans rien sur cette admirable peau » (p. 49).

Cécile apparaît comme l'image de la jeunesse et de
la beauté.

A cette beauté rayonnante, cette jeunesse éclatante, rien
ne convient mieux que l'*air splendide* romain, le « *ciel
lumineux et clair* » (p. 38), et ces « *fontaines ruisselantes de
soleil* » (p. 84, 89, 129) qui forment le cadre de ses apparitions ou encore cette chambre Via Monte della Farina
avec sa « magnifique couverture à bandes de *couleurs
vives* », les « *flammes claires* d'un feu de bois » et leurs

« *reflets* » *dans ses yeux* (p. 103) et un « *éclat de soleil
fort vif brillant comme une étoile* » sur la théière en argent
(p. 112).

L'association métonymique entre la femme et le lieu
est motivée par la psychologie du personnage. Certes il
est raisonnable d'imaginer comme le fait Léon que lors de
son voyage de retour, du côté de Cécile, les « sommets des
Alpes seront *éblouissants de neige illuminée de plein fouet
par le soleil matinal* » tandis que du côté d'Henriette, « *sur
l'autre versant bien sûr, le soleil sera moins clair* » (p. 108).
L'on peut admettre sans peine que la « Ville éternelle »
confère à la femme aimée les prestiges réels de son air
splendide et de sa lumière dorée. Trois ans auparavant,
en compagnie d'Henriette, Rome représentait cependant
« *la solitude, un matin d'hiver, avant que le soleil ne fût
levé* » (p. 121)... Quant au lac du Bourget qualifié de
« *lamartinien* » (p. 57) lorsqu'il est évoqué à propos de la
première rencontre avec Cécile, il n'est plus que « *le triste
lac* » (p. 170) lors du voyage de retour...

Ce printemps éternel : « *hic ver assiduum* » (p. 48), que
le voyageur invoque passionnément au début de son
voyage, cet « *air splendide romain qui sera comme le printemps retrouvé après l'automne parisien* » (p. 38), c'est
donc la jeune femme qui en est responsable ou plutôt
les pouvoirs que le héros lui prête : « Si vous aviez connu
à ce moment-là les poèmes de Cavalcanti *vous auriez dit
qu'elle faisait trembler l'air de clarté* » (p. 100).

Entre deux femmes, entre deux vies, Léon Delmont est
aussi écartelé entre deux cultures. Nourri d'antiquité et
imprégné de christianisme, il associe constamment des
lieux historiques, des œuvres d'art ou des noms célèbres
aux événements de sa vie passée ou future.

Les lieux, les monuments, dont nous avons plus haut
dressé la liste sont ceux qu'il rencontre lors d'une de ses
promenades à Rome (p. 38). Les œuvres d'art, celles qu'il
regarde ou refuse de contempler lors d'une de ses visites
au Louvre (p. 55). Ainsi ces tableaux de Pannini, qu'il
contemple « *amoureusement* » parce qu'il y retrouve « *ces
lieux peuplés par le visage de Cécile, par l'attention de Cécile,
à qui vous avez appris à les mieux aimer, pour qui vous
avez appris à les mieux aimer* » (p. 59). Tandis qu'à Paris,
il passe de préférence auprès des monuments qui lui rappellent ceux de Rome, « ceux auxquels *la présence de
Cécile vous avait tellement aidé à vous intéresser, ces détails*

romains... qui faisaient resurgir auprès de vous lorsque vous les considériez, les yeux, la voix, le rire de Cécile, sa jeunesse et sa liberté préservée » (p. 64), ses visites aux monuments de Rome seront « comme des *cérémonies célébrant et commémorant les débuts de votre amour* » (p. 70). S'ils ne sont « jamais... allés ensemble à Saint-Pierre, parce qu'elle *déteste les papes et les prêtres* autant que lui » (p. 50), c'est cependant «*pour elle, à son intention* » qu'il se promet d'aller visiter le Vatican, d' « examiner avec plus d'attention ces salles qu'elle n'a jamais vues... afin de pouvoir être *le messager à son endroit* de ce que les images qui les décorent transmettent » (p. 71).

Et c'est sans doute parce qu'il cherche à « *quitter ces vieilles façons de penser venant de [son] éducation religieuse et bourgeoise* » (p. 146), que pour aller de la Stazione Termini à la Via Monte della Farina, il se refuse brusquement à *dépasser le Gesú* et décide de « *monter jusqu'à la place du Campidoglio* » (p. 38).

2. *La détermination du point de vue et le rôle du pronom personnel.*

La situation recréée par le romancier est celle d'un personnage particulier. C'est par rapport au voyageur que prennent sens les adverbes de lieu et de temps. *Ici,* il fait chaud pour cet homme qui sent chauffer le tapis de fer sous ses pieds. C'est à son égard que *dehors* s'ouvre l'espace, c'est lui qui se trouve enfermé *maintenant* dans cette « salle d'attente mobile », tandis que *demain* il sera libre. C'est grâce à son intervention que le « local », précisé par des indications empiriques de lieu et de temps, vérifiables ou vraisemblables, se transforme en espace romanesque : cet espace intentionnel dans lequel le proche et le lointain, l'intérieur et l'extérieur, le fermé et l'ouvert, sont des valeurs liées les unes aux autres selon certains rapports précis et particuliers. C'est grâce à son intervention que les faits, les événements se lient en une « histoire » ou une « action ». C'est grâce à son intervention encore que les motifs s'organisent en thèmes particuliers[1]. Mais il ne suffit pas de reconnaître que la présentation des lieux, des choses

1. Précisons cependant qu'il s'agit d'une illusion réaliste. Nous verrons plus loin que la progression narrative et la progression thématique ne dépendent pas seulement du point de vue du personnage mais de l'organisation du texte dans sa totalité.

et des événements est liée à celle du personnage. Il faut encore préciser le comment de cette liaison.

En effet dans un roman fort différent comme *Illusions perdues*, les indications référentielles prennent aussi leurs leurs valeurs de leur intégration à un espace valorisé et que les valeurs mêmes de cet espace étaient liées à la situation respective des personnages. C'est même, semble-t-il, l'intervention du héros qui confère à la description son caractère proprement romanesque : c'est parce que nous sommes entraînés par l'histoire et que cette histoire est celle de Lucien, parce que le narrateur vient de nous le montrer s'engageant dans la rue où se trouve l'hôtel de Bargeton, que la description de la ville se distingue radicalement de celle que nous pourrions lire dans un guide touristique ou un livre d'histoire [1]. Il est, de même, fort difficile d'imaginer la maison bateau de la chère Peggotty sans le petit David Copperfield, Combray sans Marcel, Bouville sans Roquentin, ou ce bungalow sous les tropiques que l'on nous montre dans *La Jalousie* sans ses habitants et en particulier celui que nous ne voyons pas, dont nous ignorons presque tout mais dont la supposition seule donne leur présence aux choses. Comme le souligne Roland Barthes, même dans les romans « apparemment sans personnages » il faut encore « rattacher à des agents ou des actants les menues actions rapportées, faute de quoi elles restent inintelligibles [2] ». Si l'on peut donc dire avec lui « qu'il n'existe pas un seul récit au monde sans personnage [3] », il s'agit de déterminer leurs fonctions particulières. Si les personnages sont liés aux autres éléments du récit, il s'agit de préciser ces rapports. Ceux-ci sont fort différents suivant les œuvres. Il suffit pour s'en convaincre et en même temps préciser les données de notre problème, de comparer à cet égard deux œuvres bien connues d'un même auteur.

On a vu que, « pour comprendre » le rôle joué par Mme de Bargeton, « un des personnages les plus importants » d'*Illusions perdues,* il était nécessaire de recevoir

---

1. Cf. à ce sujet, mais à propos d'autres exemples, K. Hamburger, *Die Logik der Dichtung*, p. 216.
2. R. Barthes, *Introduction à l'analyse des récits*, p. 16. « Si, ajoute-t-il, une part de la littérature moderne s'est attaquée au " personnage ", ce n'est pas pour le détruire (chose impossible) mais pour le dépersonnaliser, ce qui est tout différent. »
3. R. Barthes, *ibid.*, p. 16.

« quelques explications sur Angoulême »... Mais, Angoulême dépasse aussi bien Mme de Bargeton que Lucien Chardon. Nous voyons de la ville et apprenons sur elle des quantités de choses que les personnages ne voient pas et ne savent pas. La présentation des lieux est liée à celle des personnages, mais elle ne dépend pas entièrement de celle-ci. C'est même l'inverse qui se produit, puisque ce sont les lieux qui, dans ce cas, sont chargés de faire « comprendre » les personnes.

On se souvient, en revanche, de la façon dont nous découvrons la vallée de l'Indre au début du *Lys dans la vallée*. Le personnage qui est aussi le narrateur vient de nous faire part de sa rencontre récente avec une femme qui a laissé sur lui une impression ineffaçable. « *Métamorphosé* », « *ravi mentalement* », il parcourt la campagne afin de retrouver sa belle inconnue : « avec ce courage d'enfant qui ne doute de rien et comporte je ne sais quoi de chevaleresque, je me proposais de fouiller tous les châteaux de Touraine, en y voyageant à pied, en me disant à chaque jolie tourelle : C'est là [1] ! » Et en effet, il découvre bientôt cette :

« vallée qui commence à Montbazon, finit à la Loire, et semble bondir sous les châteaux posés sur ces doubles collines; une magnifique coupe d'émeraude au fond de laquelle l'Indre se roule par des mouvements de serpents... Je fus saisi, [nous dit-il], d'un étonnement voluptueux... Elle demeurait là, mon cœur ne me trompait point... Elle était, comme vous le savez déjà, sans rien savoir encore, LE LYS DE CETTE VALLÉE... L'amour infini dont mon âme était remplie, *je le trouvais exprimé par* ce long ruban d'eau qui ruisselle au soleil entre deux rives vertes, par ces lignes de peupliers qui parent de leurs dentelles mobiles ce val d'amour... Je descendis, *l'âme émue*, au fond de cette corbeille et vis bientôt un village *que la poésie qui surabondait en moi, me fit trouver sans pareil* [2] ».

Ainsi, pourrait-on dire, mais cette fois en citant Proust, « ainsi, au fond d'un paysage palpitait le charme d'un être. Ainsi dans un être tout un paysage mettait sa poésie [3] »...

Les lieux sont donc qualifiés fort différemment dans *Illusions perdues* et dans *Le Lys dans la vallée*, et il est clair que la perspective narrative joue un rôle capital dans cette différence. Lorsqu'il s'agit d'Angoulême, un narrateur qui n'est pas impliqué dans l'histoire se charge de mettre en

1. H. de Balzac, *Le Lys dans la vallée*, p. 26, 27.
2. *Ibid.*, p. 29, 30.
3. Marcel Proust, « Journées », in *Contre Sainte-Beuve*, Paris, Gallimard, 1964, p. 84.

rapport les lieux et les personnages et de nous faire comprendre ce que la ville signifie pour le héros sans doute mais aussi pour tout autre « poète de province » et pour ses différents lecteurs. Porte-parole de l'auteur, il domine de toute sa connaissance du monde, de la Société et de l'Histoire son jeune et provincial héros. Certes frappé par les scènes dans lesquelles Lucien lui est montré en train d'agir ou de parler le lecteur s'identifie à lui et se situe dans un espace orienté à partir de lui. Il réactualise dans un présent fictif ce qui lui est raconté au passé. Il épouse ses désirs et grimpe avec lui la rampe qui sépare l'Houmeau d'Angoulême. Mais sans cesse repris en main par le narrateur, il garde ses distances, et peut, grâce à lui, voir et comprendre ce que le héros, lui, ne voit pas et ne comprend pas. Dans *Le Lys* au contraire, les lieux sont décrits par le seul narrateur-héros. C'est lui qui nous fait part de sa découverte progressive de la vallée, et elle est qualifiée par les impressions qu'elle produit sur lui.

C'est avec lui[1] que nous la contemplons du haut d'une colline, et c'est avec lui lorsqu'il descend et l'explore que nous en découvrons peu à peu les trésors. Aussi, n'est-ce pas un hasard si, à la fin du récit, lorsque Félix revient à Clochegourde assister à l'agonie de Mme de Mortsauf, il n'a plus sous les yeux qu'une « *vallée jaunie* » et « cette *lande désséchée comme un squelette, éclairée par un jour gris*[2] ».

Depuis que les réflexions d'Henry James ont été systématisées et même codifiées par Percy Lubbock, il est devenu banal de considérer que « le problème complexe de la méthode dans l'art du roman est commandé par le problème du point de vue, c'est-à-dire de la relation que le narrateur entretient avec ce qu'il raconte[3] ». Étudiant récemment « *the Rhetoric of Fiction* », James C. Booth centre ainsi toutes ses analyses sur les différents rapports qui peuvent s'instituer entre l'auteur, le narrateur, les personnages et le lecteur. S'appuyant également sur une longue tradition, Franz K. Stanzel s'est efforcé de son côté de distinguer, caractériser et classer les « formes typiques du

---

1. Nous adoptons, pour sa commodité, la terminologie de Jean Pouillon qui distingue, on le sait, la « vision avec » de la vision « par derrière » (*Temps et roman*, p. 68-74). Mais sans accepter son postulat d'une identité de la compréhension romanesque et de la compréhension psychologique réelle. Nous reviendrons sur ce point par la suite.
2. H. de Balzac, *Le Lys dans la vallée*, p. 295.
3. P. Lubbock, *The Craft of Fiction*, p. 251.

roman [1] » à partir des différents types de situations narratives. Partant du fait que le roman est une forme particulière de communication, ces auteurs ont étudié les moyens
mis en œuvre par le romancier pour communiquer ce qu'il
présente et, selon la bonne formule de Booth, « contrôler
ses lecteurs [2] ».

Il n'est pas dans notre intention de faire l'historique
du problème ni de le discuter dans son ensemble, les auteurs
que l'on vient de citer s'en sont déjà chargés [3]. On rappellera seulement, qu'ayant passé en revue les théories qui se
sont succédé depuis le début du siècle quant à la validité [4]

---

1. Cf. F. K. Stanzel, *Die typischen Erzählsituationen im Roman* et
typische Formen des Romans.
2. W. C. Booth, *The Rhetoric of Fiction*, préface.
3. Si l'on excepte le livre de J. Pouillon qui envisage le problème
d'un point de vue essentiellement psychologique et celui de G. Blin sur
Stendhal qui prend parti pour un certain type de perspective narrative,
le problème n'a pas donné lieu en France à des travaux théoriques comparables à ceux des Anglais ou des Allemands. La bibliographie de W. C.
Booth couvre ainsi 35 pages, portant presque uniquement sur le domaine
anglais. Citons entre autres l'important article de N. Friedman, « Point
of view in Fiction, The Development of a Critical Concept », in *P.M.L.A.*,
vol. LXX, déc. 1955, p. 1160-1184. Parallèlement aux travaux des succes-
seurs de Henry James et de P. Lubbock, le problème a donné lieu en
Allemagne à d'innombrables travaux. Depuix ceux de F. Spielhagen :
Beitrage zur Theorie des Romans, Leipzig, 1883, et ceux d'O. Ludwig,
Formen der Erzählung, Leipzig, 1891, qui a établi la célèbre distinction
entre narration informative *(berichtende Erzählung)* et présentation
scénique *(scenische Darstellung)* jusqu'à ceux d'E. Staiger, *Grundbegriffe
der Poetik*, Zurich, 1946, et W. Kayser, *Das sprachliche Kunstwerk*,
Bern, 1948, qui voient dans la distance spatio-temporelle du narrateur
par rapport à ce qu'il raconte la caractéristique essentielle du récit épique,
en passant par ceux de K. Friedemann, *Die Rolle der Erzähler in der
Epik*, Leipzig, 1910, et de R. Petsch, *Epische Grundformen*, 1928, *Wesen
und Form der Erzählkunst*, Halle, 1934. Sur la discussion des différentes
thèses, cf. F. K. Stanzel, *Die typischen Erzählsituationen*, p. 22 à 27,
W. C. Booth, *op. cit.*, et B. Romberg, *Studies in the narrative Techniques
of the first Person Novel*, Stockholm, 1922, p. 11-32. Signalons la
communication partielle mais en français de Bruce Morissette, « De
Stendhal à Robbe-Grillet, Modalités du point de vue », *C.A.I.E.F.*, 14 mars
1962, p. 143-163, et notre « Mise au point » sur le sujet : « Point de vue
ou perspective narrative », in *Poétique*, 4, 1970, p. 476-498.
4. Chez les uns et les autres la discussion a porté essentiellement sur la
validité respective des points de vues « subjectif », défini par la présence
du narrateur, porte-parole de l'auteur dans le récit et le point de vue
« objectif » défini par la disparition du narrateur. Il s'agissait à la fois de
déterminer l'efficacité de telle ou telle perspective narrative quant à
l'illusion de réalité et de définir théoriquement le roman comme « genre »
littéraire. Pertinentes à une époque où les critiques et théoriciens du
roman commençaient à prendre conscience du renouvellement apporté
par la fixation du point de vue à l'intérieur du récit, et se devaient d'en
marquer la portée, ces discussions sur la supériorité et l'infériorité respec-

des différentes perspectives narratives, ils concluent à la nécessité de reconnaître leur multiplicité et de s'attacher à déterminer leurs fonctions. On ne peut parler de perspective privilégiée ni quant à l'illusion de réalité ni quant à la valeur de l'œuvre, mais il faut examiner, pour chaque cas particulier, le type d'illusion suscité par tel « point de vue [1] », ainsi que les effets de sens qui en découlent. Ces conclusions méritent d'être soulignées, car depuis les trop célèbres critiques de Sartre à Mauriac, il est courant encore de confondre le point de vue critique (rhétorique ou esthétique) avec le point de vue moral ou métaphysique.

Si donc dans un roman comme *Illusions perdues* la perspective narrative est celle d'un « narrateur omniscient », on ne dira pas pour autant que les lieux qui nous sont présentés sont « abstraits » ni que « les personnages sont jetés dans un univers lequel comme univers de n'importe qui n'est à proprement parler celui de personne [2] ». S'il est incontestable que l'histoire du roman moderne se caractérise par le retrait progressif de l'auteur et la fixation de plus en plus rigoureuse du point de vue à l'intérieur même du récit [3], on se gardera de considérer cette perspective

tives des différents points de vues n'ont plus aujourd'hui qu'intérêt historique. Ce qui ne veut pas dire que la détermination du point de vue dans tel ou tel roman n'ait pas d'importance.

1. Signalons à ce propos que les Allemands qualifient d' « objectif » le type de narration (le point de vue) que les Français qualifient de « subjectif » et réciproquement! Il suffit de s'entendre : la narration autoritaire ou omnisciente (vision par derrière chez Pouillon) est considérée comme subjective par les Allemands parce que le narrateur qui commente, interprète, etc., s'affirme comme le porte-parole d'un auteur avec la subjectivité duquel le lecteur est appelé à s'identifier. Les Français considèrent au contraire ce point de vue comme objectif parce que le narrateur est à distance, témoin non impliqué dans le récit. Sur cet emploi des termes dans un sens opposé, cf., par exemple, F. K. Stanzel, *Typische Formen*, p. 25 et 40, E. Lämmert, *Bauformen des Erzählens*, p. 69, et en français J. Pouillon, *Temps et roman*, p. 146, R. M. Albérès, *Histoire du roman moderne*, p. 174, G. Blin, *Stendhal et les problèmes du roman*, p. 115, M. Raimond, *La Crise du roman*, p. 319 et 388.

2. G. Blin, *op. cit.*, p. 116. Le critique qui a si bien mis en évidence la relativité du « réalisme » littéraire et admirablement analysé les effets des « restrictions de champ » dans les romans de Stendhal, accorde à la perspective narrative stendhalienne, le privilège exorbitant d'inaugurer « le plus authentique réalisme » (p. 108). Il écrit aussi : « un Gide, celui des *Faux-Monnayeurs*, un Malraux, surtout le plus grand nombre des récents romanciers d'outre-Atlantique... ont accrédité la *bonne méthode* qui consiste à ne relater les faits que du point de vue d'un des acteurs et en son nom » (p. 117).

3. J. W. Beach soulignait fortement le fait, en 1932, intitulant le premier chapitre de son livre sur le roman du xxe siècle : *Exit Author*.

particulière comme la seule capable de réalisme authentique, comme la seule vraie ou la seule bonne.

Georges Blin et Jean Rousset, ayant montré les conséquences pratiques de telle perspective narrative dans *La Chartreuse de Parme* et dans *Madame Bovary* [1], nous aurions pu nous contenter de renvoyer à leurs travaux pour illustrer concrètement certains aspects du problème que nous posons ici. Si nous avons cru bon d'évoquer d'autres exemples, c'est qu'ayant déjà fait allusion à *Illusions perdues*, ils nous permettaient de conférer une certaine cohérence à nos comparaisons. *Le Lys dans la vallée* nous offre en outre l'occasion d'aborder la question, si importante pour Butor et en particulier pour *La Modification*, du rôle joué par le pronom personnel dans la perspective narrative.

« Dans plusieurs fragments de son œuvre », explique en effet Balzac, « l'auteur a produit un personnage qui raconte en son nom. Pour arriver au vrai, les écrivains emploient celui des artifices littéraires qui leur semble propre à prêter le plus de vie à leur figures. Ainsi le désir d'animer leurs créations a jeté les hommes les plus illustres du siècle dernier dans la prolixité du roman par lettres, seul système qui puisse rendre vraisemblable une histoire fictive. Le *je* sonde le cœur humain aussi profondément que le style épistolaire et n'en a pas les longueurs. A chaque œuvre, sa forme. L'art du romancier consiste à bien matérialiser ses idées. *Clarisse Harlowe*

Ce processus, que l'on peut sans doute faire remonter à Flaubert (« le romancier doit dans sa création imiter Dieu dans la sienne : faire et se taire », « Lettre à Amélie Bosquet », 20 août 1866, *Correspondance*, V, p. 228), ainsi qu'à Henry James, s'accentuera jusqu'à devenir une sorte d'axiome du roman moderne. Cf. à ce sujet G. Blin, *op. cit.*, p. 115, G. Picon, *Tradition du roman moderne*, p. 46, R. M. Albérès, *Histoire du roman moderne*, p. 133 et 174, S. Dresden, *Wereld in Woorden*, p. 83. O. Walzel cependant, qui dès 1915, remarquait l'importance prise dans le roman moderne par la présentation scénique, saluait dans *La Montagne magique* de Thomas Mann « le retour sacré du roman moderne à la narration traditionnelle ». Cité par F. K. Stanzel, *Typische Formen*, p. 27.

1. Rapprochant par exemple l'une de l'autre deux descriptions du jardin de Tostes, Jean Rousset met en évidence l'introduction progressive du point de vue de l'héroïne dans le récit. Tandis que la première (p. 36) est un simple « constat objectif », tel qu'il peut émaner d'un « tiers observateur », la seconde (p. 73) nous livre « la vision affective qu'en a l'héroïne ». Entre l'un et l'autre « tout a changé, non seulement dans la condition et l'humeur de l'héroïne, mais dans la position du lecteur quant à l'héroïne. En un savant pivotement, le point de vue a tourné et le foyer visuel s'est progressivement confondu avec celui d'Emma... » J. Rousset, *Forme et signification*, p. 118-120.

voulait sa vaste correspondance, *Gil Blas* voulait le moi[1] ».

Moins connu peut-être que ceux de Flaubert ou de Henry James ce texte ne manquera pas de frapper par sa modernité. On voit que la perspective narrative est considérée par le romancier comme un « artifice littéraire » et des plus importants. Il s'agissait de rendre vraisemblable une histoire fictive et dans ce cas une histoire d'amour et de souvenir, d'où l'emploi du *je* qui « sonde le cœur humain ».

Mais on remarquera que ce *je*, qui confère à l'œuvre sa « forme » particulière est loin d'être simple. Il s'agit d'une confession. Le narrateur se confond avec le héros puisqu'il raconte sa propre histoire, mais il s'en distingue puisque sa vision est rétrospective et qu'il n'est plus tout à fait le même homme. Cette distance entre le *je* narrateur et le *je* personnage « relativise » par exemple la beauté des lieux qui nous sont présentés : c'est « la poésie qui surabondait » en lui, qui, avoue le narrateur, « lui fit trouver » le village « sans pareil ».

Pour analyser le rôle joué par le *je* dans ce roman, il faudrait donc tenir compte du personnage qu'il désigne : Félix de Vaudenesse. Il faudrait distinguer le je-héros du je-narrateur et examiner leurs fonctions respectives dans l'économie du récit. Il faudrait voir si le je-narrateur est « dramatisé » ou s'il n'est qu'un pur témoin, à l'écart et à distance de ce qu'il raconte. Il faudrait tenir compte du fait que la narration renvoie à deux couches de temps et à deux niveaux de réalités différents et éloignés les uns des autres : le présent et le passé, la situation affective actuelle du narrateur, la situation ancienne de l'acteur. Il faudrait tenir compte aussi du fait que le récit est encadré entre un « envoi » de Félix à Nathalie de Manerville et la réponse de cette dernière[2]. Il en résulte en effet qu'un *vous*, destinataire du message, se trouve intégré au récit, modifiant les fonctions du *je*. On pourrait essayer enfin, bien que Balzac l'interdise formellement[3], de déterminer dans quelle mesure ce *je* (lequel d'ailleurs?)

---

1. H. de Balzac, *Le Lys dans la vallée*, préface, p. 337.
2. Balzac accordait beaucoup d'importance à cet « encadrement » puisqu'il s'indigne de la manière dont son œuvre a été éditée dans la *Revue de Saint-Pétersbourg* : « Le comble de la trahison et du tragi-comique, le voici! La Préface de l'auteur, l'envoi de Félix qui raconte sa vie à une femme, le récit qui est à proprement parler l'ouvrage même, tout se suit sans discontinuer en Russie, où le cadre est alors dans le tableau. » H. de Balzac, *Le Lys dans la vallée*, p. 365.
3. Comme on a pu le voir plus haut, p. 116, n° 1.

Félix narrateur ou Félix acteur)? représente l'auteur [1].
Non, le *je* n'est pas simple et bien d'autres exemples pourraient être évoqués pour le souligner. C'est cette complexité
même du *je* que Butor met d'ailleurs en évidence dans son
roman *L'Emploi du temps*. Dans ce récit, en effet, le présent du
narrateur intervient progressivement dans le passé de l'histoire racontée et vécue autrefois par le héros, transformé par
lui et réciproquement le transformant. Comme l'a fort bien
vu Jean Rousset, ce roman, qui nous montre le combat d'un
homme dans « le labyrinthe de l'esprit » et contre sa mémoire,
nous montre aussi « la transformation du récit rétrospectif,
simple et progressif sur le modèle des anciens romans, en
roman de la mémoire vivant et composant le texte [2]. »

« Les pronoms personnels dans le roman sont toujours
complexes [3] », et l'on comprendra pourquoi nous n'avons
pas essayé d'emblée de déterminer les fonctions que l'on
peut assigner au *vous* de *La Modification*. Aussi complexe
que ces *je* que l'on vient d'évoquer, il ne détermine pas
non plus, à lui seul, la perspective narrative. Lié fonction-
nellement aux caractéristiques du personnage qu'il désigne,
aux rapports du narrateur et du héros, à l'emploi des
temps, au monologue intérieur, à la cohérence du point
de vue et à ses éventuelles modifications, le *vous* est sans
doute un des facteurs de la perspective narrative, mais
il n'en est qu'un des multiples aspects.

3. *La « vision avec » et le réalisme phénoménologique.*

Dans *La Modification* comme dans *Le Lys dans la vallée*,
c'est, on l'a vu, à partir d'un personnage central que
s'organisent les lieux, les choses et les gens.

1. Les historiens n'ont pas manqué naturellement de passer outre
(c'est leur métier) à cette mise en garde de l'auteur. Ainsi pour
M. Le Yaouanc, « derrière Félix on devine Balzac lui-même, ses amours
avec Mme de Berny ». Félix de Vandenesse « doit évidemment beaucoup » aussi à l'Amaury de Sainte-Beuve, à Julien Sorel, à Bethel « le
jeune Irlandais », à Saint-Preux, à Charles de Vandenesse, héros de *Même
Histoire*, à Rastignac et à Charles Grandet. Il a « le respect émerveillé
du jeune officier La Gervaisais devenu amoureux d'une descendante
des Condé », il est « le frère de certains diplomates très fameux : Lamartine peut-être, plus sûrement du prince autrichien Schwarzenberg »,
qui « porte le même prénom » et de François-René de Chateaubriand.
On voit que pour l'historien aussi, le je n'est pas simple!... R. Le Yaouanc,
Le Lys dans la vallée, introd., p. LXIV-LXIX.

2. J. Rousset, *Trois romans de la mémoire*, p. 78.

3. M. Butor, « L'usage des pronoms personnels dans le roman », *Répertoire II*, p. 71.

La perspective narrative s'affirme d'entrée de jeu comme étant celle du voyageur et ce système de présentation ne fait que se confirmer au cours du récit.

Une des principales conséquences de cette fixation du point de vue dans la conscience du héros est que le lecteur est appelé à découvrir le monde à partir de lui. On peut ainsi, mot pour mot, appliquer à Léon Delmont ce que Georges Blin ou Jean Prévost affirment du héros de Stendhal : « Nous faisons plus que de ne pas le perdre de vue, c'est sa vision et son champ de vue, que nous ne quittons guère, voyageant avec lui, mais n'abandonnant pas le poste intérieur d'où il contrôle tout [1]. » « Nous sommes dans l'âme du héros, au centre même de sa pensée principale... Nous voyons les choses et les événements par [ses] yeux, ou, pour mieux dire, nous croyons foncer sur eux avec lui [2]. » Ainsi nous voyons comme lui le paysage « courir à [notre] rencontre » (p. 42), nous jouissons avec lui « de l'espace romain, de ses ruines et de ses arbres » (p. 51). Nous découvrons, peu à peu, avec lui les secrets de Rome. Nous profitons de sa lecture de la ville. Léon Delmont est pour nous messager de la ville, comme, pense-t-il, Cécile en est la messagère pour lui.

« Lorsqu'on examine les modalités de la technique qui fait ainsi de l'auteur le rabatteur, ou mieux la conscience d'enregistrement de son héros, on remarque, déclare Georges Blin, que dans le type de roman qui en résulte, nous lecteurs, sommes directement placés devant l'objet, n'apercevons pas le personnage comme un objet. Nous sommes face au monde, face à un monde en voie d'interprétation subjective, par une action et non devant un acteur ou un agent [3]. »

Il suffit pourtant de relire les premières pages de *La Modification* pour constater que, si nous sommes ici « placés directement devant l'objet », nous apercevons également le personnage comme un objet, que, si nous sommes « face au monde » avec lui, il est aussi devant nous, comme agent ! La conscience centrale à partir de laquelle se déploie le monde, cette conscience réfléchissante est aussi et en

1. G. Blin, *Stendhal et les problèmes du roman*, p. 149.
2. J. Prévost, *La Création chez Stendhal*, p. 236-237.
3. *Stendhal et les problèmes du roman*, p. 150. G. Blin tire ici les conséquences des remarques de Pouillon sur la « vision avec... » : « Être avec quelqu'un, ce n'est pas avoir de lui une conscience réfléchie, ce n'est pas le connaître, c'est avoir « avec » lui la même conscience irréfléchie de soi. » J. Pouillon, *Temps et roman*, p. 80.

même temps une conscience réfléchie. Tout au long du récit une voix non identifiée décrit, qualifie, décrète, commente, interroge. L'intervention de la seconde personne institue d'entrée de jeu un dédoublement de la perspective narrative qui, on le verra, n'est pas sans conséquences.

Remarquons pour l'instant que les rapports entre conscience réfléchissante et conscience réfléchie sont particulièrement ambigus, puisque l'instance narrative est indéterminée, mais que ce dédoublement ne détruit pas le « point de vue » du personnage tel qu'on l'a décrit jusqu'ici. On peut en effet attribuer les descriptions, réflexions, commentaires et interrogations au voyageur lui-même. Les descriptions minutieuses et répétées peuvent s'expliquer par sa situation matérielle : que faire dans un train sinon rêver, se souvenir, imaginer, réfléchir, mais aussi observer ce qui se passe autour de soi et prendre conscience de soi. On ne verra rien d'étonnant non plus à ce que, dans la situation morale et sociale qu'est la sienne, il se soucie de son apparence : « *Vos cheveux se clairsèment et grisonnent* » (p. 9) ou se demande avec angoisse : « *Quelle est cette lassitude qui vous tient, vous diriez presque ce malaise* » (p. 22) ou encore se fournisse cette explication : « *Non, ce n'est pas seulement l'heure à peine matinale qui est responsable de cette faiblesse inhabituelle, c'est déjà l'âge qui cherche à vous convaincre de sa domination sur votre corps* » (p. 9). La voix qui dit *vous* peut être interprétée comme « la voix de sa conscience [1]. »

On peut donc lire tout le roman du point de vue du héros et l'on est même fortement incité à le faire : rien de ce qui est donné à voir, à imaginer ou à comprendre ne dépasse les capacités d'un homme déterminé, placé dans une situation donnée. Tout ce qui est donné à voir, à imaginer ou à comprendre, le concerne directement. Si le point de vue est ambigu, il est en tout cas parfaitement cohérent.

En dépit donc du décalage institué par l'emploi de la seconde personne, c'est « avec » le personnage que nous sommes appelés à découvrir le monde, à l'éprouver et à l'imaginer. C'est avec lui et en même temps que lui,

---

1. Étudiant le monologue intérieur dans *La Modification*, E. Hönisch fonde toute son analyse sur cette hypothèse, *Das gefangene Ich*, p. 137. Mais si elle est valable sur le plan de l'illusion de réalité, cette hypothèse ne permet pas, on le verra, de rendre compte intégralement de la composition du roman sur le plan esthétique.

dans ce présent qui se déroule, que nous nous introduisons par l'étroite ouverture de ce compartiment semblable aux autres, que nous reconnaissons ou découvrons les paysages, voyons passer ces gares dont nous pouvons par ailleurs vérifier l'existence, explorons Paris et Rome, comme c'est avec lui que nous faisons la connaissance de Cécile et d'Henriette. — Déjà enclins à accepter une situation si vraisemblable, nous voici obligés de nous y plonger, de la découvrir peu à peu en perspective et par profils.

Certes, il ne s'agit là que de métaphores. Nous ne pensons pas avec Jean Pouillon que « pour comprendre la nature de la vision romanesque [il suffise] de considérer la vision réelle », ni que « dans la compréhension que le romancier prend et propose des personnages et des situations, ce qui relève de la technique proprement romanesque [soit] au fond pour la signification même du roman accessoire [1] ». Nous nous attachons au contraire à montrer que ce qui apparaît comme réel à la lecture repose sur des conventions d'écriture. Le lecteur cependant joue le jeu en suivant les règles que lui impose le romancier. Le critique à son tour doit décrire ce jeu et essayer d'en dégager les règles.

On a pu ainsi légitimement qualifier de « réalisme phénoménologique [2] » l'illusion de réalité suscitée par une perspective narrative du type de celle que nous décrivons ici. Puisque le monde est toujours celui de quelqu'un à quelque moment et que nous ne le saisissons qu'en aspects, puisque la perspective loin d'être une déformation subjective des choses, « est au contraire une de leurs propriétés essentielles [3] », une perspective narrative respectant les conditions de perception d'un homme en situation, introduit le lecteur au cœur de la situation décrite. Elle favorise dans certains cas, comme le voulait Henry James, « l'intensité de l'illusion [4] ».

La substitution dans le roman moderne du point de vue intégré au point de vue extérieur s'explique ainsi, dans une grande mesure, par l'ambition réaliste des romanciers. Mais puisque tout « réalisme artistique » est différentiel,

---

1. J. Pouillon, *Temps et roman*, p. 36. Sur les rapports, à cet égard, du « point de vue » et du temps, cf. le chapitre v.
2. Cf., par exemple, G. Blin, *Stendhal et les problèmes du roman*, p. 117.
3. M. Merleau-Ponty, *Phénoménologie de la perception*, Paris, Gallimard, 1945, p. 44.
4. G. Blin, *op. cit.*, p. 115; Cf. H. James, *The Art of the Novel*, p. 151, 300, 317, 327.

ce qu'il s'agit d'étudier, c'est la manière dont Butor, dans *La Modification* singularise ce procédé, devenu classique, de la fixation du point de vue dans une conscience centrale.

Ce procédé, remarquons-le, pose un problème particulier. Lorsque le point de vue est fixé dans la conscience d'un personnage en situation, le lecteur en effet a « le sentiment de faire l'expérience de la réfraction du monde dans un esprit dont les limitations sont celles même qui seraient les siennes s'il était soumis aux mêmes conditions que celles dans lesquelles se trouve le personnage en question [1] ».

L'intensité de l'illusion peut donc avoir pour contrepartie une considérable restriction du champ de vision. La question se pose alors de la confiance que l'on peut accorder au porteur de la perspective narrative : puisque toutes les informations sont relatives au personnage, puisqu'il est impossible de s'en remettre à un narrateur qui en sait plus long et nous fait voir « les deux côtés de l'étoffe [2] », les qualités humaines et spirituelles du personnage médiateur sont dans ce cas déterminantes.

On sait combien Henry James, qui défendait avec tant de force l'introduction dans le récit romanesque d'une conscience centrale destinée à réfléchir les événements, s'est occupé de ce problème. Il préconisait un *fine mind*, un observateur plus ou moins détaché qui, sans être directement engagé dans les événements, en soit un témoin aussi intelligent que possible [3]. Il reprochait par exemple à Flaubert, qu'il admirait tant par ailleurs, d'avoir choisi avec Emma Bovary et Frédéric Moreau « des consciences centrales trop limitées et trop stupides [4] ». Certes Flaubert avait ses raisons pour choisir de tels « réflecteurs » mais l'on reconnaîtra avec Stanzel que tout change suivant que

1. W. C. Booth, *The Rhetoric of Fiction*, p. 45.

2. Cette formule expressive est de Gobineau, dont le roman *Les Pléiades* offre un exemple remarquable de mise en œuvre du point de vue omniscient. « Le lecteur seul verra les deux côtés de l'étoffe », déclare le narrateur avant de rapporter les propos échangés par ses héros, puis de raconter ce qu'ils ne se disent pas où se cachent à eux-mêmes. Cf. *Les Pléiades*, Paris, éd. du Rocher, 1957, p. 28.

3. H. James, Preface to *The Golden Bowl* (1904). Cité par M. Allot, *Novelists on the Novel*, p. 265. Cf. à ce sujet W. C. Booth, *The Rhetoric of Fiction*.

4. « Why did Flaubert choose as special conducts of the life he proposed to depict, such inferior and in the case of Frederic, such abject human specimens?... such limited reflectors and registers. » H. James, « Gustave Flaubert » (1902), in *The House of Fiction*, p. 199-200.

nous voyons les choses et les événements à travers l'esprit d'un Virgile, comme dans le roman d'Herman Broch, ou celui d'un idiot comme le Benjy de Faulkner [1].

Si donc Léon Delmont est moyen de communication entre le monde romanesque et nous (comme il est à l'intérieur du roman moyen de communication entre Paris et Rome et entre Cécile et Henriette) il faut commencer par l'examiner de près en tant que personnage médiateur. Puisque c'est « avec lui » que nous sommes mis en situation, il faut déterminer comment, précisément, le monde lui apparaît.

II. LA PERSPECTIVE NARRATIVE DANS « LA MODIFICATION »

1. *Le personnage comme médiateur.*

a) *Caractérisation.*

Le personnage romanesque n'est rien d'autre, rien de moins non plus, qu'un ensemble de mots, une convention, un « artifice littéraire ». Mais l'on sait quelle puissance de suggestion recèlent ces ensembles de mots, lorsqu'ils sont agencés par un Balzac ou un Dostoïevski! Disons donc avec Forster que « si ces personnages nous paraissent réels, ce n'est pas parce qu'ils sont comme nous (bien qu'ils puissent aussi nous ressembler), mais parce qu'ils sont convaincants [2] ». Mots, encore mais « à un degré supérieur », ces personnages convaincants, mots renvoyant à autre chose, nous permettant « de connaître et de comprendre toutes sortes de gens qui ont existé et qui existent encore [3] ».

---

1. F. K. Stanzel, *Typische Formen des Romans*, p. 43.
2. E. Forster, *Aspects of the Novel*, p. 87. S. Dresden remarque fort justement (car on a toujours tendance à l'oublier) que les personnages de roman « sont et restent des personnages de romans », c'est-à-dire qu'« ils ne font jamais rien d'autre, ne peuvent et ne pourront jamais rien faire d'autre que ce qui est dit d'eux dans le roman ». *Wereld in Woorden*, p. 23. Ceci paraît peut-être aller de soi. On sait cependant combien de critiques essaient d'interpréter les personnages à l'aide de données extérieures au texte.
3. G. Charbonnier, *Entretiens avec Michel Butor*, p. 28.

Les conventions ont changé et, avec elles, les valeurs de ces mots complexes que sont les personnages. Changé à tel point qu'il est devenu difficile de reconnaître des personnages dans les Molloy et Malone, les Pim, Bem, Bom de Beckett, le A. de Robbe-Grillet, ou dans ces supports anonymes et interchangeables de mouvements psychologiques profonds et confus qui affleurent dans les sous-conversations d'une Nathalie Sarraute. Changé à un tel point qu'il est devenu banal, avec Nathalie Sarraute justement, de constater leur progressive et aujourd'hui quasi totale disparition :

« Selon toute apparence, non seulement le romancier ne croit plus guère à ses personnages, mais le lecteur de son côté n'arrive plus à y croire. Aussi, voit-on le personnage de roman privé de ce double soutien, la foi en lui du romancier et du lecteur, qui le faisait tenir debout, solidement d'aplomb, portant sur ses larges épaules tout le poids de l'histoire, vaciller et se défaire.

Depuis le temps heureux d'Eugénie Grandet où, parvenu au faîte de sa puissance, il trônait entre le lecteur et le romancier, objet de leur ferveur commune, tels les Saints des tableaux primitifs entre les donateurs, il n'a cessé de perdre successivement tous ses attributs et prérogatives.

Il était richement pourvu, comblé de biens de toute sorte, entouré de soins minutieux; rien ne lui manquait depuis les boucles d'argent de sa culotte jusqu'à la loupe veinée au bout de son nez. Il a, peu à peu, tout perdu : ses ancêtres, sa maison soigneusement bâtie, bourrée de la cave au grenier d'objets de toute espèce, jusqu'aux plus menus colifichets, ses propriétés et ses titres de rente, ses vêtements, son corps, son visage, et surtout, ce bien précieux entre tous, son caractère qui n'appartenait qu'à lui, et souvent jusqu'à son nom[1]. »

Sans doute, et l'on ne voit plus guère que les Henri Troyat ou les Maurice Druon, pour prendre encore la peine de construire des personnages aussi « richement pourvus »! Aussi faut-il s'attarder sur le fait que Butor dans *La Modification* non seulement conserve au personnage sa fonction essentielle de support de l'histoire mais semble avoir tout fait pour lui conserver ses « prérogatives ».

Il est vrai que Léon Delmont est bien pâle à côté d'un Lucien de Rubempré ou d'un Julien Sorel et que certains

1. N. Sarraute, *L'Ère du soupçon*, p. 57.

lecteurs ont même du mal à se le représenter [1]. Il est vrai, que son nom même, élément le plus simple de caractérisation, n'est donné que bien tard au cours du récit (p. 98), il n'en reste pas moins que rien ne lui manque de ce qui, traditionnellement, définit le personnage de roman.

Nous connaissons déjà son aspect, depuis ses cheveux grisonnants jusqu'aux moindres détails de ses vêtements ; ses biens, depuis sa « *valise en cuir vert bouteille* » (p. 9) et son « *pyjama amarante* » (p. 23), jusqu'à « *cet appartement, quinze place du Panthéon...* (p. 190) *ces enfants, ces meubles, ces murs, ces habitudes, cette assise* » (p. 152) qu'il peut offrir à sa femme, en passant par ses cartes de membre de « *la société Dante Alighieri* » et celle de « *la société des Amis du Louvre* », (p. 46) qui, au même titre que « *les gravures de Piranèse* » (p. 68) ornant son appartement « *l'Orfeo de Monteverdi* » qu'il écoute à la radio (p. 68), « *l'Enéide dans la collection Guillaume Budé* » (p. 68), et les « *Lettres de Julien l'Apostat* » qu'il lit dans le train (p. 173, 182, 211), signalent ses goûts et sa culture.

Nous connaissons son âge, sa situation sociale et familiale, mais aussi ses passions : cet amour qu'il porte à Cécile, son amie romaine, ce dégoût mêlé de mépris que lui inspire sa femme, sa prédilection pour Rome, ville d'art et d'histoire, ville des Empereurs, ville, grâce à Cécile, de la jeunesse et de l'authenticité retrouvées, ville aussi de ces papes et de ces prêtres qu'il « déteste » (p. 50).

Enfin, son caractère, ployant sous un « *harnais de vains scrupules* » (p. 35) il s'inquiète sans cesse de l'effet qu'il produit sur les autres, s'interroge sans fin sur le sens de ses actes. Ces inquiétudes et ces interrogations manifestent à quel point il se trouve soumis à de « *vieilles façons de penser, venant de (son) éducation religieuse et bourgeoise* » (p. 146). S'il invoque les raisons pour lesquelles il n'a pas cette fois, pour « cette escapade très importante, certes, pour le déroulement futur de votre vie, mais dont vous auriez pu vous passer » (p. 33), pris un billet de première comme il l'aurait fait s'il s'était agi d'un voyage d'affaires, il se donne toute une série de motifs, dont le principal semble être celui-ci : « *c'est que vous ne vouliez pas que*

---

1. J. Bloch-Michel, par exemple, qui généralise : « Aucun lecteur ne serait capable de se représenter le personnage de *La Modification*. » *Le Présent de l'indicatif*, p. 26.

*cela vous coutât trop cher, parce que vous aviez toujours
peur de ne pas avoir assez pour votre maison,* quinze place
du Panthéon » (p. 61). S'il pense, qu'il lui est, « impossible
de divorcer », c'est parce qu' « Henriette... elle, ne s'y
résoudrait jamais, *parce que, avec votre position, vous voulez
éviter toute scandale* » (p. 35).

Inquiet, scrupuleux, souvent de mauvaise foi, puisque
donner trop de raisons revient à n'en fournir que de mauvaises, Léon Delmont est en même temps soucieux de
se connaître et il est capable de lucidité. Ce réfléchi est aussi
un rêveur, pour qui le prosaïque indicateur Chaix est un
talisman,

« gage de votre issue, d'une arrivée dans une Rome lumineuse, de
cette cure de jouvence dont le caractère clandestin accentue l'aspect
magique » (p. 34).

Cet observateur attentif est aussi un imaginatif : capable
de voir dans la forêt de Fontainebleau...

« la figure d'un cavalier de très haute stature, vêtu des lambeaux d'un
habit superbe dont les rubans et galons métalliques décousus lui
faisaient comme une chevelure de ternes flammes, sur un cheval
dont transparaissaient à demi les os noirs, semblables à d'humides
ramures de hêtre se carbonisant... » (p. 97).

« Pas une seule fois, s'écriait Proust, un de mes personnages ne ferme une fenêtre, ne se lave les mains, ne passe
un pardessus, ne dit une formule de présentation [1]. »
Ce n'est pas le cas, loin de là, du personnage de Butor.
Non seulement il n'a pas perdu son passé, sa maison, sa
famille, ses vêtements, son corps et « ce bien précieux entre
tous, son caractère »; mais il est caractérisé par les gestes
les plus quotidiens : fermer une porte avec difficulté, hisser
sur le filet une valise, « péniblement tel un dérisoire athlète
de place publique » (p. 11), ouvrir un paquet de cigarettes,
en prendre une, la fumer, écraser le mégot dans le cendrier
de métal (p. 41, 42, 46, 61, 132, 178, 198, 206).

« Le lecteur, même le plus averti, c'est plus fort que lui,
typifie [2], explique Nathalie Sarraute, et puisque « ce que les
personnages gagnent en vitalité facile et en vraisemblance,
les états psychologiques auxquels ils servent de support, le

---

1. Marcel Proust, *Lettre à Robert Dreyfus*, cité par N. Sarraute, *L'Ère
du soupçon*, p. 89.
2. N. Sarraute, *L'Ère du soupçon*, p. 70.

perdent en vérité profonde, il faut éviter qu'il disperse son attention et la laisse accaparer par les personnages et pour cela, le priver le plus possible, de tous les indices dont malgré lui, par un penchant naturel, il s'empare pour fabriquer des trompe-l'œil [1] ». Sans doute, et en établissant sinon le « portrait » de Léon Delmont du moins sa fiche signalétique nul doute que nous ne nous soyons livrés à ce penchant naturel. Mais ce penchant, l'auteur n'a pas manqué de le flatter. Léon Delmont est bien proche de ces personnages « ressemblants » dont « chaque geste... la façon dont ils lissent leur cheveux, rectifient le pli de leur pantalon, allument une cigarette ou commandent un café-crème, et aussi les propos qu'ils tiennent, les sentiments qu'ils éprouvent, les idées qui les traversent, donnent à tout moment au lecteur l'impression réconfortante et délicieuse de reconnaître ce qu'il a pu ou aurait pu lui-même observer [2]... »

Le romancier n'a pas manqué de fournir au lecteur tous les « indices » lui permettant de constituer un personnage. Il est non seulement possible, mais même inévitable de se représenter le voyageur comme quelqu'un que l'on pourrait rencontrer ou connaître. On pourrait sans peine en réaliser le portrait physique et psychologique [3], comme on le fait, par exemple, pour un ¦Julien Sorel, dont on se demande s'il est timide ou courageux, sincère ou hypocrite, scrupuleux ou lâche, authentique ou de mauvaise foi. Avec son « bel appartement Place du Panthéon »..., ses enfants, ses meubles, ses habitudes, sa femme et sa maîtresse, ses affaires, sa culture (exceptionnelle) qui lui permet de profiter de Rome, et son christianisme honteux qui lui interdit de se libérer tout à fait, Léon Delmont nous apparaît comme un être à la fois banal et particulier. Banal, en ce qu'il ressemble par sa situation, ses goûts, et jusque dans ses préoccupations les plus personnelles à n'importe quel Français-bourgeois-cultivé; particulier, dans la mesure où dans leurs détails ses caractéristiques physiques ou psychiques, les événements de sa vie, la manière dont il les interprète, ne peuvent renvoyer qu'à tel individu, en tel lieu, à tel moment.

---

1. *L'Ère du soupçon*, p. 71.
2. *Ibid.*, p. 133.
3. On peut lire celui qu'en a donné Michel Leiris dans *Le Réalisme mythologique de Michel Butor*, p. 293.

b) *Dénudation du procédé.*

Léon Delmont n'est pas le seul voyageur. Enfermés dans le même compartiment, en route vers la même direction, l'ecclésiastique, le voyageur de commerce, les jeunes époux, le professeur, se caractérisent eux aussi par leur âge, leur costume, leurs attitudes, leurs attributs. Mais, nous ne savons de ces personnages que ce que Léon en aperçoit, nous sommes liés à ses remarques et à ses conjectures. Tandis que la valise de ce dernier est « tout à fait convenable pour le directeur de la Maison Scabelli » et que son pyjama amarante a été choisi « à l'intention de Cécile » (p. 23), la soutane de l'ecclésiastique ne nous renseigne que peu sur ce voyageur :

> « *Quel déguisement* qu'une soutane! Certes, *cela affiche un certain nombre de choses,* mais, derrière cette déclaration, que de *camouflages* possibles!... Sur ces plis noirs qui le revêtent et qui *indiquent* son appartenance à une église, qui nous *assurent* à peu près qu'il récite un certain nombre de prières par jour, qu'il dit sa messe, il n'y a pas le moindre *indice vous révélant* son genre de vie, les occupations auxquelles il passe la plus grande part de ses heures, le milieu avec lequel il est en contact » (p. 73).

Tandis qu'en fouillant sa valise, le héros nous renseigne sur son contenu et la signification qu'ont pour lui les objets qu'elle contient (p. 23), nous ne saurons jamais ce que contient celle du « professeur » bien que Léon se demande : « Lui quelles affaires a-t-il pour sa toilette? » (p. 81).

Comme le romancier, dont il illustre, ironiquement, le procédé, Léon Delmont s'amuse à donner des noms à ses compagnons de voyage. Il construit à propos de chacun d'entre-eux de véritables petits romans dignes, ou presque, d'un Simenon. Ainsi pour la femme en noir, baptisée Mme Polliat, à cause, sans doute, de la gare de Polliat qui vient de passer :

> « *Vous l'imaginez* originaire d'une ville des Alpes humide et noire, avec un père, caissier à la banque, qui rentrait le soir excédé et trompait sa femme avec des serveuses de café... ayant passé son brevet élémentaire, fait pendant des années des gammes sur un piano droit..., ayant pris des leçons de danse données par le professeur de chant dans les salons de la mairie, ayant rencontré... un étudiant en médecine..., ayant commencé à lui écrire des lettres en cachette... puis la guerre est venue et son mari est mort sans lui laisser d'enfant; depuis elle n'est plus sortie de sa ville que pour aller à Bourg retrouver son frère aîné qui y est employé de banque... qui a deux garçons et

trois filles; André le plus jeune, a été un peu malade, et comme le médecin a dit qu'il avait besoin de repos, on a décidé qu'il irait chez sa tante » (p. 106-107).

Mais contrairement au romancier qui, justement parce qu'il invente, décide du nombre d'indices à fournir et de leur signification, Léon Delmont est contraint d'avouer qu'il n'est pas du tout certain de la validité de ses déductions :

« Vous apercevez la main de cette veuve, qui se tend vers la valise de paille, vers le cabas, vers le panier dont sont sorties tout à l'heure tant de victuailles; cette main sèche agrippeuse. *Vous ne pouvez pas voir* le petit garçon à côté d'elle, *qui n'est peut-être pas* son neveu; *elle n'est peut-être pas* veuve, *elle ne s'appelle pas* Mme Polliat, et *il y a bien peu de chances pour que* son prénom soit André » (p. 116).

La multiplicité des personnages suggère par ailleurs que chacun d'entre eux aurait pu jouer le rôle de médiateur. Comme Léon, ces voyageurs se situent dans « l'espace des conduites humaines » (p. 197). Leur âge, leur métier, leurs amours auraient pu jouer un rôle dans le roman. Puisque « toute histoire individuelle est liée à l'ensemble de la réalité, et à l'histoire universelle »[1], chacune de leurs aventures aurait pu illustrer cette liaison. Mais nous aurions eu alors un autre roman : chacun de ces voyageurs a ses raisons d'aller à Rome, mais nous ne les connaîtrons pas; quelles que fussent ces raisons, elles auraient été différentes de celles de Léon Delmont. Ainsi l'ecclésiastique : « *Où va-t-il?* » et « *pour quelle raison* voyage-t-il? » se demande Léon, « *il est peu vraisemblable que ce soit comme vous* pour rejoindre une femme » (p. 73). « S'il est allé à Rome, s'il rêve d'y aller pour voir son pape, pour se mêler à cette foule d'ensoutanés qui en parcourent toutes les rues comme des essaims de mouches babillardes... *il est évident qu'il doit connaître une Rome bien différente* de celle que Cécile au cours de ces deux ans vous a montrée » (p. 74).

Cette multiplicité des personnages esquissés permet encore d'imaginer qu'au lieu de raconter comment une histoire individuelle est liée à l'ensemble de la réalité et à l'histoire universelle, l'auteur aurait pu raconter, comme il l'a fait plus tard, « des masses d'aventures, des organisations d'aventures à l'intérieur desquelles chaque aventure

---

1. G. Charbonnier, *Entretiens avec Michel Butor*, p. 13.

individuelle peut être considérée comme un détail[1] ». La multiplication des voyageurs dans ce compartiment de chemin de fer entre Paris et Rome préfigure en effet la multiplicité des visiteurs des Chutes du Niagara que l'on voit défiler et que l'on entend s'exprimer dans *6 810 000 litres d'eau par seconde.* Personnages définis cette fois par leur pure fonction de couple. Non pas individualisés comme l'est ici Léon Delmont mais représentants interchangeables et quasi anonymes d'un certain nombre de groupes aux caractéristiques communes : C. et D. « *vieux ménage* », A. et B. « *just married* », E. et F. « *jardiniers noirs* », etc. Mais nous n'avons plus dans ce cas affaire à un roman[2]?

1. G. Charbonnier, *Entretiens,* p. 13.
2. On peut voir en Léon Delmont et son amie Cécile, Léon Delmont et sa femme Henriette, les premiers dans la série de couples que Butor nous montre dans *6 810 000 litres d'eau par seconde.* Ce livre offre en effet bien des points communs avec *La Modification :* à la Ville éternelle du roman où Léon a fait son voyage de noces, où il va vivre ses « demi-noces », ses « fausses noces » avec Cécile, s'est substitué le site des Chutes du Niagara, lieu géométrique de l'amour, lieu de pèlerinage pour les innombrables couples américains qui vont y célébrer eux aussi leurs noces ou leurs fausses noces. Vieux ménages donc comme Charles et Dian, *just married* comme Abel et Betty jardiniers noirs, comme Elias et Fanny, vieille-peau Gigolo comme Gertrude et Hector, vil séducteur — proie facile comme Irling et Jenny, auxquels s'ajoutent, au fil des heures et des saisons, d'autres vieux ménages, d'autres *just married,* d'autres couples irréguliers dont les noms désignent par leurs initiales les catégories qu'ils représentent. Aux voix de ces couples s'ajoutent celles des solitaires, veufs, célibataires, figures divisées du couple, désignés à leur tour par des noms aux initiales suivantes : K.L.M.N.O.P. Voix multiples auxquelles s'ajoute encore dans la « coda » celle d'un certain « Quentin visiting professeur à l'Université de Buffalo »...

« *je t'aime,*
je t'aime

« *Tout a changé*
Nous avons changé

« *Je crains que mon retour n'ait fait que raviver mes illusions, mais que cherchais-je?*
Avec elle autrefois mais c'était dans une autre saison... »

Ces voix de couples jeunes et vieux, ces plaintes des solitaires ne font-elles pas écho à celles de Léon Delmont? Mais ces voix nous ne les percevons que dans le fracas des Chutes, elles sont couvertes par celle du « speaker » qui nous guide dans ce « royaume » et en découvre les « attractions », les beautés, les mystères, par celle du « lecteur » qui en dévoile, grâce aux termes redécouverts du grand Chateaubriand, les prestiges. Noyées dans cet immense « monument liquide » les aventures individuelles n'apparaissent plus que comme une répétition indéfinie d'une éternelle comédie : « Les acteurs se renouvellent, mais ce sont les mêmes rôles qu'ils jouent dans la roue de l'année des Chutes. »

« Je me suis aperçu, déclare Butor dans sa *Réponse* à *Tel Quel* qu'on ne pouvait parler de roman que lorsque les éléments fictifs d'une œuvre s'unifiaient en une seule « histoire », un seul monde parallèle au monde réel, complétant et éclairant celui-ci, dans lequel on entre au début de sa lecture pour n'en ressortir qu'à la fin »[1]. Nul doute que le personnage de Léon Delmont joue un rôle essentiel dans cette unification de l'œuvre et que pour Butor comme pour Henry James la fixation du point de vue dans une conscience centrale soit motivée par un souci de cohérence romanesque.

c) *Un lieu commun.*

Motivée structurellement la constitution de ce personnage l'est aussi sur le plan de la signification. On s'accorde généralement à reconnaître que l'apparition du personnage tel que le proposent les grands romans du XIXe siècle est liée à un certain ordre social, à une certaine conception de l'individu et que sa disparition est liée à son tour à la mise en question ou la transformation de cet ordre et de cette conception : « sociologiquement le personnage ne correspond plus à rien. Psychologiquement, il est devenu un masque : ce que nous savons aujourd'hui du comportement et ce que les romanciers ont parfois deviné avant les psychologues eux-mêmes, rend caduque l'idée du personnage singulier souverain et sûr de soi jusque dans ses délires [2]. » Sans doute, mais cette société, si nous n'y croyons plus, nous y vivons encore. Ce « masque » que nous le voulions ou non est toujours le nôtre [3].

Or, de quoi se compose la majorité des lecteurs d'un écri-

---

1. Michel Butor, « La littérature aujourd'hui », *Répertoire II*, p. 293.
2. B. Pingaud, « Le roman et le miroir », *Arguments*, no 6. On aurait pu citer aussi bien : A. Robbe-Grillet, « Sur quelques notions périmées », in *Pour un Nouveau Roman*, p. 28, ou même F. Mauriac, *Mémoires intérieurs*, Paris, Flammarion, 1959, p. 60 : « Lousteau aujourd'hui, car il est éternel, sait que les vrais romanciers ne dessinent plus de caractères parce qu'il n'existe nulle part de caractères, sinon dans l'idée que nous nous en formons, et ils ne nous dévoilent plus le cœur humain, la réalité ne nous montrant rien de ce qui ressemble au cœur humain tel que les auteurs de tragédie et les romanciers psychologues l'ont fabriqué... »
3. Comme le reconnaît Robbe-Grillet lui-même : « Si la société s'est transformée peu à peu, si les techniques industrielles ont fait des progrès considérables, notre civilisation mentale elle est restée la même. Nous vivons pratiquement sur les mêmes habitudes et les mêmes interdits, moraux, alimentaires, religieux, sexuels, hygiéniques, familiaux etc. Enfin il y a le « cœur » humain qui — c'est bien connu — est éternel » « Une voie pour le roman futur », *Pour un Nouveau Roman*, p. 16.

vain bourgeois, français, comme Michel Butor, sinon
d'abord, de bourgeois français, ou, en tout cas, de bourgeois
occidentaux? Héritiers par exemple d'une culture classique
et chrétienne, et parce que français, plus précisément catholique : « Toute la culture française est fondamentalement
une culture catholique. Tout Français est nourri de catholicisme dès son berceau. Évidemment toute l'intelligentsia
n'est plus catholique et on peut dire que la France se
déchristianise considérablement. Mais le sol... sur lequel
tout repose, c'est quand même le catholicisme, ce qui fait
qu'il est impossible d'éviter ce problème en France dès
qu'on va chercher à donner des précisions sur la mentalité
de quelqu'un. La situation de cet homme par rapport à
l'Église catholique va être un des éléments fondamentaux
pour la définition de sa situation[1]. »

Ce que Butor explique ici à St. Aubyn pourrait s'appliquer aux autres éléments fondamentaux de la situation de
Léon Delmont. Que dire, par exemple, de sa situation sentimentale? « Mal mariés, déçus, révoltés, exaltés ou cyniques,
infidèles ou trompés, que ce soit en fait ou en rêve, dans
le remords ou dans la crainte, dans le plaisir de la révolte
ou l'anxiété de la tentation, il est peu d'hommes qui ne se
reconnaissent dans l'une au moins de ces catégories. Renon-
cements, compromis, ruptures, neurasthénie, confusion
irritante et mesquine de rêves, d'obligations, de complaisances secrètes, la moitié du malheur humain se résume
dans le mot d'adultère[2] ». N'est-ce pas là aussi la moitié du
malheur de Léon Delmont? S'il est parti ce matin d'automne, c'est, on l'a vu, pour rejoindre à Rome sa maîtresse
Cécile, réaliser enfin, après des années d'enlisement dans la
vie conjugale, ce « superbe amour, preuve de son indépendance » (p. 45) et de sa « jeunesse gardée » (p. 116). Mais,

---

1. Michel Butor à St. Aubyn, *Entretiens avec Michel Butor*, p. 17.
Butor répond à la question : « Quel est le rôle de la religion dans la vie
contemporaine à votre avis? » Dans *Mobile* l'auteur parle d'une « poussière de christianisme » qu'il illustre par l'énumération des innombrables
églises américaines.

2. Ces affirmations sont empruntées à Denis de Rougemont, *L'Amour et
l'Occident*, 10/18, 1962 (1959) p. 13. Elles succèdent aux constatations
suivantes : « Pour qui nous jugerait sur nos littératures, l'adultère paraî-
trait l'une des occupations les plus remarquables auxquelles se livrent les
Occidentaux. On aurait vite dressé la liste des romans qui n'y font aucune
allusion; et le succès remporté par les autres, les complaisances qu'ils
éveillent, la passion même qu'on apporte à les condamner quelquefois,
tout cela dit assez à quoi rêvent les couples, sous un régime qui fait du
mariage un devoir et une commodité. »

vains scrupules ou grande lucidité, il s'avère et s'avoue incapable de se libérer des liens qui l'enserrent. Son échec
s'explique en grande partie par le fait que « ce superbe
amour » relève de cette mythologie dégradée dont un
Denis de Rougemont a diagnostiqué l'importance dans
notre société [1].

Quel est alors le lecteur de *La Modification* qui ne se
reconnaîtra peu ou prou dans cet homme marié, attaché
à ses biens matériels et spirituels mais rêvant d'autre
chose, soucieux de découvrir les motifs et les mobiles
de ses actes, fier et inquiet en même temps d'avoir su
prendre la décision de changer sa vie après des années
d'attente, mais obligé de constater sa fragilité. Qui ne s'y
reconnaîtra, ou qui, cela revient au même, ne refusera de
s'y reconnaître? Au compartiment de chemin de fer, entre
Paris et Rome, lieu bien connu, correspond le personnage
de Léon Delmont : lieu commun de l'auteur et de ses
lecteurs.

d) *Le piège.*

La caractérisation du personnage par des procédés traditionnels n'est cependant pas sans dangers. Le lecteur, ou
bien ne saura pas déceler le piège, ou refusera de s'y laisser
prendre. Si, comme l'a bien vu Bernard Dort, on peut attribuer à la « résistance » qu'offre la « personnalité » du héros,
ainsi qu'à la « banalité de l'intrigue », « le malentendu qui
a fait célébrer *La Modification* comme un roman psychologique [2] », on peut attribuer aux mêmes causes le malentendu qui l'a fait décrier comme un roman anachronique.

Les critiques marxistes, Édouard Lop et André Sauvage,
offrent un bel exemple de la seconde attitude : « Il ne faut
pas beaucoup de perspicacité, affirment-ils, pour s'apercevoir que par le contenu de ses œuvres Michel Butor est
quelque chose comme le Jacques Chardonne du néo-roman.
Sans doute est-il rafraîchissant au sortir du monde aride
de Robbe-Grillet et des ténèbres de Nathalie Sarraute de
rencontrer des êtres qui ont une existence quotidienne, une

---

1. On sait que la thèse de Rougemont sur les origines du mythe est très
contestée par les historiens et les médiévistes. Il n'en reste pas moins que
du point de vue sociologique sa dénonciation d'une mythologie dégradée
de l'amour dans notre civilisation, ainsi que sa description du « conflit
entre la passion et le mariage en Occident » conservent leur valeur. Je n'en
veux pour preuve que le succès même de son livre réédité en livre de poche,
vingt ans après sa parution.

2. B. Dort, *La Forme et le fond*, p. 124.

femme, des enfants, et des chagrins d'amour comme tout le monde. Mais il ne faut pas les examiner de trop près pour voir que, malgré les artifices de l'auteur ils sont faits de la même pâte conventionnelle et modelés avec la même fausse profondeur que les héros distingués de nos romanciers des années trente. Nous renvoyons le lecteur à *La Modification*, cette peinture délicate et forte des hésitations tellement humaines de cet homme de quarante ans, arrivé à une belle situation sociale et qui se demande au long d'un interminable voyage en chemin de fer s'il doit quitter ou non une femme vieillie et des enfants insupportables pour une maîtresse jeune et exigeante. Il y retrouvera ce prototype du héros cultivé, de la génération d'avant la deuxième guerre mondiale, porteur d'états d'âme, de scrupules moraux et de cette nostalgie distinguée d'une vie moins factice que celle des affaires, ennoblie par l'art et la spontanéité de la jeunesse [1]. »

Certes Lop et Sauvage n'ont pas tout à fait tort. On peut trouver de nombreux points communs entre Léon Delmont et la majorité des héros de romans, non seulement des années trente, mais de ceux d'aujourd'hui. Mais cette ressemblance a une fonction précise. Elle manifeste d'abord le fait que Léon Delmont est n'importe qui et que son aventure pourrait être la nôtre, la vôtre. « On a dû en écrire mille de ces histoires qui nous montrent un homme partagé entre sa femme et sa maîtresse et retournant à celle-ci juste au moment où il était sur le point de décider pour celle-là... [2] » remarque encore Bernard Dort, et il a raison. Mais ce n'est pas un hasard si l'on continue à en écrire : « *Ah, tu vois bien que cela t'intéresse, toi aussi* » (p. 47), fait remarquer (dans *La Modification*) la jeune femme à son mari qui feuillette son journal et s'attarde au « *courrier du cœur* ». « Vous voyez bien que cela vous intéresse, vous aussi », nous dit l'auteur [3] en rapportant ces paroles, « les

1. E. Lop et A. Sauvage, *Essai sur le Nouveau Roman*, p. 126.
2. B. Dort, *La Forme et le fond*, p. 121.
3. Toutes les œuvres de Butor font allusion aux problèmes du couple et plus précisément à leurs « rêves », dénonçant, sur un mode plus ou moins parodique, les mythologies (celle du bain de Jouvence en particulier) qui les nourrissent. On l'a vu pour *6 810 000 litres d'eau par seconde*, n. 2, p. 147, mais c'est aussi le cas dans *Mobile, Description de San Marco, Réseau aérien*. Quant à *Degrés*, « il y a, explique l'auteur, un chapitre du livre qui, à cause de la structure de l'ensemble, retrouve la structure linéaire du roman français classique et même tellement classique que c'est comme par hasard une histoire d'adultère comme dans *La Modification* ». G. Charbonnier, *Entretiens*, p. 13.

premières », soulignons-le, « prononcées à voix vraiment haute depuis le départ » (p. 47).

Bien loin d'ailleurs de les « camoufler », les « artifices de l'auteur » soulignent au contraire les conventions par lesquelles se constitue un personnage et en particulier sa « fausse profondeur ». Comme Léon Delmont fabrique des personnages à partir des « indices » que lui fournissent ses compagnons de voyage et leur invente des histoires (qui toutes, on va le voir, ressemblent par quelque côté à la sienne) le narrateur fabrique le personnage de Léon Delmont et lui raconte son histoire. Mais de même que Léon se trompe sur les autres et doit reconnaître qu'il fait du roman, le narrateur qui décrit, commente ou analyse, apparaît de plus en plus incertain : il revient sur ses premières constatations, fournit plusieurs motifs contradictoires pour une même action, se perd dans des rêves, avoue finalement qu'il est perdu, qu'il ne sait plus.

L'ambiguïté de la perspective narrative fait donc planer un doute, qui s'accentue nettement au cours du récit, sur la solidité du personnage et la signification de son histoire. Dans la mesure où la voix qui dit *vous* peut être interprétée comme celle de la conscience du héros, la personnalité qu'il s'attribue apparaît comme un trompe-l'œil, un masque précisément. Un *Grand labeur se poursuit en vous détruisant peu à peu votre personnage* » (p. 196), constate le narrateur vers la fin du roman. Et en effet la modification c'est, entre autre chose, la destruction de ce qu'il croyait constituer son « personnage », la « *réorganisation de l'image* » (p. 196) qu'il se faisait de lui-même et de sa propre vie, la prise de conscience de l'inadéquation de cette image à la complexité du réel. Mais cette modification c'est également la nôtre : pour nous être laissé prendre au piège, nous sommes, avec le personnage, mis en question dans l'idée que nous nous faisons habituellement de nous-mêmes.

Encombré d'un corps fatigué, mal réveillé, en proie aux soucis de l'homme mal marié approchant de la cinquantaine, enchaîné à une profession qu'il ne peut plus quitter, s'offrant en guise de libération une escapade à Rome, Léon Delmont, s'il est un personnage caractérisé, n'a rien de ces figures inoubliables que proposent certains grands romans du passé.

Contrairement à ces « héros » que sont malgré leurs faiblesses ou leurs vices, un Lucien de Rubempré ou un Vautrin, un Julien Sorel ou un Raskolnikov, il ne donne pas l'impression de « transcender les situations particulières » dans lesquelles il se trouve plongé [1]. Comment le pourrait-il puisque ces situations nous ne les découvrons qu'à partir de lui, puisqu'il n'agit pas à proprement parler et que tout se passe dans sa conscience? Si Léon Delmont peut être classé pour cette raison « dans la phalange de plus en plus importante des anti-héros [2] » (en compagnie d'un Léopold Bloom par exemple), il joue cependant le rôle d'un médiateur. Nous sommes enfermés dans une conscience et cette conscience est consciente de quelque chose : elle se déploie dans le monde, vise les autres, se réfléchit sur elle-même.

2. *Singularisation de la « vision avec ».*

a) *Un type particulier de monologue intérieur.*

Un passage au début du roman, appartenant par conséquent à ce que l'on peut considérer comme l'exposition, nous permettra d'illustrer la manière dont l'auteur singularise la fixation du point de vue dans une conscience centrale. Le voyageur vient de s'installer dans son compartiment. Nous savons seulement qu'il vient de quitter sa femme et Paris pour ce voyage « qui devrait être une libération » (p. 22). Il va chercher dans sa valise une brochure, dont nous apprendrons ensuite qu'il s'agit de l'indicateur Chaix. Ce passage qui nous le montre en train de fouiller sa valise et, au contact des objets, en train de songer à toutes sortes de choses, se présente dans le roman sous la forme d'un paragraphe continu. L'unité de ce paragraphe correspond à celle d'une seule et longue phrase articulée en plusieurs propositions. Pour en faciliter la lecture et surtout l'analyse, nous en soulignerons les articulations par divers artifices typographiques : tirets pour distinguer les actions successives, marges pour distinguer les instances temporelles, parenthèses pour distinguer les commentaires des actions proprement dites :

« Pour l'instant, retirez votre manteau, — pliez-le, hissez-le sur votre valise. De la main droite, — vous vous agrippez à la

1. D'après C.-E. Magny, les véritables « héros » de romans se caractérisent par cette « transcendance » : « Vautrin, la duchesse de Maufrigneuse, Nucingen existent indépendamment des aventures où nous les avons vu figurer. » *L'Age du roman américain*, p. 17 et suivantes.
2. G. Zeltner in *La Grande Aventure du roman français*, p. 157, et E. Hönisch, *Das gefangene Ich*, p. 18.

tringle — vous êtes obligé de vous pencher sur le côté (posture d'autant plus incommode qu'il vous faut la conserver malgré les oscillations perpétuelles), — pour appuyer avec votre pouce sur les boutons des deux serrures brillantes dont le pène s'ouvre brusquement, libérant le couvercle de cuir... — pour glisser vos doigts au-dessous, — pour tâter en aveugle la pochette de nylon opaque à rayures rouges et blanches.

> — dans laquelle vous avez non pas rangé mais jeté pêle-mêle ce matin (dans votre hâte et votre agacement)
>> — juste après avoir essuyé cette figure
>>> — que vous veniez d'interroger dans votre propre miroir, quinze place du Panthéon,
> votre blaireau encore humide, votre savon à barbe dans son étui de galalithe grise, votre paquet de lames neuves, votre brosse à dents, votre peigne, votre tube de dentifrice, la pochette de nylon qui contient tout cela, avec le petit anneau de son fermoir éclair, puis l'enveloppe en cuir où sont vos pantoufles, le tissu soyeux de votre pyjama amarante
>> — que vous avez choisi soigneusement hier soir (à l'intention de Cécile) parmi l'arc-en-ciel distingué de votre réserve de linge dans l'armoire à glace de votre chambre
>> — tandis qu'Henriette veillait aux derniers préparatifs du dîner — et que vous entendiez les chamailleries des garçons (qui devraient pourtant à leur âge être devenus capables de se supporter mutuellement),

puis, enfin, la brochure que vous cherchiez » (p. 23).

Ce seul exemple permet de préciser le rôle joué par la perspective narrative dans l'organisation du récit. Il est clair que les éléments que nous avons cru ailleurs pouvoir isoler sous les rubriques du vérifiable (ici, la tringle, la place du Panthéon) et du vraisemblable (ici, les serrures brillantes, le tissu soyeux...) sont relatifs au point de vue du personnage. C'est la conscience du héros qui relie entre elles ces données et leur confère un sens particulier.

C'est en outre, d'un seul et même mouvement, sans solution de continuité, que le personnage et, à sa suite le lecteur, passe du présent *(pour l'instant)* au passé *(ce matin, hier soir)*, du passé au futur *(à l'intention de Cécile)* et de nouveau au présent. C'est d'un seul et même mouvement également que l'on passe d'un niveau de conscience à un autre : d'une sensation *(tâter la pochette de nylon)* au souvenir *(dans laquelle vous avez jeté ce matin)* ou à la réflexion *(dans votre hâte et votre agacement)*. La conscience est ici rendue dans son intimité, puisque le principe de liaison est associatif et que ces associations ne peuvent être que celles du voyageur, et dans son mouvement, puisqu'elles s'enchaînent les unes aux autres sans rupture sensible.

Ce texte offre donc les caractéristiques essentielles d'un monologue intérieur : on ne résume pas ce qui se passe dans la conscience du personnage mais on nous le montre « en représentant les processus psychologiques... précisément tels qu'ils existent aux différents niveaux de conscience avant qu'ils soient formulés en un langage délibéré [1] ». On a « l'illusion d'être à l'intérieur d'un esprit » comme l'on a dans *Le Père Goriot*, « l'illusion d'être à l'intérieur de la pension Vauquer [2] ». « Le lecteur s'installe dans la pensée du personnage et apprend de cette façon la suite des circonstances dans lesquelles il se trouve [3] ». Le personnage nous raconte l'histoire à l'instant même où elle se produit de sorte que toute distance semble abolie entre le temps de l'aventure et celui du récit [4].

On retrouve également dans ce texte cette banalité que nous avons déjà soulignée. Comment ne pas être frappé par la place accordée à une action aussi peu significative, à première vue du moins, que celle qui consiste à chercher une brochure dans une valise? Il ne nous est fait part que de sensations et de préoccupations bien ordinaires. N'est-ce pas d'ailleurs selon certains, une des caractéristiques du monologue intérieur que de « serrer la vie au plus près et de ne rien cacher des inutiles petites traverses où nous égarent les associations d'idées les plus imprévues [5] »...

1. Selon la définition générale que donne R. Humphrey du monologue intérieur. *Stream of Consciousness in the modern Novel*, p. 24. R. Humphrey dans ce livre décrit ensuite et définit les différents types de monologue intérieur, direct, indirect, soliloques, etc.
2. L. Edel, *The psychological Novel*, p. 22. Cette illusion d'après L. Edel est un des effets caractéristiques de ce mode de présentation.
3. Valery Larbaud in : Frédéric Lefèvre, *Une heure avec*, 2ᵉ série, p. 225. Cité par Michel Raimond in *La Crise de roman français*, p. 273.
4. Cf. Michel Butor, « L'usage des pronoms personnels dans le roman », *Répertoire II*, p. 64, et « Recherches sur la technique du roman », *Répertoire II*, p. 97.
5. C'est à propos de Valery Larbaud que de fort bons esprits, vers 1925, s'indignaient de cet aspect du monologue intérieur. Ainsi Henri Martineau que l'on vient de citer, Louis Guilloux, Gabriel Marcel, Edmond Jaloux. Et au nom des mêmes arguments que ceux qu'invoquent aujourd'hui les adversaires du Nouveau Roman : « Nous demeurons de ceux qui affirment que l'art impose le choix, tandis que la nouvelle école prônée aujourd'hui et à laquelle M. Larbaud apporte le secours de son prestigieux talent, nous conduit, sous prétexte de vérisme psychologique à cette même impasse d'où nous pensions être définitivement sortis depuis le naturalisme de Zola. » H. Martineau, *Le Divan*, février 1925, p. 85, cité par Michel Raimond, p. 265. Faut-il préciser que ces « inutiles petites traverses » sont au contraire significatives? Ainsi dans ce passage de *La Modification* l'impor-

La situation du personnage telle qu'elle est décrite dans ce passage illustre en outre celle qui sera la sienne tout au long du voyage. C'est dans une « *posture incommode* » et « *soumis à des oscillations perpétuelles* » que le voyageur explore le contenu de sa valise pour rechercher cette brochure, l'indicateur Chaix, qui doit lui indiquer le nombre d'heures et de kilomètres qui lui restent à franchir pour atteindre son but et réaliser ses projets. Pour la trouver « *enfin* », il lui faut « *tâter en aveugle* » toutes ses possessions, en particulier cette pochette de nylon dans laquelle il n'a « *pas rangé* mais *jeté pêle-mêle* » ses affaires de toilette. C'est de la même façon dans « *l'inconfort* » de ce compartiment de troisième classe (p. 45), pris dans « *ce mouvement, ce balancement, ce bruit, cette lumière* » (p. 180), qu'il part à la recherche de lui-même, avant de découvrir « *enfin* » son véritable but : ce livre qu'il doit écrire pour tâcher d'éclaircir ce qui lui est arrivé. C'est de la même façon, en aveugle et à tâtons, qu'il explore sa situation. Ce n'est que par bribes et fragments, non pas rangés mais pêle-mêle, que s'offrent à lui les données plus ou moins occultées de son existence. Comme elles s'accrochent aux objets contenus dans cette valise, les pensées de Léon Delmont vont « *s'accrocher* » (p. 228) aux objets contenus dans le compartiment. Les choses qui l'entourent vont faire « *dévier* » ses pensées, l' « *aiguiller* » (p. 196) vers d'autres régions de son existence, suscitant rêves et réflexions [1].

b) *La deuxième personne et l'intégration du monde extérieur au courant de conscience.*

Le passage que l'on vient d'analyser se distingue des monologues intérieurs habituels par la place accordée aux actions du personnage et par la mention systématique des objets extérieurs. Ces caractéristiques du monologue intérieur dans *La Modification* sont étroitement liées à l'emploi de la deuxième personne. On a indiqué que le *vous* avait pour effet de dédoubler la perspective narrative : le *vous* fonctionne comme un *il*, substitut de la personne dont on parle et renvoie à un *je* dans la mesure où il implique une personne qui parle. Or, ce décalage entre l'observé et l'observateur, entre l'acteur et le narrateur, permet en particulier de décrire les objets

---

tance accordée aux objets de toilette annonce le thème du renouvellement, de la purification et du bain de Jouvence, qui se développera au cours de la narration.

1. Comme on le verra en détail dans le chapitre suivant.

extérieurs sans interrompre la continuité du courant de conscience.

Ceci n'est pas sans importance. Toute conscience étant conscience de quelque chose, même les romans écrits en monologue intérieur où l'accent porte sur le rapport de la conscience avec elle-même ne peuvent se passer de références au monde extérieur. Mais le monologue à la première personne, admirablement adapté à la description du courant de conscience dans ce qu'il a de plus intime, semble inapte à rendre les actes et les gestes. L'être qui agit, en effet, n'a pas de « conscience positionnelle de soi »[1], la conscience que nous avons de nos gestes et des objets que nous utilisons, est pré-réflexive. C'est pourquoi l'emploi de la première personne, dans le monologue intérieur direct, ne permet guère de présenter ce niveau de conscience en tant qu'il présuppose l'existence d'un corps ou des choses.

Il suffit pour s'en convaincre de lire *Les lauriers sont coupés* d'Édouard Dujardin. Lorsque, entrant dans un restaurant, le héros se dit :

« Le garçon. La table. Mon chapeau au porte-manteau. Retirons nos gants ; il faut les jeter négligemment sur la table, à côté de l'assiette, plutôt dans la poche du pardessus ; non, sur la table, ces petites choses sont de la tenue générale. Mon pardessus au porte-manteau, je m'assieds, ouf ! J'étais las. Je mettrai dans la poche du pardessus mes gants. Illuminé, doré, rouge, avec les glaces, cet étincellement ; quoi ? le café ; le café où je suis[2] »...

l'impression produite est celle d'un dédoublement de conscience assez étrange. Le contexte immédiat indique, il est vrai, que le héros se sent regardé par les autres : « *Ces gens me regardent entrer... Ces petites choses sont de la tenue générale* », ce qui justifie psychologiquement l'attention qu'il porte à ses propres gestes. L'introduction des notations extérieures à l'intérieur du courant de conscience reste cependant assez gauche.

Valery Larbaud, comme le note avec raison Michel Raimond, utilise le monologue intérieur avec plus de discernement. Au lieu d'employer « gauchement », la première personne, il « use de l'infinitif pour enregistrer un projet de comportement : « *ne pas bouger... les regarder dormir* », « *m'étendre sur le canapé* », ce qui sonne beaucoup plus vrai,

---

1. Cf. M. Merleau-Ponty, *La Phénoménologie de la perception*, p. 121, et plus généralement tout le chapitre sur « La spatialité du corps propre et la motricité ».

2. E. Dujardin, *Les lauriers sont coupés*, p. 28.

car il est exceptionnel que par une sorte de dédoublement, nous prêtions à ce point attention à nos propres gestes, que nous en venions à les énumérer par nous-mêmes [1] ». Mais un projet de comportement n'est pas un comportement en train de s'accomplir! On a pu voir que Butor, de manière analogue, note un projet de comportement à l'impératif : « *retirez votre manteau, pliez-le, hissez-le sur votre valise* ». Cela ne résout pas encore le problème de la description d'un geste vécu par quelqu'un au moment même où il s'accomplit, ni de la description des objets en même temps que celle de la conscience.

La plupart des écrivains qui ont utilisé le monologue intérieur, passent de la première à la troisième personne, lorsqu'ils veulent décrire, simultanément, les gestes et les pensées de leurs personnages. Pour nous montrer Léopold Bloom en train de sortir de chez lui, Joyce écrit :

« Sur le pas de la porte, *il se mit à chercher le passe-partout* dans sa poche de derrière. Pas là. Dans mon autre pantalon. *Faut aller le chercher.* La pomme de terre, *je l'ai.* La penderie grince. Inutile de la déranger. Elle avait encore sommeil en se retournant tout à l'heure. *Il tira la porte* d'entrée *sur lui*, posément, encore un peu, jusqu'à ce que la latte du bas vînt effleurer le seuil, couvercle contre à contre. *Ça paraît fermé. Ça ira* bien comme ça jusqu'à ce que *je revienne* [2]. »

De même, c'est en passant du *il* au *je* ou du *je* au *il* que Valery Larbaud dans *Mon plus secret conseil*, distingue les actes des pensées. Ainsi lorsqu'il montre son héros Lucas Letheil sur le point de partir :

« *Il a son portefeuille?* Oui... *Il a ses clés.* O ragazza mia, chère vous, *je suis fâché de vous quitter* si vilainement, les premiers temps étaient si beaux! ... *Je pourrais emporter Thomas de Quincey?* Non, *je serais incapable de lire* pendant ce voyage... *Il revient sur ses pas*, referme le livre [3]. »

Ces passages de la première à la troisième personne ont cependant l'inconvénient d'interrompre la continuité du courant de conscience et d'occulter son intimité. Les actes et les objets, décrits de l'extérieur, ne sont pas sur le même plan que les pensées ou les sentiments.

---

1. M. Raimond, *La Crise du roman français*, p. 283.
2. James Joyce, *Ulysse*, Paris, Gallimard, 1948, p. 56.
3. Valery Larbaud, *Mon plus secret conseil*, in *Amants heureux amants*, Paris, Gallimard, 1928, p. 162.

Avec le *vous* en revanche le monde et la conscience sont
donnés d'un même coup. Les choses ne sont pas « dissoutes
dans la conscience [1] » puisque la distance impliquée par le
vous permet leur description en tant qu'objets, mais cette
description est en elle-même celle de la conscience qui les
éprouve ou les réfléchit. Dans la mesure où l'on peut parler
de «réalisme phénoménologique» à propos d'une technique
narrative, on peut donc reconnaître avec St. Aubyn [2] que
l'utilisation de la deuxième personne dans *La Modification*
représente une étape nouvelle dans la présentation d'une
conscience vraiment « en situation ».

c) *Modulations du point de vue — L'émergence du Je.*

« Comme il s'agissait d'une prise de conscience, il ne
fallait pas que le personnage dise *Je*. Il me fallait un monologue intérieur au-dessous du personnage lui-même, dans
une forme intermédiaire entre la première personne et la
troisième. *Le Vous me permet de décrire la situation du
personnage et la façon dont le langage naît en lui* [3]. »
    C'est ainsi que Butor lui-même justifie l'emploi du *vous*
dans *La Modification*. On vient de voir comment le *vous*
permet de décrire une conscience en situation, voyons
comment il permet de décrire la prise de conscience, par le
héros lui-même, de cette situation.

---

1. Comme le disait Sartre à propos de Husserl : « Husserl ne se lasse pas
d'affirmer qu'on ne peut dissoudre les choses dans la conscience. Vous
voyez cet arbre-ci, soit. Mais vous le voyez à l'endroit même où il est :
au bord de la route, au milieu de la poussière seul et tordu sous la chaleur,
à vingt lieues de la côte méditerranéenne. Il ne saurait entrer dans votre
conscience car il n'est pas de même nature qu'elle. » « Une idée fondamentale de la phénoménologie de Husserl : l'intentionnalité », *Situations I*,
p. 32.
    2. Cf. F. C. St. Aubyn, *Michel Butor and Phenomenological Realism*,
p. 58. Michel Butor a reconnu d'ailleurs explicitement sa dette à l'égard
de la phénoménologie dans son « Intervention à Royaumont » (1959),
Répertoire II, p. 271. Il n'est pas d'autre part le seul écrivain que l'on
puisse interpréter à la lumière de cette philosophie contemporaine. Renato
Barilli voit ainsi dans « le fond théorique constitué par la doctrine phénoménologique, surtout dans les développements que celle-ci a eu en France,
par exemple dans les œuvres fondamentales comme *L'Être et le Néant*
de Sartre et *La Phénoménologie de la perception* de Merleau-Ponty... un
fil conducteur presque irremplaçable pour se mouvoir dans l'art romanesque de Robbe-Grillet. » R. Barilli, « De Sartre à Robbe-Grillet », *Revue
des lettres modernes*, 1964, I, p. 106. On peut même, on l'a vu à propos de
Stendhal, éclairer par ce moyen l'œuvre d'auteurs qui ne peuvent, et
pour cause, avoir subi l'influence de Sartre ou Merleau-Ponty. Mais ce
qui nous importe, encore une fois, c'est de montrer au niveau du texte la
singularité de Butor à cet égard.
    3. Déclaration à Paul Guth, *Le Figaro littéraire*, 7 déc. 1957.

Remarquons d'abord que les variations de pronoms personnels à l'intérieur d'un récit en bouleversent les perspectives.

Lorsque dans *Le Lys dans la vallée*, le *vous* se substitue au *je* pour désigner le même personnage, le lecteur change radicalement d'optique. Alors qu'il était avec Félix de Vandenesse, participait à son histoire, s'identifiait à lui, il se place soudain du côté de Natalie, la jeune femme à qui s'adresse le narrateur, et se met à juger l'histoire qu'il vient de lire d'un œil critique. Balzac utilise ce procédé avec beaucoup d'ironie, on s'en souvient peut-être. A la fin du roman, Félix achève le récit long et attendrissant de ses amours passées avec Madame de Mortsauf et Lady Dudley par un appel à la jeune femme qui avait d'ailleurs sollicité sa « confession ». « Demain, lui écrit-il, je saurai si je me suis trompé en vous aimant [1]. » Dans le chapitre suivant, qui joue le rôle d'épilogue, Natalie lui répond :

« Je renonce à la gloire laborieuse de vous aimer : il faudrait trop de qualités catholiques et anglicanes et je ne me soucie pas de combattre des fantômes... Si vous tenez à rester dans le monde à jouir du commerce des femmes, cachez-leur avec soin tout ce que vous m'avez dit : elles n'aiment ni à semer les fleurs de leur amour sur des rochers, ni à prodiguer leurs caresses pour panser un cœur malade. Toutes les femmes s'apercevraient de la sécheresse de votre cœur, et vous seriez toujours malheureux [2]. »

Le changement de pronom personnel, lié dans ce cas au changement de narrateur fait basculer la signification du roman : l'échec passé de Félix se double d'un échec présent, l'amant admirable apparaît comme « un criminel » et le cœur sensible comme un « monstre » d'égoïsme [3].

Lorsque les changements de pronoms interviennent à l'intérieur d'une même perspective narrative, l'illusion produite est celle d'une évolution intérieure et d'une prise de conscience de cette évolution par le héros lui-même. On en trouve un bel exemple dans *Mon plus secret conseil*, d'autant plus intéressant que le passage commence par une description à la deuxième personne. Lucas Letheil, à l'instar de Léon Delmont, vient de s'installer dans un compartiment de chemin de fer, mais dans une direction

1. H. de Balzac, *Le Lys dans la vallée*, p. 329.
2. *Ibid.*, p. 330-331.
3. *Ibid.*, p. 332.

différente de celle qu'il avait primitivement projeté de prendre. Voici comment Larbaud décrit sa situation :

« *Lucas, il faut vous habituer* à cette idée : *vous vous attendiez* à décrire, à partir de Salerne, une courbe inclinée vers la droite et suivant le rivage de la mer, mais c'est vers la gauche que *vous serez entraîné*, gravissant l'arête centrale de la péninsule et redescendant ensuite vers une autre mer qui a un beau nom : Ionienne. *Avertissez* de ce changement d'itinéraire *votre sens de la direction et votre sens géographique*, parce qu'*ils méritent qu'on ait de ces égards pour eux* et parce qu'*ils souffrent sans qu'ils sachent pourquoi*, mais d'une manière qui est *perceptible pour nous*, lorsque *nous sommes* dans l'impossibilité de dire par exemple, *dans notre chambre* rue Berthollet : Orléans est devant moi, un peu sur la droite et Nancy à peu près en face de mon oreille gauche. Ici il n'y a aucun doute : assis de trois quarts sur la banquette, face à la locomotive qu'on vient d'attacher au convoi, *il a Tarente devant lui et il tourne*, résolument, le dos au Vomero [1]. »

Il s'agit cette fois de la prise de conscience d'abord diffuse, puis de plus en plus claire d'une situation matérielle. On voit le rôle joué par les changements de pronoms personnels : ce qui était au début de l'ordre de l'irréfléchi et rendu par le *vous*, passe par le biais d'une réflexion à un niveau de conscience plus général et s'universalise dans le *nous*, pour se réfléchir ensuite plus précisément dans le *moi* et finalement s'objectiver dans un *il*.

La Modification présente des modulations analogues. Avec cette différence essentielle, qu'au lieu de varier constamment et de se succéder rapidement à l'intérieur d'une même phrase, les variations de pronoms ne se réalisent qu'au cours d'un processus extrêmement lent.

La deuxième personne domine l'ensemble du récit et se maintient sans exception durant toute la première moitié du livre. Cette permanence et cette prédominance du vous est capitale.

S'il est juste en effet de distinguer comme l'a fait Erica Hönisch, deux niveaux de narration, selon que le personnage se voit au présent ou au passé, on ne peut parler à ce propos d'un « *je* qui se remémore » et d'un « *je* remémoré [2] ». Au présent comme au passé c'est toujours d'un *vous* qu'il s'agit : d'un être vu à distance qui ne coïncide jamais tout

---

1. Valery Larbaud, *Mon plus secret conseil*, in *Amants heureux amants*, p. 170.
2. Cf. E. Hönisch, *Das gefangene Ich*, p. 39.

à fait avec lui-même. Que ce soit au présent, au passé ou au futur, Léon Delmont ne parle pas vraiment en son nom ou plutôt il faudra toute la « modification » pour qu'il y parvienne. S'il est vrai, d'autre part, que le *vous* du présent commente et interprète les actes ou sentiments du *vous* passé, s'il est vrai qu'une certaine tension s'institue entre un passé refusé et un présent à partir duquel se projette un futur désiré, la permanence du *vous* maintient un lien étroit entre ces deux instances du personnage. L'emploi de l'imparfait et du passé composé au lieu du passé défini marque d'ailleurs qu'il s'agit d'un passé toujours agissant et non pas d'un passé révolu [1], qu'il s'agit d'un passé dont le héros ne parvient pas à se libérer et non pas d'un passé dont il serait « séparé » ou qui lui serait « étranger [2] ».

Ce n'est justement qu'à la fin du récit, à la fin du voyage qu'une certaine portion de son passé lui devient étrangère : lorsqu'il est obligé de reconnaître que son amour pour Cécile n'était qu'une illusion. C'est alors et alors seulement, qu'à l'imparfait se substitue le passé défini :

« Et maintenant dans votre tête résonne cet « adieu Cécile », les larmes vous montant aux yeux de déception, vous disant : comment pourrai-je jamais lui faire comprendre *le mensonge que fut cet amour* »... (p. 233).

Ce passé défini, exceptionnel dans le récit [3], doit sa

---

1. Cf. à ce sujet P. Imbs, *L'Emploi des temps verbaux en français moderne*, Paris, Klincksiek, 1960, Ire partie, chap. IV. Les temps du passé. P. Imbs cite précisément (p. 101) un passage de *La Modification* pour montrer comment « l'aspect de l'accompli » dans le passé composé « s'accompagne d'une référence au présent ». Référence souvent explicitée dans le roman de Butor par l'adverbe *maintenant*. Remarquons que l'emploi du *vous*, exclut l'aoriste et situe la narration au niveau de ce que Benveniste appelle le « discours », en l'opposant au « récit » E. Benveniste, *Problèmes de linguistique générale*, Paris, Gallimard, 1966, p. 241 et 244.

2. E. Hönisch, *Das gefangene Ich*, p. 38. On sait que l'allemand ne connaît pas cette distinction entre les temps du passé. En parlant d' « epische Preterit », E. Hönisch oppose les faits décrits au passé (sans tenir compte des temps utilisés) aux commentaires faits au présent, qu'elle compare, justement, aux intrusions du narrateur dans le roman « auktorial » (vision par derrière) ou dans le roman à la première personne. Dans la traduction allemande de *La Modification : Paris-Rom oder die Modifikation*, Aufbauverlag Berlin und Weimar, 1967, le même prétérit traduit les imparfaits, les passés composés et les quelques passés définis, (cf. par exemple, p. 31-32 éd. française, p. 37 éd. allemande ou p. 233 éd. française et p. 228 éd. allemande).

3. On peut en relever quatre autres : un dans la reproduction de la plaque commémorative : « En ce village... Nicéphore Niepce inventa la photographie » (p. 184). Deux dans le rêve : « comme il écoutait... il crut

valeur [1] à son opposition aux autres temps du passé. De même, les *je* ou les autres pronoms doivent leur valeur à leur opposition au *vous*. C'est dans cette perspective que nous examinerons leurs fonctions respectives.

Le *vous* permet l'expression au niveau du langage de ce qui est vécu à un niveau de conscience préalable au langage. On l'a vu à propos des gestes et des objets, c'est le cas aussi pour tous les processus psychiques vécus dans la semiconscience ou même l'inconscience : rêveries ou rêves par exemple. Le *vous* offre à cet égard les mêmes avantages que le *il* tel qu'il est employé dans le discours indirect libre ou le monologue intérieur indirect : si les faits de conscience sont ici « présentés directement avec les caractéristiques inhérentes aux processus psychiques, on sent continuellement la présence d'un narrateur qui organise, dirige, commente, décrit une situation, sans toutefois briser la cohérence du point de vue [2]. »

Le *vous* suppose en outre qu'il y a « quelqu'un à qui on raconte sa propre histoire, quelque chose de lui qu'il ne connaît pas ou du moins pas encore au niveau du langage [3] ». L'emploi du *vous* implique donc que le narrateur en sait

distinguer... » (p. 276), « un homme qui continuait sa navigation... et qui sentit alors une odeur de fumée » (p. 186). Liés l'un et l'autre à la troisième personne et succédant à des imparfaits, ces passés définis marquent les variations de distance entre les différentes instances de la personnalité du rêveur. Un enfin lors de l'évocation des premières rencontres avec Cécile à Rome : « ce fut l'automne et puis l'hiver » (p. 102) qui correspond à une accélération du temps que nous étudierons au chapitre v.

1. Le mot « valeur » est à prendre ici au sens qu'on lui accorde en linguistique depuis Saussure : « Dans la langue chaque terme a sa valeur par son opposition avec tous les autres termes. » F. de Saussure, *Cours de linguistique générale*, p. 153-155. La traduction allemande, on l'a dit, ne rend pas compte de ces oppositions.

2. Nous utiliserons la définition de R. Humphrey, *The Stream of Consciousness in the modern Novel*, p. 28. Les distinctions de R. Humphrey s'appliquent en effet fort bien au monologue intérieur tel qu'il est employé dans *La Modification* : « la différence de base entre les deux techniques (directe et indirecte) réside dans le fait que le monologue intérieur indirect donne au lecteur le sentiment d'une présence continue de l'auteur, tandis que le monologue direct l'exclut entièrement ou en grande partie. Cette différence à son tour implique des différences particulières, telle que l'utilisation de la troisième personne (ou de la seconde) à la place de la première, une utilisation plus large de méthodes de description et d'exposition pour présenter le monologue et la possibilité d'une plus grande cohérence dans l'organisation des matériaux. En même temps la fluidité et le réalisme dans la description des états de conscience peut être maintenue ». Sur le monologue intérieur indirect, cf. aussi E. Lämmert, *Bauformen des Erzählens*, p. 234-236.

3. Michel Butor, « L'usage des pronoms personnels dans le roman », *Répertoire II*, p. 66.

plus sur le personnage que le personnage lui-même : tandis que le *je* ne peut raconter « que ce qu'il sait de lui-même », et dans le cas du monologue intérieur, ce qu'il en sait « au moment même[1], » le *vous* peut se laisser raconter ce qu'il ignore ou veut ignorer. Il faut par conséquent que le personnage en question ne puisse pas raconter sa propre histoire, que le langage lui soit interdit et que l'on force cette interdiction, que l'on provoque cette accession. « C'est ainsi, explique Butor, qu'un juge ou un commissaire de police, dans un interrogatoire, rassemblera les différents éléments de l'histoire que l'acteur principal ou le témoin ne peut ou ne veut lui raconter et qu'il les organisera en un discours à la deuxième personne pour faire jaillir cette parole empêchée[2]. » Cette comparaison éclaire un aspect important des rapports qui, dans *La Modification*, s'instituent entre le narrateur et le personnage. Non seulement le monologue intérieur est ici structuré comme un dialogue, mais celui-ci prend la forme d'un véritable interrogatoire[3] dans lequel l'instance qui pose les questions joue le rôle d'inquisiteur impitoyable, tandis que l'instance interrogée joue celui de l'accusé.

Les critiques n'ont pas manqué de souligner cet aspect du roman. « Dans *La Modification*, déclarait André Rousseaux, le *vous* est inexorable, il tient le héros comme un insecte sous la pince et la loupe, mieux, il obtient du héros les révélations les plus subtiles, les aveux les plus pénétrants, pour les formuler à sa place et les énoncer à lui-même[4]. » « Cette interpellation est capitale, affirme Roland Barthes, car elle institue la conscience du héros. C'est à force de s'entendre décrire par un regard que la conscience du héros se modifie[5]. » Les rapports du *je* (implicite) au *vous* apparaissent non seulement comme des rapports de distance, mais comme des rapports de force.

1. L'usage des pronoms personnels dans le roman, *Répertoire II*, p. 65.

2. *Ibid.*, p. 66.

3. Comme l'a bien montré E. Hönisch, *Das gefangene Ich*, p. 134. Michel Leiris remarquait déjà que « la deuxième personne n'est pas seulement la personne par excellence de l'impératif, elle peut être regardée comme la plus illustrative de l'interrogation puisqu'une interrogation, quelque forme grammaticale qu'elle revête, s'adresse toujours directement à quelqu'un (autrui, être imaginaire ou bien celui-là même qui se pose la question) ». *Le Réalisme mythologique de Michel Butor*, p. 308.

4. A. Rousseaux, « La Modification de Michel Butor », *Figaro littéraire*, 1er novembre 1957, p. 2.

5. R. Barthes, « Il n'y a pas d'école Robbe-Grillet », in *Essais critiques*, p. 103.

Une autre comparaison, proposée également par l'auteur, permet de nuancer, tout en la confirmant, cette interprétation : « Nous sommes, déclare-t-il, dans une situation d'enseignement : ce n'est plus seulement quelqu'un qui possède la parole comme un bien inaltérable, inamovible, comme une faculté innée qu'il se contente d'exercer, mais quelqu'un à qui on donne la parole [1]. » A l'image du procès se superpose celle de la maïeutique. Aux figures du juge et de l'accusé se superposent celles du maître et de l'élève. Tandis qu'au niveau des thèmes, se superposent ceux du jugement et de la quête.

On peut alors se demander si le point de vue qu'il nous faut adopter est bien celui de ce « prisonnier [2] », de cet ignorant, de cet aphasique, le malheureux Léon Delmont, si ce n'est pas plutôt celui du narrateur, de cet inquisiteur, de cet initiateur, qui lui « arrache ses secrets », lui « donne la parole ». Si cette fois « c'est le juge qui parle », si « l'auteur a choisi le point de vue de l'accusateur [3] », comment le lecteur ne s'associerait-il pas avec lui pour condamner Léon Delmont, ou du moins prendre ses distances et se désolidariser de ce qui lui arrive?

On peut se le demander et on se le demande en effet, perpétuellement tentés d'agrandir la distance qui nous

1. Michel Butor, « L'usage des pronoms personnels », *Répertoire II*, p. 66. L'auteur qui a poursuivi systématiquement ses expériences sur l'usage des pronoms personnels dans le roman, a multiplié les points de vue dans *Degrés*, roman qui succède, on le sait, à *La Modification* et en présente certains « détails agrandis ». Le livre est construit sur les trois personnes du singulier cette fois : je, tu il. Pierre Vernier (le professeur), premier narrateur, confie l'enregistrement des événements à Pierre Eller, son neveu. Relevons ce passage : « Le soir tu as commencé à rédiger ce texte que je continue, ou plus exactement que tu continues en te servant de moi, car, en réalité, ce n'est pas moi qui écris mais toi, tu me donnes la parole, tu t'efforces de voir les choses de mon point de vue, d'imaginer ce que je pourrais connaître et que tu ne connais pas, me fournissant les renseignements que tu possèdes et qui seraient hors de ma portée. » Cf. à ce sujet J. Roudaut, *Michel Butor ou le livre futur*, p. 92-97.

2. A. Rousseaux a donné pour titre à un de ses comptes rendus du roman : « Michel Butor romancier de la prison humaine », *Le Figaro littéraire*, 19 avril 1958. G. Zeltner Neukomm, dans *La Grande Aventure du roman français*, p. 156, et E. Hönisch caractérisent le personnage comme un « moi prisonnier ». Mais d'après celle-ci la description d'un « moi prisonnier » est liée à l'emploi du monologue intérieur comme tel. E. Hönisch, *Das gefangene Ich*, p. 161.

3. « C'est le juge cette fois qui parle », déclare B. Pingaud, « *Je, vous, il* », in *Esprit*, 1958. De même R. Barthes affirme : « Le vouvoiement n'est pas un artifice de forme, il me paraît littéral, il est celui du créateur à la créature, nommée, constituée, créée dans tous ses actes par un juge et générateur. » *Essais critiques*, p. 103.

sépare de ce personnage que nous ne sommes pas, que nous ne voudrions pas être. On peut se le demander et dans une grande mesure répondre affirmativement. Mais avant de pouvoir se désolidariser du personnage, il faut commencer par l'accompagner jusqu'au bout de son aventure. Non seulement le *je* implicite, à la place duquel le lecteur pourrait vouloir se glisser est trop proche du *vous* pour qu'il puisse perdre ce dernier de vue, mais c'est le *vous* lui-même qui au cours du récit se transforme en *je* : « les paroles prononcées par le témoin se présentent comme des îlots à la première personne à l'intérieur d'un récit fait à la seconde qui provoque leur émersion[1] ». Nous assistons à la naissance d'un langage mais ce langage est d'abord celui du personnage lui-même :

> « Alors, terrorisée, *s'élève en vous votre propre voix* qui se plaint : ah, non, cette décision que *j'avais eu* tant de mal à prendre, il ne faut pas la laisser se défaire ainsi ; ne *suis-je* donc pas dans ce train, en route vers Cécile merveilleuse ? ma volonté et mon désir étaient si forts... *Il faut arrêter mes pensées pour me ressaisir et me reprendre,* rejetant toutes ces images qui montent *à l'assaut de moi-même...* » (p. 135).

Le passage du *vous* au *je* manifeste donc l'émergence d' « *une autre instance* » (p. 175) chez le personnage lui-même.

Pour voir comment le récit « provoque » cette « émersion », il reste à préciser les circonstances dans lesquelles s'effectue ce passage. Les modulations du point de vue en effet ne sont pas dissociables de la description même de la situation.

Le *je* se manifeste une première fois lors de l'évocation d'un voyage que le héros a fait avec Cécile, un an auparavant à Paris :

> « vous vous demandiez : pourquoi cela ne peut-il pas durer toujours ainsi, pourquoi suis-je toujours obligé de la quitter ? Il y a eu un grand pas de fait ; j'ai réussi à ce qu'elle soit avec moi ailleurs que dans Rome » (p. 119).

Premier pas, « exception et non véritable changement » (p. 120) ce voyage passé préfigure à ses yeux celui qu'il est en train d'accomplir :

> « cette possibilité au bout d'un an, elle va se réaliser, vous avez décidé de la réaliser, vous êtes en train de la réaliser » (p. 120).

---

1. Michel Butor, « L'usage des pronoms personnels », *Répertoire II*, p. 67.

Mais au fur et à mesure que les heures passent et que ses souvenirs se précisent, Léon Delmont prend conscience de l'échec que fut pour lui cette première tentative. Le *je* présent recouvre alors le *je* passé :

« Vous vous dites : il y a un an;... j'avais oublié non pas notre voyage mais la façon dont il s'était passé exactement...

Vous vous dites : je ne sais plus quoi faire, je ne sais plus ce que je fais ici » (p. 157).

C'est dans ce cas l'évocation d'un « *souvenir fatal* » (p. 159) qui provoque l'émergence du *je*. Ce souvenir est « fatal », parce que lors de ce voyage avec Cécile s'est produit un événement capital. Les deux femmes se sont rencontrées à Paris et il a eu l'impression qu'elles s'étaient liguées contre lui dans un « mépris commun » (p. 155).

A la pression du passé s'ajoute celle des autres : Henriette et Cécile, les compagnons de voyage.

Rappelons d'abord que la limitation du point de vue à une conscience centrale a pour conséquence l'aplatissement des autres personnages du roman : nous connaissons bien le personnage principal, pénétrons ses pensées et ses sentiments, épousons ses réactions, plongeons avec lui dans son passé et son avenir, mais nous ne savons des autres que ce qu'il veut ou peut nous en dire. Si *La Modification* n'est pas vraiment un « drame psychologique[1] », c'est, entre autres raisons, parce qu'il n'y a pas de véritables protagonistes. Henriette et Cécile ne sont pas tant des « personnages » que les figures symboliques d'une existence déchirée. Il y a peut-être drame, mais ce drame est tout intérieur. Il y a bien un « triangle » dont le héros ne parvient pas à sortir,

---

1. Comme l'avait bien vu Bernard Dort : « Ce héros de Butor est bien à la croisée des chemins lui aussi. Mais cette fois, l'expression doit être prise dans son sens littéral : il est à la croisée des chemins qui mènent de Paris à Rome, à la croisée de plusieurs voyages entre Paris et Rome, à la croisée de plusieurs réalités, de plusieurs temps, à la croisée de deux mondes. Dans son aventure, rien ne relève du drame de conscience ni même du drame psychologique, quoi qu'il en semble et quoi qu'on en ait dit... Son héros, Léon Delmont ne lutte pas : il n'est pas partagé entre son devoir (d'époux parisien) et sa passion (d'amant romain). Il n'est même pas en proie à des sentiments contradictoires, ni le jouet de deux amours dont le plus fort l'emportera... Son aventure est autre : elle n'est pas tout à fait la sienne, celle de ce personnage singulier et banal qui a nom Léon Delmont; elle est aussi celle du lecteur et du romancier. Elle est découverte de la réalité, de plusieurs réalités contradictoires entre elles, *à travers* Léon Delmont, par lui plus que pour lui. Non drame de conscience, mais prise de conscience, révélation. » B. Dort, *La Forme et le fond*, p. 122.

mais ce triangle n'est qu'une des formes de son aliénation.

La situation matérielle du personnage, qui justifie dans une grande mesure la perspective narrative (que faire seul dans un compartiment sinon se perdre dans ses pensées?) correspond ainsi à sa situation psychologique. Léon Delmont est à distance des autres, matériellement et mentalement. Ces rapports de distance qu'il entretient avec Henriette et avec Cécile varient au cours de son voyage. D'abord séparées comme deux pôles radicalement opposés, les deux femmes se rejoignent et finissent même par échanger leurs rôles[1]. Dans ce procès, cette modification, le héros est seul en jeu. C'est dans sa tête que tout se passe, ce sont ses projets qui se modifient. Et c'est aussi parce que les autres sont absents, parce qu'ils ne sont pas des sujets auxquels il pourrait se confronter dans une véritable lutte pour la reconnaissance mais le pur support d'un certain nombre d'illusions, qu'il se désagrège.

A distance du héros, radicalement absentes, Cécile et Henriette interviennent cependant dans la modification qui se produit en lui. Être absent pour un être humain, c'est, comme l'a bien montré Sartre, « une manière particulière d'être présent[2] ». Cette intervention d'autrui dans le champ de conscience du héros se manifeste dès la première page du roman, lorsque le voyageur songe à ses cheveux grisonnants, et structure toute *La Modification*[3]. Léon n'arrête pas d'évoquer les deux femmes, de s'interroger sur leurs attitudes à son égard, d'entendre leurs questions ou leurs reproches, de rappeler ses dialogues passés ou d'en imaginer dans le futur. Il est significatif que les dialogues, qui objectivent le personnage en nous le montrant d'un autre point de vue[4] (celui de Cécile ou celui

---

1. Figures symboliques plutôt que personnages, les deux femmes sont les foyers de constellations d'images qui renvoient à des thèmes qui les dépassent. On verra dans le chapitre v comment les images et les motifs d'abord caractéristiques des deux femmes se libèrent au cours de la narration de ces foyers primitifs et cristallisent autour d'autres objets, d'autres êtres, d'autres valeurs.

2. J.-P. Sartre, *L'Être et le Néant*, Paris, Gallimard, 1943, p. 339.

3. Le thème de la communication, on le verra dans les chapitres suivants, est aussi important que ceux du jugement et de la quête.

4. Par exemple lorsque Cécile dit à Léon à propos d'Henriette : « Elle a des idées bien plus larges que toi et *il te faut quitter tes illusions :* tu n'as plus tellement d'importance pour elle... mais *ne te rends-tu pas compte* qu'elle te laisse toute ta liberté? » (p. 156) ou qu'elle lui déclare : « Tu as beau être Monsieur le directeur, *tu es un enfant,* au moins quand tu es avec moi, et c'est pour cela que je t'aime » (p. 126) ou surtout lorsqu'elle constate : « *tu es pourri de christianisme jusqu'aux moelles* » (p. 139).

d'Henriette) interviennent aux moments de plus grande crise. Ils se multiplient au milieu du roman lors de l'évocation du séjour avec Cécile à Paris (p. 145-149 et 152-156). Et c'est à la suite d'un dialogue imaginaire avec sa femme que s'élève en lui *sa « propre voix qui se plaint »* (p. 134-135).

Le regard des autres aide donc le héros à porter le regard sur lui-même et il finira par comprendre que *l'on est soi-même gardien de l'œil des autres* (p. 173).

Les rapports du héros avec ses compagnons de voyage sont, à cet égard, analogues à ses rapports avec les deux femmes. On a noté que les autres voyageurs, réunis comme par hasard dans ce compartiment, présentaient tous des points communs avec Léon Delmont. Ces points communs, c'est le héros qui les leur attribue, projetant sur eux ses préoccupations et ses obsessions. Il imagine par exemple que le voyageur de commerce trompe sa femme (p. 89). Il se demande s'il faut attribuer les signes de contrariété qu'il croit lire sur le visage de l'ecclésiastique : « à une espèce de doute sur ce que représente son costume, du *regret de s'être engagé dans une voie dont il n'ose s'avouer que ce n'est pas la sienne* » (p. 74). Et, lorsqu'il se pose la question « *comment peut-on vivre ainsi professeur de droit?* » c'est pour ajouter aussitôt : « *mais bien plutôt comment peut-on être directeur de la branche française de la maison Scabelli* » (p. 44).

La confrontation avec les autres accentue le dédoublement de la perspective narrative et contribue ainsi à la prise de conscience du héros. L'attitude prise par le héros vis-à-vis des autres (dont on a vu par ailleurs qu'elle réfléchissait celle du romancier) préfigure celle qu'il prendra plus tard vis-à-vis de lui-même. C'est d'abord pour pouvoir « regarder la situation en face très calmement, avec détachement, *comme un autre* pourrait la considérer » (p. 198), que Léon Delmont décide d'écrire son livre.

Si le rapport à l'autre est dans une certaine mesure un rapport à soi, il faut souligner le fait que Léon n'est pas tout de suite capable de dire *je*. Parallèle à la prise de conscience du passé, l'émergence du *je* ne se réalise qu'au terme d'une longue épreuve. De même qu'il fallait préciser le moment où le *vous* qui se remémore se transforme en *je*,

Ces paroles confirment ce que nous pouvions penser du personnage, mais que lui ne nous disait pas. Sur la fonction du dialogue dans le roman, cf. F. K. Stanzel, *Typische Formen des Romans*, p. 48-49, et Percy Lubbock, *The Craft of Fiction*, p. 105.

il faut préciser celui où le *vous* qui s'adresse aux autres se réfléchit en un *je*.

Lorsqu'au début du voyage la situation de Léon Delmont est comparée à celle des jeunes époux, les deux termes de la comparaison sont presque mis sur le même plan, les uns et les autres sont à distance :

> « *Pour eux*, les deux amants, les deux époux... tout est source de satisfaction neuve... *mais vous*, l'ennui, la solitude vous ont renvoyé jusqu'à cette case » (p. 21).
>
> « Il est vrai qu'*ils sont ensemble, eux, qu'ils sont enchantés... qu'ils n'ont pas* sur eux la fatigue anticipée de ce nombre d'heures... *qui vous séparent* de Cécile » (p. 25).

Il en est de même plus loin, lorsqu'au chapitre V, le narrateur compare une fois encore leur situation :

> « ne devriez vous pas la troubler, *leur* quiétude, *le leur dire* qu'il ne faut pas qu'*ils* s'imaginent avoir gagné, que *vous* l'aviez cru *vous aussi*... qu'il leur faut dès maintenant se préparer à se séparer, détruire *entre eux* tous ces préjugés qui viennent de leur milieu *semblable au vôtre* »... (p. 116).

Ce n'est que tard dans le récit, à la fin du chapitre VI, marquant une étape très nette dans la modification subie par Léon, que cette confrontation avec autrui provoque l'émergence du je :

> « Comme ces journées seront belles *pour vous... Tandis que moi... que ferai-je*, à quel saint, quelle sainte me vouerai-je? » (p. 158).

Cette fois encore c'est quand il s'adresse à autrui à la seconde personne, qu'il est capable ou qu'il est contraint de dire *je*.

Ces différentes apparitions de la première personne marquent un progrès dans la prise de conscience du héros, mais elles n'ont rien de triomphant. Le *je* ne se manifeste d'abord que pour se plaindre et se trouve immédiatement recouvert par le *vous*. Un peu plus tard, le *je* s'affirme plus nettement :

> « Cela est fait, le pas est franchi, *je suis* ici... *je vais* à Rome, pour Cécile seule » (p. 164).

Mais cette fois encore, ce *je* ne correspond pas à la vérité du personnage :

> « Car oui, *vous pouvez* bien *vous le redire*, cela est fait, le pas est franchi, mais non point celui-là que *vous aviez pensé* franchir en

prenant ce train, un autre pas, l'*abandon de votre projet* sous sa forme initiale » (p. 166).

L'apparition de ce *je* incertain ne marque donc pas le résultat d'une prise de conscience au terme de laquelle le personnage pourrait enfin parler en son nom. Il manifeste plutôt l'écart qui sépare Léon Delmont de lui-même. Il souligne la scission de sa personnalité, que l'emploi du *vous* laissait déjà entrevoir[1]. L'apparition de ces « îlots à la première personne » prélude à la dislocation du personnage qui s'effectuera dans le rêve.

Les puissances du rêve et de l'inconscient vont se lier en effet à celles de la mémoire, du corps et des autres pour le perdre et le détruire.

Le *je* qui était timidement apparu, par sursauts désespérés, fait place à un *il* étranger, ne représentant plus qu' « *un personnage embryonnaire qui se débat dans un sous-paysage encore mal formé* » (p. 193), auquel succédera de nouveau un *vous*. Il fait place aussi à un *tu* brutalement interpellé, auquel répondra le *je*, « *bégayant* » (p. 179) du rêveur. Aux figures d'Henriette et de Cécile, aux habitants du compartiment, incarnant les différentes instances de la personnalité du héros, se substituent les personnages imaginaires ou mythiques du passeur, du commissaire ou du gardien, des sibylles et des prophètes, des dieux et empereurs romains, du pape même, qui s'unissent pour mettre le rêveur à la question :

« Qui êtes-vous? Où allez-vous? Que cherchez-vous? Qui aimez-vous? Que voulez-vous? Qu'attendez-vous? Que sentez-vous? Me voyez-vous? M'entendez-vous? » (p. 210).

Ces questions reprennent en les amplifiant, celles que tout au long du livre posent le narrateur, les deux femmes, ou ce « Grand Veneur » dont Léon croyait entendre « la célèbre plainte » dans la forêt de Fontainebleau (p. 97, 114, 151, 171).

Lorsque, au terme de cette véritable « descente aux enfers[2] », dont le récit couvre les deux avant-derniers cha-

---

1. On sait que le thème de la scission est une des constantes de l'œuvre de Butor. Cf. à ce sujet J. Roudaut, *Michel Butor ou le livre futur*, p. 92-97, et G. Raillard, *Michel Butor*, p. 39-74. Nous retrouverons plus loin les motifs de la lézarde, la fissure, les déchirures, etc., qui actualisent ce thème dans *La Modification*.

2. Michel Leiris, *Le Réalisme mythologique de Michel Butor*, p. 289. Michel Leiris est le premier à avoir souligné cet aspect mythique du roman. A sa suite, J. Roudaut, *Michel Butor ou le livre futur*, p. 154, et E. Hönisch, *Das gefangene Ich*, p. 53, 57.

pitres, le *je* du rêve prend la parole, sa voix est celle d'un vaincu, d'un homme à demi mort, à qui ne reste plus que le faible pouvoir d'interroger :

« " Empereurs et Dieux romains, ne me suis-je pas mis à votre étude? N'ai-je pas réussi à vous faire apparaître quelquefois au détour des rues et des ruines? "

C'est une foule de visages qui s'approchent, énormes et haineux *comme si vous étiez un insecte retourné*, des éclairs zébrant leurs faces et la peau en tombant par plaques.

Votre corps s'est enfoncé dans la terre humide. Le ciel au-dessus de vous s'est mis à se zébrer d'éclairs, tandis que tombent de grandes *plaques de boue qui vous recouvrent* » (p. 224).

A la fin du voyage, à la fin du récit, le *je* réapparaît encore. Mais c'est celui d'un homme condamné, métamorphosé, désagrégé, qui n'a plus d'autre issue que de constater son échec :

« *Je continuerai* par conséquent ce faux travail détériorant chez Scabelli, à cause des enfants, à cause d'Henriette, à cause de moi, à vivre quinze place du Panthéon; *c'était une erreur de croire que je pourrais m'en échapper* » (p. 227).

Si l'on admet, comme nous l'avons fait jusqu'ici, que la voix qui dit *je* est celle de la conscience du héros, il faut reconnaître que *La Modification* ne nous raconte pas comment se constitue sa personnalité, ne nous relate pas les avatars de son histoire, mais nous montre au contraire comment cette personnalité se désagrège et cette histoire se défait.

Mais en même temps qu'elle se défait, elle s'universalise. Constatant son échec, le héros réfléchit à ce qui s'est passé et en découvre la raison :

« S'il n'y avait pas eu cet ensemble de circonstances, cette donne du jeu, peut-être cette *fissure béante* en ma personne ne se serait-elle pas produite cette nuit... mais maintenant qu'elle s'est déclarée, il ne m'est plus possible d'espérer qu'elle se cicatrise ou que je l'oublie, car elle donne sur une caverne qui est sa raison, présente à l'intérieur de moi depuis longtemps, et que je ne puis prétendre boucher, parce qu'elle est *en communication avec une immense fissure historique* » (p. 228-229).

« Léon Delmont croyait être quelqu'un, il n'est en fait personne, mais il se constitue en sujet lorsqu'il se découvre comme un moment de l'Histoire »... « Son aventure n'est pas individuelle mais collective; elle ne concerne pas un être séparé ni le lecteur qui vit en lui, mais notre race et notre histoire [1]. »

3. *Du héros au lecteur : l'éclatement du point de vue.*

C'est « *dans notre conscience ou notre inconscience* » (p. 229), en effet, et non pas seulement chez Léon Delmont, que se produit la modification. Léon Delmont est n'importe qui, Léon Delmont est « *chacun de nous* » (p. 231). On le parle et on nous parle à travers lui.

Certes c'est bien le cas dans tous les romans. L'expérience particulière qui nous est racontée a toujours une valeur exemplaire. Le héros et son histoire sont toujours le support de significations universalisables. Le romancier « fait son lecteur beaucoup plus qu'il ne fait ses personnages [2] », et c'est souvent comme ici, sur le dos de ses personnages que s'effectue la communication [3]. Mais cette fois ce rapport de l'auteur au lecteur est dénoncé dans le roman lui-même. La cohérence du point de vue apparaît après coup comme un piège destiné à forcer le lecteur à participer à la transformation du personnage et à sa destruction, à y participer activement et par conséquent prendre conscience des raisons pour lesquelles le personnage, lui, est voué à l'échec. L'intervention d'un narrateur conscient, l'appel explicite aux lecteurs, en détruisant l'illusion romanesque [4], soulignent fortement cet aspect du roman. Dans cette dialectique de la participation et de la distanciation qui constitue l'essence de toute lecture, mais dont l'ambiguïté de la perspective narrative accentue ici nettement les deux pôles, c'est la distanciation

---

1. Comme l'a fort bien dit J. Roudaut, *Michel Butor ou le livre futur*, p. 193 et 155.
2. Selon la juste remarque d'Henry James, citée par W. C. Booth, *The Rhetoric of Fiction*, p. 49. Suzanne Langer remarque ainsi que « dans une œuvre littéraire le personnage peut être désorienté mais que le lecteur, lui, ne l'est pas »! *Feeling and Form*, p. 216.
3. *Illusions perdues* et *Le Lys dans la vallée* sont des exemples frappants de ce phénomène. Comme dans la tragédie le héros est sacrifié au spectateur, dans le roman le personnage est sacrifié au lecteur.
4. Comme le soulignait, mais pour le lui reprocher, Gaëtan Picon : Butor « passe du récit au commentaire et ces dernières pages qui éclairent et approfondissent le livre, l'affaiblissent pourtant ». *L'Usage de la lecture*, p. 270. G. Picon n'a pas tort, mais cet affaiblissement n'est sensible qu'à la première lecture. En relisant le livre, c'est le point de vue de l'auteur que d'entrée de jeu, on adopte et l'expérience de la lecture ne s'identifie plus avec celle de Léon Delmont.

qui finalement prédomine. La naissance d'un langage coïncide avec le « sacrifice » du personnage mais le sacrifice du personnage est peut-être le salut du lecteur [1].

« *Je ne puis espérer me sauver seul* » (p. 229), certes, ce cri est bien celui du héros, mais comment ne pas y voir aussi celui de l'auteur?

« *Il me faudrait écrire un livre* » (p. 226), certes, c'est bien là une solution pour Léon puisqu'il lui suffira d'en prendre la décision pour que déjà se fassent jour de nouvelles raisons d'espérer, pour que déjà il puisse dire : « je te le promets, Henriette, dès que nous le pourrons, nous reviendrons ensemble à Rome » (p. 236). Mais comment ne pas voir dans ce souhait, dans cette décision, la figure de ce que l'auteur a fait pour nous? Car ce livre, « *futur et nécessaire* » (p. 256), ce livre qui « *permettra de regarder la situation en face... comme un autre pourrait la considérer* » (p. 198), ce livre dans lequel *Cécile* apparaîtra « *dans toute sa beauté, parée de cette gloire romaine qu'elle sait si bien réfléchir* » (p. 233), ce livre qui doit « *montrer le rôle que peut jouer Rome dans la vie d'un homme à Paris* » (p. 231), ce livre qui doit permettre, sinon « *d'apporter une réponse à cette énigme que désigne dans notre conscience ou notre inconscience le nom de Rome* » (p. 229), du moins de poser le problème, ce livre que Léon Delmont se promet d'écrire, Michel Butor l'a écrit et l'a écrit pour nous...

1. « Étant donné sa situation, étant donné le métier qu'il fait, les relations qu'il a, la place où il se trouve, eh bien, pour lui (Léon Delmont), tout est perdu », explique l'auteur à Madeleine Chapsal. « Il est condamné à l'impasse. Damné si vous voulez... » Mais, « destiné à disparaître, Léon se sauve par le biais de l'œuvre d'art. Si pour lui les issues sont bouchées, elles ne le sont pas forcément pour tous, et d'autres, ses enfants, seront d'autant moins condamnés qu'il leur aura montré pourquoi il l'est... », *Les Écrivains en personne*, p. 60. Nous avons essayé de montrer que l'auteur ne constituait son personnage que pour mieux le contester et du même coup se contester lui-même et son lecteur. Ce que nous a appris l'analyse de la perspective narrative va se trouver confirmé par les analyses de l'espace et du temps. Mais il est fort possible, on l'a dit, que le piège fonctionne trop bien pour certains lecteurs. Après tout le personnage se sauve en partie et tout rentre dans l'ordre. Comme l'a fort bien dit A. Robbe-Grillet : « Si les normes du passé servent à mesurer le présent, elles servent aussi à le construire. L'écrivain lui-même, en dépit de sa volonté d'indépendance, est en situation dans une civilisation mentale, dans une littérature qui ne peuvent être que celles du passé. Il lui est impossible d'échapper du jour au lendemain à cette tradition dont il est issu. Parfois même les éléments qu'il aura le plus tenté de combattre, sembleront s'épanouir au contraire, plus vigoureux que jamais, dans l'ouvrage où il pensait leur porter un coup décisif; et on le félicitera, bien entendu, avec soulagement, de les avoir cultivés avec tant de zèle. » *Pour un Nouveau Roman*, p. 17.

CHAPITRE IV

L'INTÉGRATION ÉPIQUE DE L'ESPACE

(Le train)

> *« Le mouvement qui s'est produit dans votre esprit accompagnant le mouvement de votre corps à travers tous les paysages intermédiaires. »*

I. LES POSSIBILITÉS D'UNE SITUATION ROMANESQUE

1. *Le voyage en train comme thème et structure.*

Récit d'un voyage, matériel et spirituel, le roman de Butor s'inscrit dans une longue tradition[1]. De l'*Odyssée* à *Ulysse*, en passant par *Les Métamorphoses*, *L'Ane d'or*, *La Quête du Graal*, *La Divine Comédie*, *Don Quichotte*, jusqu'à *Moby Dick* ou *Lumière d'août*, ce sont les étapes d'un voyage qui articulent et symbolisent les étapes d'une aventure mythique, spirituelle ou simplement psychologique.

Cette liaison du roman au voyage, si l'on en croit Butor, n'est pas accidentelle. « Toute fiction, affirme-t-il, s'inscrit en notre espace comme voyage et l'on peut dire à cet égard

---

[1]. Dans le chapitre intitulé « The nature and modes of narrative fiction » de leur *Theory of Literature*, Welleck et Warren affirment ainsi : « One of the oldest and most universal plots is that of the Journey, by land of by water » et citent à l'appui : *Huck Finn, Moby Dick, Pilgrim Progress, Don Quixote, Pickwick Papers, The Grapes of Wrath*, p. 206. Michel Leiris fait allusion de son côté à Moby Dick pour illustrer le caractère mythologique du roman de Butor, *Le Réalisme mythologique de Michel Butor*, p. 299.

que c'est là le thème fondamental de toute littérature
romanesque [1]. » Il en résulte que « tout roman qui nous
raconte un voyage est plus clair, plus explicite que celui
qui n'est pas capable d'exprimer métaphoriquement cette
distance entre le lieu de ma lecture et ce lieu où nous
emmène le récit [2]. »

Chemin de fer, moyen de communication d'un lieu à un
autre, le train devrait donc exprimer, métaphoriquement,
cette distance à laquelle Michel Butor fait allusion.

Le voyage en train apparaît, en tout cas, particulièrement apte à servir de support au récit d'une modification
psychologique. Valery Larbaud, André Gide, François
Mauriac, pour ne citer que quelques exemples récents et
connus, ont exploité déjà, à de telles fins, cette situation
romanesque. *Mon plus secret conseil, Les Caves du Vatican,
Thérèse Desqueyroux* présentent ainsi certains points communs avec *La Modification* [3] qu'il est intéressant de relever.
Dans tous ces romans, le train joue un rôle précis et le choix
même de la situation romanesque semble entraîner des
conséquences analogues.

En premier lieu, l'anonymat et le dépaysement, procurés
par le train sont mis à profit pour justifier sur le plan de la
vraisemblance une action purement psychologique. Que
faire dans un train sinon se perdre « *dans un lacis de
réflexions et de souvenirs* »? (p. 163). Ainsi Lucas Letheil,
qui a pris le train pour fuir une maîtresse trop exigeante
et se retrouver lui-même, se livre aux délices de l'introspec-
tion et de la rêverie amoureuse. Thérèse Desqueyroux, qui
retourne chez elle à la suite du procès qui s'est terminé
par un non-lieu (elle était accusée, on s'en souvient, d'avoir
empoisonné son mari) remonte à l'origine de son acte, cherche à élaborer ce qui devrait être une « *confession* » ou une
« *défense* » et « *se penche sur sa propre énigme* [4] ». Lafcadio
élabore et finit par commettre son « acte gratuit » : le meur-
tre de Fleurissoire. Léon Delmont revit toute son existence
et prend peu à peu conscience de sa « *situation dans l'espace
des conduites humaines* » (p. 197) et « *dans l'espace historique* »
(p. 199).

1. Michel Butor, « L'espace du roman », *Répertoire II*, p. 44.
2. *Ibid.*, p. 44.
3. Dans un article intitulé « View from a train » (1962), J. K. Simon a
établi certains rapprochements entre *La Modification, Mon plus secret
conseil* et *Les Caves du Vatican.*
4. Cf. François Mauriac, *Thérèse Desqueyroux*, Paris, Grasset, 1927; Le
Livre de poche, p. 25, 28 et 63.

Les unités de lieu et de temps imposées par le voyage strictement programmé favorisent d'autre part l'éclosion d'une crise tandis que la durée du voyage permet sa résolution. L'aspect mécanique du déroulement temporel est mis à profit pour souligner par contraste et pour encadrer la fluidité des pensées intimes du voyageur. Une tension s'institue entre le temps physique et le temps mental. Nous y reviendrons pour Butor et Larbaud. En voici de brefs exemples chez Mauriac :

« Uzeste déjà. Une station encore et ce sera Saint-Clair d'où il faudra accomplir en carriole la dernière étape vers Argelouse. *Qu'il reste peu de temps* à Thérèse pour préparer sa défense [1]. »

« Saint-Clair, bientôt Saint-Clair... Thérèse *mesure de l'œil le chemin* qu'a parcouru sa pensée [2]. »

Il s'agit aussi, chaque fois, pour les voyageurs d'une quête et dans une certaine mesure d'une libération.

Ces points communs n'excluent pas les différences significatives. Tandis que Lucas et Thérèse sont seuls dans leur compartiment et s'adonnent tout entiers à leur rêve intérieur, Léon Delmont et Lafcadio ont des compagnons de voyage qui jouent un rôle important dans leur aventure. Tandis que le jeune Lucas voyage en plein jour et dans une Italie ensoleillée, c'est « *du fond d'un compartiment obscur* » que « *Thérèse regarde ces jours purs de sa vie* [3] ». Tandis que Lucas s'émerveille devant la mer à Salerne : « *j'aime ces beaux portiques blanchis à la chaux, cette rangée de fournaises, pleines de soleil, d'air pur et de bleu sans fond* [4] », Thérèse, « *à travers les vitres du train ne distingue rien hors du reflet de sa figure morte* [5] »...

2. *Le train dans « Mon plus secret conseil »*.

Le récit de Larbaud présente avec *La Modification* l'ensemble de correspondances le plus important [6]. Le passage relatif au train ne forme en effet qu'un court épi-

1. *Thérèse Desqueyroux*, p. 28.
2. *Ibid.*, p. 63.
3. *Ibid.*, p. 34.
4. Valery Larbaud, *Mon plus secret conseil*, in *Amants heureux amants*, p. 190.
5. *Thérèse Desqueyroux*, p. 19.
6. E. Hönisch qui a relevé de son côté certaines de ces analogies va jusqu'à considérer *Mon plus secret conseil* comme un « modèle littéraire »

sode des *Caves du Vatican*[1] alors qu'il demeure le cadre unique de l'action dans *Mon plus secret conseil* et dans *La Modification*. Chez Gide comme chez Mauriac, la perspective narrative varie, et une grande partie des événements est présentée directement par un narrateur extérieur au héros, tandis qu'elle reste fixe chez Larbaud et chez Butor qui utilisent l'un et l'autre le monologue intérieur.

Ces deux dernières œuvres se rapprochent également par leurs thèmes. Dans les deux cas, le héros prend le train pour fuir une femme (la sienne, Henriette, pour Léon Delmont, sa maîtresse Isabelle, pour Lucas Letheil) et se dirige vers une autre, (son amie Cécile pour Léon, une hypothétique fiancée, Irène, pour Lucas). Dans les deux cas, il se produit une modification des projets primitifs du voyageur. Dans les deux cas, il s'agit d'une sorte d'examen de conscience.

Ces deux textes offrent donc un matériel privilégié au critique soucieux de dégager la singularité d'une œuvre, d'autant plus qu'en dépit des ressemblances que l'on vient de relever ces deux récits diffèrent radicalement l'un de l'autre. Pour rendre compte de ces différences, il faudrait sans doute procéder à un examen détaillé des deux œuvres prises dans leur totalité. Mais c'est une des vertus de l'intégration épique que chaque élément du récit tire ses particularités de sa liaison à l'ensemble. Les différences entre le récit de Larbaud et celui de Butor se manifestent ainsi dans le rôle qu'y joue le voyage en train. On peut se contenter donc de les comparer sous ce seul aspect[2].

---

de *La Modification*. Elle émet l'hypothèse suivant laquelle le récit de Larbaud, d'une manière ou d'une autre, aurait fourni à Butor son point de départ aussi bien pour le thème de son roman que pour sa construction formelle. E. Hönisch, *Das gefangene Ich*, p. 67 et p. 88. Michel Butor, que j'avais interrogé à ce sujet en 1963 m'a répondu qu'il avait bien lu autrefois *Mon plus secret conseil*, mais qu'il ne s'en était pas du tout souvenu en écrivant *La Modification*. S'il s'agit d'une « source » elle est donc, en tout cas, tout à fait inconsciente.

1. *Les Caves du Vatican*, Paris, Gallimard, 1922, p. 190 à 203.

2. Nous avions déjà rédigé ce chapitre quand nous avons pris connaissance du livre d'E. Hönisch. Notre comparaison recoupe nécessairement sur beaucoup de points la sienne. Dans son étude cependant E. Hönisch s'attache à souligner les ressemblances entre les deux œuvres, qui sont liées à l'emploi du monologue intérieur. Notre comparaison, au contraire, a pour objet de marquer les différences entre les deux récits. Destinée, d'autre part, à illustrer un nouvel aspect de la structure du roman, notre comparaison s'inscrit dans l'ensemble des comparaisons précédentes.

Remarquons d'abord que les correspondances entre les deux œuvres semblent renvoyer à des préoccupations communes aux deux écrivains.

On sait l'intérêt que portait Larbaud aux moyens de communication et tout particulièrement aux voyages en chemin de fer [1]. Dans le numéro spécial de la *N.R.F.* qui lui fut consacré en hommage après sa mort, on peut lire sous la plume de Vladimir d'Ormesson la déclaration suivante : « De Jules Verne à Saint-John Perse, de Claudel à Toynbee, de Siegfried à Paul Morand, une tentative d'épuisement de la planète, liée à des inquiétudes sur la situation de l'homme, occupe les esprits les plus divers. Je vois dans Valery Larbaud le souci et l'angoisse des moyens de communication, donc à la fois des chemins de fer et de la littérature... A la limite, les moyens de communication avec les êtres et les moyens de communication entre les capitales et les cultures me semblent se confondre en une seule intuition, en ce foyer unique que Bergson retrouvait dans l'œuvre de chaque écrivain "le bruit des roues, de plus en plus, se mêle à mes pensées" [2]. » Dans

---

1. C'est même là, semble-t-il, le seul point qui, chez cet auteur, paraisse aujourd'hui mériter encore l'attention. Signalant que le « cours de sa vie ne fut guère qu'un long voyage », les auteurs d'un manuel scolaire bien connu, rapprochent Larbaud d'Appollinaire « pour sa nostalgie et sa lassitude du voyage » et de Blaise Cendrars, en ce qu'il a su « donner à l'Europe qu'il parcourt passionnément une présence toute nouvelle et faire du voyage l'instrument d'une profonde libération ». A. Lagarde et L. Michard, *XXᵉ siècle*, p. 136 et 138.

Une fois reconnu cet intérêt pour les voyages, on s'empresse cependant de retirer à l'œuvre de Larbaud toute véritable modernité : « Bien autrement que chez ce voyageur qui modernise les idéologies passionnées de Barrès, l'aventure authentique est, avant même 1914, promue au rang d'acte poétique comme elle le sera dans l'après-guerre : Blaise Cendrars est ici le véritable initiateur. » *Ibid.*, p. 38. Sans nier l'importance de Cendrars, qui est d'ailleurs comme Larbaud relativement méconnu, nous pensons que l'importance de ce dernier est sous-estimée aujourd'hui. Aussi bien comme initiateur sur le plan des idées et des formes, que par la qualité proprement littéraire de son œuvre, il mériterait qu'on s'occupât un peu plus attentivement de son œuvre. Si les pages qui suivent risquent de donner l'impression d'une infériorité de Larbaud par rapport à Butor, c'est que toute comparaison s'effectue nécessairement au détriment d'un des termes. Nous cherchons dans *Mon plus secret conseil* ce qui n'y est pas, pour montrer par contraste ce qui se trouve dans *La Modification*. Une analyse du récit de Larbaud attentive à la totalité de l'œuvre et non pas seulement à un de ses aspects découvrirait certainement d'autres richesses. Les formes et le sens étant inséparables, il va de soi que ces richesses sont d'un tout autre ordre que celles que révèle le roman de Butor.

2. Vladimir d'Ormesson, « Valery Larbaud ou le voyageur immobile », *La Nouvelle Revue Française*, septembre 1957, n° 57, p. 511. La citation est tirée justement de *Mon plus secret conseil*, p. 232.

son étude sur la poésie « de Baudelaire au Surréalisme »,
Marcel Raymond rappelle, de son côté, l'admiration de
Valery Larbaud pour John Antoine Nau et son expression
d'un « sentiment géographique moderne ». Il attribue aux
« œuvres de A. O. Barnabooth » le « mérite de permettre
l'approfondissement de ce qu'il faudrait appeler la conscience des conditions d'existence actuelle et planétaire de
l'homme [1] ».

Ces remarques s'appliqueraient admirablement à l'œuvre
de Butor et mieux encore qu'à celle de Larbaud. *Réseau
aérien* ou *Mobile* manifestent clairement en effet « le souci
et l'angoisse des moyens de communication ». Comme déjà
La Modification, elles nous proposent de participer sur le
mode de la lecture à *un mouvement de l'esprit à travers
des paysages intermédiaires*. Elles nous invitent chaque
fois au voyage : voyage planétaire dans les différents
avions survolant simultanément la terre avec *Réseau
aérien;* voyage à travers les États de l'Amérique et les
couches de son histoire avec *Mobile;* visite guidée des
Chutes du Niagara dans *6 810 000 litres d'eau par seconde;*
et chaque fois ce voyage se réalise à la fois dans l'espace
physique et dans « l'espace des représentations [2] ».

Non seulement ces œuvres manifestent « le souci des
moyens de communication » mais ce sont elles, plutôt que
celles de Larbaud, qui semblent vraiment répondre « à
une tentative d'épuisement de la planète liée à des inquiétudes sur la situation de l'homme ».

Si l'on trouve en effet chez Larbaud le souci des moyens
de communication et de la communication sous toutes ses
formes (en particulier et surtout par la langue et la littérature) il reste en définitive un « voyageur immobile ».
Le voyage est avant tout pour lui un moyen de s'éprouver
soi-même, grâce aux sensations diverses qu'il procure :

« J'ai senti pour la première fois toute la douceur de vivre
Dans une cabine du Nord Express, entre Wirballen et Pskow
On glissait à travers des prairies où des bergers,
Au pied de groupes de grands arbres pareils à des collines,
Étaient vêtus de peaux de moutons crues et sales... »

---

1. M. Raymond, *De Baudelaire au surréalisme*, p. 122.
2. Comme le dirait Michel Butor. Cf. « L'espace du roman », *Répertoire II*,
p. 48, Madeleine Chapsal, *Les Écrivains en personne*, p. 58, 59, et Georges
Charbonnier, *Entretiens*, p. 197.

Bien sûr Larbaud-Barnabooth demande :

« Prête-moi ton grand bruit, ta grande allure si douce,
Ton glissement nocturne à travers l'Europe illuminée,
O train de luxe !... »

Mais, comme l'indique clairement la dernière strophe
de ce poème célèbre, « ces bruits » et « ce mouvement »,
il faut qu'ils :

« Entrent dans mes poèmes et disent
Pour moi ma vie indicible, ma vie
D'enfant qui ne veut rien savoir, sinon
Espérer éternellement des choses vagues [1]. »

C'est sa « vie indicible » qui préoccupe Valery Larbaud.
Le véritable voyage est un voyage intérieur.

Aussi n'est-ce pas un hasard si, songeant à ses « anciennes
années », Barnabooth note dans son « Journal » :

« Je me rappelle combien j'étais *insensible* alors *aux aspects du
monde*, aux heures, aux couleurs, aux saisons. Tout n'était qu'une
grande nuit pour moi ou plutôt une sorte de tunnel avec du jour
blanc giclant au bout. J'étais aveuglé de moi-même... et voici que
je recommence à ne plus regarder que le *monde intérieur* [2]. »

Ces paroles préfigurent peut-être la situation future du
poète reclus [3]. Elles caractérisent fort bien, par ailleurs,
l'attitude qu'il prête à son héros, Lucas Letheil, qui, lors
de son voyage, se rend lui aussi de plus en plus « insensible
aux aspects du monde », et ne regarde plus que le « monde
intérieur ».

Le voyage chez Larbaud représente à la fois, ou tour à
tour, la fuite et la quête. Il permet d'exprimer les joies
d'un accord avec le monde et les joies du retour dans l'intimité du « conseil intérieur ». Mais il ne se manifeste ni comme
épreuve, ni comme véritable exploration du monde tel
quel.

On a vu, au contraire, à quel point le monde extérieur
sous tous ses aspects est présent dans les œuvres de Butor

1. *Poésies d'A. O. Barnabooth*, in *Œuvres*, Paris, Gallimard, Bibliothèque
de la Pléiade, 1957, p. 44 et 45.
2. A. O. Barnabooth, *Journal intime*, in *Œuvres*, p. 249.
3. Comme le suggère Vladimir d'Ormesson, *Valery Larbaud ou le voyageur immobile*, p. 512.

et en particulier dans *La Modification*. L'attention est tournée d'abord vers l'objet. Les titres de ses œuvres récentes indiquent à eux seuls cette intention d'objectivation : « *Réseau* aérien », « *Description* de San Marco », « *Étude pour une représentation* des États-Unis », ou cette pure indication quantitative : *6 810 000 litres d'eau par seconde !*

Ces dernières œuvres ne sont pas à proprement parler des récits de voyage. Aucun narrateur ne communique ses impressions personnelles. Le lecteur ne peut pas s'identifier avec une subjectivité privilégiée [1]. Il est contraint d'éprouver immédiatement l'opacité physique et de saisir directement la complexité de ces immenses « objets » : matériels, historiques, sociaux, mythiques, que sont un pays, un monument ou un site célèbre [2].

Le rôle joué par le train dans les romans de ces deux écrivains font apparaître la même différence.

Enfermé dans son compartiment, Lucas Letheil est disponible. Ses « pensers » forment les matériaux du récit, les maillons de la chaîne dont l'ensemble constitue l'histoire. Le voyage entrepris inscrit dans les faits sa décision de rompre ou de fuir, de se libérer des autres et des circons-

---

1. Signalons cependant que dans ces ouvrages résolument objectifs, l'auteur apparaît au détour d'une page. On lit ainsi dans *Mobile 233 :*

« Quelqu'un, appartenant au département de français de l'Université de Californie à Los Angeles, me demanda si je préférais voir quelque chose de laid. " Laid bien sûr. — Je vais vous emmener à Cliftons Cafetaria... " »

C'est la seule fois dans le livre qu'une première personne intervient.

De même dans *6 810 000 litres d'eau par seconde*, aux voix des innombrables couples et aux voix des solitaires, s'ajoute, dans la « Coda » celle d'un certain Quentin, « Français, visiting professor, à l'Université de Buffalo » : « Et moi qui suis loin de ma femme vivante, séparé d'elle par toute l'épaisseur de l'Atlantique »...

2. Cette différence d'orientation entre Larbaud et Butor relève sans doute autant de raisons historiques qu'individuelles. Ce sera une des tâches de l'historien futur que de marquer non seulement les rapports entre la tradition du voyage comme thème universel de la littérature et son actualisation au vingtième siècle dans des œuvres aussi différentes que celles d'un Jules Verne, Cendrars, Saint John Perse, Claudel ou Butor, mais d'établir aussi le rôle joué par des événements politiques et sociaux dans la modification de cette actualisation au cours du siècle. Peut-être alors et à la lumière justement d'œuvres ultérieures pleinement réussies à cet égard, (quoiqu'aujourd'hui encore mal acceptées!) verra-t-on mieux à quel point un Larbaud et un Cendrars furent des précurseurs, comme aujourd'hui Michel Butor. Pour ce dernier, et à ce sujet on lira les pages remarquables de Georges Raillard, « Compositions », in *Butor*, La Bibliothèque idéale.

tances extérieures pour se livrer au conseil intérieur ».
Non seulement le wagon de Lucas est vide mais le but de
son voyage est indifférent. En effet, malgré son intention de
partir pour Messine, il a pris le train pour Tarente. Ce train
ne doit être qu'une « machine à le séparer d'Isabelle [1] »,
et il nous explique clairement comment celle-ci doit fonc-
tionner :

> « Je verrai donc Tarente ce soir et non pas Messine ou Palerme.
> Peu importe. L'essentiel, c'est d'accumuler assez d'impressions
> nouvelles dont Isabelle soit absente pour recouvrir, ou tout au moins
> faire reculer la longue série d'impressions intérieures toutes asso-
> ciées au sentiment de la présence ou du voisinage d'Isabelle. *S'éloi-
> gner d'elle dans l'espace est surtout un moyen de s'éloigner d'elle dans
> le temps, dans mon temps à moi, et il s'agit de faire rendre à cet espace
> un maximum de temps.* »

Et il précise :

> « Plus les impressions nouvelles seront nombreuses ou fortes et
> plus vite les impressions anciennes vieilliront... Nous avons donc
> mieux à faire qu'à laisser agir le temps : nous pouvons l'aider à
> nous guérir. Et cela *en étant très attentifs à ce qui nous entoure, aux
> objets immédiats, au décor, au paysage...* Ainsi le direct de Naples-
> Tarente, *si je sais bien m'en servir,* peut m'éloigner d'Isabelle plus
> rapidement que de Naples [2]. »

On voit que Lucas se propose de mettre à profit sa situation dans le train, d'utiliser ce voyage pour sa libération :

> « Il n'y a que *deux moyens : ou bien donner audience au monde exté-
> rieur,* au paysage, à ce qu'il a autour de lui, à ces journaux qu'il a
> achetés sans regarder leurs titres au kiosque de la gare; *ou bien
> examiner méthodiquement les pièces du procès [3].* »

Il nous paraît caractéristique que de ces deux moyens qui
devraient permettre sa libération, Lucas Letheil choisisse
le second. Au lieu de « *donner audience au monde extérieur* », au lieu d'être « *très attentif aux objets immédiats,
au décor, au paysage* », il se plonge dans ses pensées et
s'abstrait du monde qui l'entoure. Il arrive bien, quelquefois, que les paysages ou les gares traversées suscitent
des associations, s'entremêlent au discours intérieur, mais
il s'agit d'associations superficielles, dont l'insignifiance

---

1. *Mon plus secret conseil,* p. 171.
2. *Ibid.,* p. 171.
3. *Ibid.,* p. 174.

souligne plutôt la distraction du héros et sa difficulté à se concentrer sur son « for intérieur ». Dans l'ensemble, sa « *parole intérieure résonne plus haut que tous les bruits*[1] » et le récit se développe dans le sens d'un approfondissement vers le plus intime d'une conscience.

Comme dans le roman de Mauriac où le train sert essentiellement de cadre à l'action et n'intervient pas de manière active dans le cours des pensées du personnage, les circonstances extérieures jouent surtout le rôle de repères spatio-temporels : elles soulignent la continuité du monologue intérieur. On rapprochera à cet égard ce passage de *Mon plus secret conseil* :

> « *Où en était-il du rouleau de ses souvenirs* quand les fenêtres du wagon sont devenues des fenêtres sur le golfe de Salerne? Ah! il allait revoir la première crise rue Berthollet, deux jours avant le départ[2]. »

des passages cités plus haut de *Thérèse Desqueyroux*.

Cette fonction des circonstances extérieures est particulièrement nette lorsqu'il s'agit du passage des gares. Comme dans *La Modification* (et contrairement cette fois à ce qui se passe dans *Thérèse Desqueyroux*), le passage des gares est systématiquement notifié par l'évocation de leurs noms qui entrecoupent le monologue intérieur. Le passage des gares rythme ainsi le temps subjectif sur le temps objectif. Mais ces gares qui passent ne perturbent pas la méditation du héros, sauf superficiellement et en tout cas ne l'influencent pas.

La distinction entre les deux séries, extérieure et intérieure, est comme dans *La Modification* marquée par un « blanc » typographique qui sépare la mention de l'objet extérieur du courant de conscience. Elle est renforcée en outre chez Larbaud par la mise en italique du nom propre. La phrase en revanche se poursuit continûment sans ponctuation de sorte que le nom de la gare se trouve comme englobé par elle. Les deux séries s'entrecroisent mais sans agir l'une sur l'autre, le monologue intérieur n'est pas interrompu :

> « Ce dont j'ai besoin, ce qui guérira mon malaise, c'est la douceur de la conversation féminine. Chez moi, les conversations finissent trop souvent trop mal. Oh l'amie, la voix de

1. *Mon plus secret conseil*, p. 167.
2. *Ibid.*, p. 195.

Contursi

l'amie; sa correction qui jamais ne blesse, ses encouragements, ces vues justes et profondes qu'elle a, ces intuitions merveilleuses [1]... »

Il arrive que le passage d'une gare produise un léger trouble dans la continuité des pensées du héros, mais ce trouble est immédiatement résorbé. Ainsi quand Lucas se livre à de douces pensées érotiques au sujet d'une jeune manucure et songe à ses rapports avec Isabelle :

« Qu'elle porte une blouse, un sarrau, mais qu'elle s'arrange pour que la beauté et l'intimité de la femme en elle n'aient rien à voir avec son métier. On dira que nous sommes bien difficile; mais c'est que, si nous sommes repu de scènes de ménage et de tempêtes domestiques, nous sommes aussi repu

Persano

d'amour. Onze heures moins dix. On va s'arrêter partout maintenant. La ligne monte. Il n'y a plus que de petites gares jusqu'à Potenza; pas de voyageurs de première. Et les monts de la Lucanie en vue. Des arrêts de trois secondes; le temps de dire pronti et partenza. Oui, repu d'amour, malgré l'insensibilité croissante [2]. »

Les associations suscitées par les lieux, superficielles et généralement d'ordre pratique, sont sans rapport essentiel et profond avec ce qui préoccupe Lucas.

On peut relever enfin quelques correspondances symboliques entre la situation matérielle du héros et sa situation spirituelle, mais elles sont très rares. Une fois seulement, Lucas sortant de son compartiment et découvrant Salerne et la mer, se livre à des réflexions sur la lumière et la liberté. Les thèmes de la captivité amoureuse et de la captivité dans le compartiment sont esquissés et rapprochés :

« *Il était comme un homme enfermé dans un souterrain,* et qui en *cherchait* la sortie, et qui *se traînait dans l'obscurité ;... et puis, tout à coup,* après une nouvelle marche faite sans grand espoir : *la lumière du jour !* Le scintillement de la mer, des allées et venues d'hommes et de femmes, une gare et ses bruits, *la vie libre,* variée, riche, vagabonde. Sa vie retrouvée [3]. »

Mais plutôt que de coïncider et se renforcer l'un l'autre, les thèmes du voyage en train et du voyage sentimental et

1. *Mon plus secret conseil,* p. 207.
2. *Ibid.,* p. 205.
3. *Ibid.,* p. 192.

spirituel ne font que s'entrecroiser un instant et sont ailleurs clairement distingués :

« Il lui semble qu'il fait ses premiers pas après une longue capti- vité. *Ce n'est pas de la captivité dans le wagon qu'il s'agit mais de sa liaison malheureuse* [1]. »

Le voyage cependant a produit son effet bénéfique. Lucas Letheil est délivré d'Isabelle et retrouve sa liberté spiri- tuelle. Il peut alors s'endormir en paix et rêver à d'autres choses. Mais cet effet, n'importe quel autre voyage aurait pu le produire. Les circonstances particulières de lieu et de temps n'y sont pour rien. S'il était parti, comme il en avait d'abord l'intention, pour Messine au lieu de s'embar- quer pour Tarente, la même libération aurait eu lieu.

Le voyage confère donc au récit de Valery Larbaud une unité formelle analogue à celle des unités du théâtre clas- sique tout en les renouvelant. Il permet à l'action psycho- logique de se dérouler sans encombre et il souligne par contraste l'intériorité de ce déroulement. Le voyage permet aussi d'exprimer l'acte de conscience dans sa durée vécue : il se déroule nécessairement au présent, un présent où affleure sans cesse le passé, un présent orienté vers le futur : un présent mouvant. Mais le moi de Lucas Letheil n'est pas vraiment aux prises avec le monde. Le voyage comme la vie elle-même reste une « *joyeuse escapade* [2] ».

On a cependant vu que par l'intermédiaire de son per- sonnage, Valery Larbaud envisageait la possibilité d'un « emploi du lieu » [3] beaucoup plus efficace et rigoureux. Il aurait fallu disait Lucas « *faire rendre à cet espace le maximum de temps* », en « *accumulant des impressions nouvelles.* » Le rapport entre l'espace et le temps, entre les sensations et les souvenirs ou les rêves est clairement posé. Mais cette possibilité n'est exploitée ni par le héros, ni par l'auteur. C'est cette possibilité, en revanche qui est exploitée à fond par Butor.

1. *Mon plus secret conseil*, p. 191.
2. *Ibid.*, p. 163.
3. Calquée sur le titre du roman de Butor, *L'Emploi du temps*, cette formule est employée dans un autre contexte par P. Brooks, qui remarque justement qu'elle aurait pu servir de titre à *La Modification. In the labora- tory of the Novel, Daedalus*, Spring, 1963, p. 274.

3. « *S'il n'y avait pas eu cette donne du jeu...* »

Les rapports entre le perçu, l'imaginé et le remémoré, entre la situation et le personnage, entre la modification matérielle et la modification spirituelle sont beaucoup plus étroits dans le roman de Butor que dans le récit de Larbaud. Ces rapports jouent même un rôle essentiel, déterminant en grande partie la structure du roman, lui conférant sa signification particulière. Ils sont une conséquence directe des modes de présentation et, en particulier, de la perspective narrative.

Comme il est fortement précisé « c'est bien ici, c'est bien ce compartiment » (p. 21) qui d'un bout à l'autre du récit forme le lieu de l'action. Enfermé dans cette « case » (p. 21), « dans l'espace de ce train » (p. 21), dans cette « salle d'attente mobile » (p. 21), le héros est, comme Lucas, réduit à l'inaction. Il doit « *faire durer les divers épisodes de ce voyage, afin d'en combler autant que possible les vides et l'ennui* » (p. 25), et il va se perdre « dans un lacis de réflexions et de souvenirs » (p. 163). Mais ce lieu provisoire, ce lieu de passage, ce lieu qui pourrait être indifférent, est rempli d'objets et d'images, peuplé de gens divers, ouvert grâce aux fenêtres sur des gares et des paysages, ouvert surtout grâce aux portes de la mémoire et de l'imagination sur d'autres lieux et d'autres temps.

Le voyageur n'est pas, d'autre part, un petit jeune homme alerte et insouciant comme Lucas Letheil mais un homme fatigué et inquiet de quarante-cinq ans. Il n'est pas seulement situé dans le monde, il est aux prises avec le monde.

La deuxième personne qui permet de décrire les rapports que le voyageur entretient avec le monde et avec son corps, permet encore d'accentuer ce que ces rapports ont de tendu :

« Vos paupières vous avez du mal à les tenir ouvertes, votre tête à la redresser, vous voudriez vous enfoncer dans l'encoignure, y creuser avec votre épaule un trou confortable mais votre dos se tord en vain, puis il est pris par la secousse et le remuement » (p. 13).

Rendu par la prolepse (vos paupières, vous avez du mal), le sentiment d'aliénation que provoque la fatigue est accentué plus loin par un ensemble de comparaisons et de métaphores. Séparé des autres « par une *grille de bruit et de migraine* » (p. 133), le voyageur se sent *pris au piège* et mis « *au pilori* » (p. 133). Cette « *fatigue qui maintenant se venge, vous envahit,* profitant de cette vacance que vous vous êtes accordée » (p. 22), cette fatigue qui « *dérange votre regard* lorsque vous vous efforcez de l'appliquer à un objet ou un à visage, *vous aiguillant brusquement* vers une de ces régions de vos souvenirs ou de vos projets que vous désirez justement éviter » (p. 196), cette fatigue qui est « *accumulée* depuis des mois » (p. 22) n'est pas accidentelle. Elle est la conséquence et le signe à la fois d'une profonde fatigue morale. Tout au long du voyage « *une inquiétude rongeante persiste* malgré toutes vos raisons d'espérer » (p. 108). La place à laquelle le héros se trouve cloué est une « *place hantée* » (p. 133) son supplice est aussi « *un supplice intérieur* » (p. 133).

Extérieur à lui-même, déterminé par son milieu, son passé, ses habitudes, son corps, surveillé par ce regard qui nous le montre, pris à partie par cette voix qui l'interpelle, le voyageur cherche, il est vrai, à se défendre. Il lutte contre les forces qui tendent à le submerger et à le détruire. Il s'efforce en particulier de considérer le monde tel quel, de le regarder d'un œil froid. Ainsi s'abîme-t-il dans la contemplation de la pluie ruisselante sur les vitres ou dans celle du dessin en losange formé par le grillage du tapis de fer chauffant :

> « *Il faut fixer votre attention sur les objets que voient vos yeux,* cette poignée, cette étagère et le filet avec ces bagages, cette photographie de montagnes, ce miroir, cette photographie de petits bateaux dans un port, ce cendrier avec son couvercle et ses vis, ce rideau roulé, cet interrupteur, cette sonnette d'alarme, sur les personnes qui sont dans ce compartiment... *afin de mettre un terme à ce remuement intérieur, à ce dangereux brassage et remâchage de souvenirs* »... (p. 130).

Mais à ces objets, à ces images, à ces gens, ses pensées s'accrochent (p. 228). Car s'il est vrai que « les choses sont là » et qu'en ce sens, suivant la célèbre formule de Robbe-Grillet, « elles ne nous regardent pas [1] », il n'en

---

1. A. Robbe-Grillet, « Nature, Humanisme, Tragédie », in *Pour un Nouveau Roman*, p. 158. A cet égard aussi la description des objets chez Butor a « un sens absolument antinomique à celui qu'elle a chez Robbe-Grillet ». Comme l'avait bien vu R. Barthes, que l'on vient de citer : « Robbe-Grillet décrit les objets pour en expulser l'homme. Butor en fait au contraire des attributs révélateurs de la conscience humaine, des pans d'espace et de temps où s'accrochent des particules, des rémanences de la personne. L'objet est donné dans son intimité douloureuse avec l'homme, il fait partie d'un homme, il dialogue avec lui, il l'amène à penser sa propre

est pas moins vrai que nous ne les regardons. Pour l'esprit, les objets sont des signes et parfois même des symboles. Comme l'a fort bien dit Sartre « ce que nous trouvons partout, dans l'encrier, sur l'aiguille du phonographe, sur le miel de la tartine, c'est nous-mêmes, toujours nous. Et cette gamme de sentiments sourds et obscurs que nous mettons à jour, nous l'avions déjà ou plutôt nous étions ces sentiments. Seulement ils ne se laissaient pas voir, ils se cachaient dans les buissons, entre les pierres presque inutiles. Car l'homme n'est pas ramassé en lui-même, mais dehors, toujours dehors [1]... »

Ainsi Léon Delmont qui, dans une simple serviette noire voit « *un emblème, une légende qui n'en est pas moins explicative ou énigmatique pour être une chose et non un mot* » (p. 10) va « se retrouver sur » la pluie qui coule sur les vitres, le tapis de fer chauffant, les valises dans le filet, les véhicules qui démarrent et s'en vont, la lézarde d'une cheminée de banlieue, un livre posé sur la banquette, la porte du compartiment, sur les gens, les objets, les images qui peuplent ce compartiment où il est enfermé.

C'est ainsi comme « *issue de votre fatigue et des circonstances* » (p. 196), comme effet « de ce *déterminisme qui pour l'instant vous broie dans la nuit* » (p. 196) que se produit « *cette réorganisation de l'image de vous-même et de votre vie... cette métamorphose obscure... ce changement d'éclairage et de perspective, cette rotation des faits et des significations...* » (p. 196).

C'est ainsi avec l'automatisme et la précision d'un mécanisme, « *mécanisme que vous avez remonté vous-même* » (p. 20), puisque ce voyage « fait partie de vos décisions » (p. 20), mais qui dès le départ commence à « *se dérouler presque à votre insu* » (p. 20), que se déroule *La Modification*.

Le train, cette « *machine* » qui « vous achemine vers Rome » (p. 22) joue un rôle capital dans la constitution, le déroulement et la manifestation de ce mécanisme. Dans sa constitution parce qu'il encadre, provoque et entretient la modification; dans son déroulement parce qu'il l'encadre, l'oriente et permet de mesurer ses progrès; dans sa manifestation parce qu'il l'organise structurellement et la figure poétiquement.

---

durée, à l'accoucher d'une lucidité, d'un dégoût c'est-à-dire d'une rédemption. » « Il n'y a pas d'école Robbe-Grillet », in *Essais critiques*, p. 103.

[1]. J.-P. Sartre, « L'homme et les choses », in *Situations I*, p. 291. Sartre parle de Francis Ponge.

II. LES FONCTIONS DU TRAIN ET DU 'VOYAGE DANS LA « MODIFICATION »

1. *Encadrement — parallélisme — corrélations.*

Le voyageur est « *emporté dans ce train, de toute façon lié, obligé de suivre ces rails* » (p. 227).

« ... le mouvement qui s'est produit dans [son] esprit accompagnant le déplacement de [son] corps d'une gare à l'autre à travers tous les paysages intermédiaires » (p. 236).

L'espace de ses représentations mouvant et fluide est contenu dans un autre espace mouvant lui aussi mais plus précisément défini. Le passage des gares, les indications horaires, les changements de paysages, le retour périodique à la vision du compartiment soutiennent et articulent le développement du récit pour le lecteur et ont aussi pour fonctions d'encadrer et de rythmer les pensées du voyageur. Pour concrétiser et illustrer cet aspect du roman, il suffit de relever en un tableau les principales articulations d'un chapitre. Le tableau II (mis en appendice) permet de voir comment les pensées du personnage remplissent, en quelque sorte, le cadre formé par les indications spatio-temporelles. Entre la gare de Laumes-Alésia et celle de Dijon, en l'espace d'une heure, Léon Delmont évoque successivement et par fragments discontinus ce qu'il a fait ou fera : — demain matin à Rome. — Lundi dernier le matin à Paris. — « Il y a deux ans..., à la fin août, dans un compartiment de chemin de fer semblable à celui-ci », entre Paris et Rome. — Lundi dernier de nouveau à Paris mais cette fois l'après-midi. — Après-demain enfin, dimanche matin à Rome jusqu'au lundi soir.

Des souvenirs et des projets appartenant à des périodes différentes de l'existence du héros se succèdent donc pêle-mêle, s'interrompent et s'entrecroisent, entraînant l'émergence de lieux variés. Cet enchaînement de pensées est encadré, au début et à la fin du chapitre par deux passages au présent relatifs au compartiment. Les passages d'une région de pensées à une autre sont marqués par des notations sur le paysage bourguignon à travers lequel le train poursuit sa route.

Encadré et rythmé par le train, le mouvement de l'esprit lui est parallèle aussi et comme lui orienté.

On a vu plus haut que l'espace déployé par le voyage n'est pas statique mais mobile et changeant, et que les gares qui passent, les variations du paysage, les transformations du compartiment suscitent le sentiment d'une durée concrète et irréversible. La progression des pensées se superpose à cette progression du train. Le déroulement implacable des heures et des kilomètres, des gares et des paysages soutient et figure *le déroulement implacable* (p. 196) des pensées, et le déferlement des images qui « *montent à l'assaut* » (p. 135) du personnage. Pensées, images qu'il ne peut « rejeter » dont il ne peut se « dégager », « parce que *leurs chaînes solidement affermies par ce voyage se déroulent avec le sûr mouvement même du train* » (p. 135). « *L'accumulation* » progressive des poussières et débris sur le tapis de fer chauffant correspond, point par point, à cette « *agitation* » qui « *remplit* » l'esprit du héros et « *qui n'a fait que croître et s'obscurcir depuis que ce train s'est mis en marche à Paris* » (p. 196).

La modification du train et celle de l'esprit ne sont pas seulement parallèles l'une à l'autre mais corrélatives l'une de l'autre. Les indications sur les gares et sur l'horaire, les transformations du compartiment, révèlent indirectement la modification intérieure, l'accroissement du « *vertige intérieur* » (p. 163).

Les indications relatives aux gares et à l'horaire, précises et fréquentes durant la première moitié du voyage deviennent ainsi plus floues à partir de Gênes jusqu'à l'arrivée à Rome (chap. vii et viii). Il est neuf heures et demie, la nuit est tombée, quelqu'un a « éteint la lumière » (p. 198), un mauvais sommeil entrecoupé de « rêveries absurdes » (p. 198) qui dégénèrent en cauchemars s'empare du voyageur. Il perd conscience du temps et ne sait plus où il est. L'absence ou l'imprécision des notations de lieu ou de temps manifestent cette emprise de plus en plus forte du rêve sur la perception et du délire sur la réflexion. Les deux séries physiques et mentales, parallèles, mais jusque-là distinctes, s'entremêlent et, dans la mesure où la succession des mots sur la page le permet, se confondent presque :

« Le train était arrêté (le train a dû s'arrêter, vous avez déjà dû quitter Livourne), vous étiez encore à Livourne (on n'a pas allumé la lampe à Livourne), le soleil brillait sur la gare de Livourne au milieu des fumées (il y a quelqu'un qui n'était pas là et Agnès aussi est rentrée...) » (p. 213).

Les parenthèses se sont substituées aux « blancs » qui, jusque-là, marquaient le passage d'une région du temps à une autre, tandis que les virgules ont remplacé les points. Dans le rêve d'ailleurs cette confusion du physique et du mental est totale. Ce n'est plus dans le train et par rapport au monde extérieur que le héros se situe mais à l'intérieur même du monde imaginaire suscité par son rêve :

> « *Vous savez maintenant où vous êtes*, ces traces de stuc et de couleur, ce suintement, ces lampes rougeâtres autour desquelles d'énormes tâches vertes visqueuses rongent les parois, *ce sont les souterrains de la maison dorée de Néron* » (p. 213).

Plus tard, en revanche, à la fin du voyage, lorsqu'il émerge du cauchemar, et redevient capable de réfléchir à sa situation présente, on voit se succéder de nouveau, clairement et distinctement, les différentes gares de Rome.

Les modifications du tapis de fer chauffant au cours du voyage révèlent plus nettement encore le processus que nous sommes en train de décrire.

On a vu le rôle joué par cet objet dans la constitution d'un cadre vraisemblable et relativement fixe. On a vu aussi que les modifications de son aspect permettaient au lecteur de mesurer le chemin parcouru et le temps écoulé. Or non seulement cet objet change en se chargeant de poussières et débris divers mais il change sous les yeux de celui qui le contemple, se « chargeant » de tout ce que, peu à peu, il y met de lui-même. Il suffit, cette fois encore, d'en rapprocher les différentes descriptions en respectant l'ordre de leur succession, pour mettre à nu le mécanisme selon lequel se réalise la modification corrélative du train et de l'esprit.

Au début du voyage et malgré sa prédisposition à se laisser aller à ses impressions pénibles, le voyageur reste lucide. Il sait parfaitement faire le départ entre le monde extérieur et son monde intérieur. Comme nous le faisions remarquer, il n'est que trop vrai que les maisons de banlieue parisienne sont grises et lézardées, et qu'en novembre, dans cette région, la pluie coule généralement sur les vitres! Il s'agit là de constatations parfaitement objectives. Ce souci d'objectivité se manifeste nettement dans l'attention portée aux détails du tapis de fer chauffant, pendant les premières heures du voyage. Peu à peu cependant des liens de plus en plus étroits s'établissent entre l'objet extérieur et la conscience du voyageur.

Dans un premier temps ce rapport est établi de l'extérieur par une conscience qui juge. Il est exprimé par des verbes d'opinion et des comparaisons :

« Sur le tapis de fer chauffant *vous avez l'impression* que les losanges forment une grille au travers de laquelle monte l'air chaud d'une fournaise obscure » (p. 136).

« Sur le tapis de fer chauffant, *vous avez l'impression* que les losanges ondulent comme les écailles sur la peau d'un grand serpent » (p. 149).

Un peu plus tard, un peu plus loin, ce rapport s'intériorise. C'est l'objet cette fois qui directement s'anime, ce sont les impressions qui seules sont rendues. S'il reste encore une comparaison, l'instance narrative a disparu et les verbes actifs sont transférés du sujet à l'objet :

« Sur le tapis de fer chauffant *les losanges vacillent, se détachent* les uns des autres, et les rainures qui les séparent semblent des *fissures qui ouvrent* sur un feu acide ; *ils s'incurvent, dressant leurs pointes qui s'effilent,* puis tout redevient noir avec les *miettes qui sautillent* et les salissures, les taches de boue, les bribes écrasées de nourriture, *le bord des vieux papiers qui tremble* sous les banquettes » (p. 156).

Le tapis de fer fonctionne ici, comme un de ces « corrélatifs objectifs » qu'affectionne Robbe-Grillet : les apparences seules de l'objet révèlent un état d'esprit. Mais on remarquera la continuité de cette vision quasi hallucinatoire avec les précédentes. La grille, l'air chaud d'une fournaise obscure, les losanges qui ondulent comme des écailles, ces images se sont développées comme si elles étaient douées d'une force propre.

C'est cette force que le héros cherche à combattre. C'est pour lutter contre ces images qui montent à l'assaut de lui-même, qu'il se dit :

« *Il faut fixer les yeux sur ce qui est là,* sur cette femme dans le corridor qui hisse ses colis pour les passer par la fenêtre à quelqu'un que je ne vois pas... *Il faut fixer les yeux sur* ces deux jeunes gens heureux qui viennent de dîner... » (p. 157).

Mais cet effort de lucidité est encore vain. Repris par l'engrenage, le voyageur n'est plus à même de dissocier l'extérieur de l'intérieur, les causes des effets, la réalité du rêve :

> « Donc Agnès et Pierre ne seront pas seuls, et vous viendrez les regarder dormir inconfortablement, vous débattant vous-même parmi les mauvais rêves que vous entendez déjà souffler et hurler *derrière les portes de votre tête, derrière ce grillage dessiné sur le tapis de fer* qui les retient à peine, qu'ils ébranlent et commencent à tordre, perdu parmi les lambeaux de ce projet que vous croyiez si solide, si parfaitement agencé, bien loin d'imaginer que toutes ces fissures, à l'occasion de miettes et de poussières, de tout un essaim d'événements insectes conjugués, savamment érodant les écrous, les écrans de votre vie quotidienne et de ses contrepoids, que toutes ces déchirures irrémédiablement allaient s'y dessiner, vous livrant aux démons non de vous seulement, mais de tous ceux de votre race » (p. 158-159).

Des comparaisons aux métaphores, des objets aux images, le sens s'est progressivement déplacé de l'extérieur à l'intérieur, du physique au mental : c'est bien *dans la tête* que sont ces « portes », *derrière ce grillage* que soufflent les rêves : l'espace du dehors est devenu un espace du dedans.

2. *Concentration — mouvement — écart.*

Passé, présent, futur, c'est la quasi totalité de la vie de Léon Delmont que le roman embrasse, depuis l'époque où, au lycée, il apprenait à aimer Rome, jusqu'à sa vie future avec Henriette, en passant par son voyage de noces, sa liaison avec Cécile et ses différents séjours à Rome. Le mouvement qui se produit dans son esprit au cours de ce voyage ne représente donc que « *l'épisode crucial* » d'une « *aventure* » (p. 236) beaucoup plus large. Ce voyage forme la « *conclusion* » d'une « *crise* » (p. 230) qui s'est nouée bien avant lui.

De cette « aventure » vécue par le héros, il est évident que les 236 pages du roman ne peuvent relater que l'essentiel. Non seulement le romancier est ici, comme toujours, obligé de choisir, concentrer, passer sous silence certains événements ou au contraire s'attarder sur ce qu'il juge important, mais il lui a fallu comprimer la vie entière de son personnage qui est reliée, comme toute vie humaine, à « l'ensemble de la réalité[1] », dans l'espace étroit d'un

---

1. G. Charbonnier, *Entretiens*, p. 13.

compartiment de chemin de fer et une durée réduite aux vingt et une heures trente du voyage.

Pour résoudre ce problème, l'auteur a fait de son héros un habitué du trajet. Depuis l'époque ancienne de son voyage de noces à Rome, Léon Delmont, représentant à Paris d'une maison italienne, a effectué ce voyage maintes fois et a fait maints séjours dans ces villes. Ce voyage-ci est suffisamment « *différent des autres* » (p. 228) pour que sa nouveauté, tous ses aspects inhabituels (dus en particulier au fait qu'il voyage dans un compartiment de troisième et non de première comme il en a l'habitude depuis que sa situation professionnelle s'est améliorée) provoquent l'émergence de ses souvenirs, sollicitent son imagination, forcent sa réflexion. Il ressemble par ailleurs suffisamment aux autres pour que les circonstances qui l'accompagnent lui rappellent ou lui fassent imaginer des circonstances analogues.

Les voyages de Paris à Rome — qui comprennent les allers ou retours à travers tous les paysages intermédiaires et les séjours entre deux trains, dans les deux villes — servent ainsi de fil conducteur reliant les événements racontés. De la totalité du passé de Léon n'émergent que les souvenirs relatifs à certains de ces trajets ou aux séjours dans les deux villes. Ses projets concernent exclusivement les quelques jours qu'il compte passer à Rome et son retour à Paris. Lorsqu'il reconnaîtra enfin la vanité de ces projets, c'est encore un voyage à Rome qu'il projettera de faire.

Dix trajets différents [1] s'entremêlent au cours de la narration. Il est utile de les recenser et de les superposer pour mettre en évidence les principaux facteurs qui les différencient les uns des autres et jouent un rôle dans l'organisation du récit.

1. Avant la guerre,	au printemps,	avec Henriette,	Paris-Rome
2. Trois ans avant,	en hiver,	avec Henriette,	Paris-Rome
3. Trois ans avant,	en hiver,	avec Henriette,	Rome-Paris
4. Deux ans avant,	en automne,	avec Cécile,	Paris-Rome
5. Un an avant,	en automne,	avec Cécile,	Rome-Paris
6. Un an avant,	en automne,	avec Cécile,	Paris-Rome
7. La semaine précédente,	en automne,	seul,	Paris-Rome
8. La semaine précédente,	en automne,	seul,	Rome-Paris

1. On peut, avec Jean Roudaut, en compter onze mais à condition de tenir compte de celui que le héros projette de faire avec sa femme dans un avenir lointain, or ce voyage n'intervient pas dans la narration. J. Roudaut, *Michel Butor et le livre futur*, p. 78.

9. Aujourd'hui et cette nuit,	en automne,	seul,	Paris-Rome
10. Dans la nuit du lundi au mardi.		seul,	Rome-Paris

Cette multiplication des voyages joue le rôle de principe amplificateur. Les variations de circonstances, dues au temps, aux saisons, à la présence ou à l'absence de Cécile et d'Henriette, permettent d'évoquer toute l'aventure du héros à propos de cet épisode crucial : le trajet qu'il est en train de faire.

L'identité du trajet sert en revanche de principe unificateur. Elle permet de relier les unes aux autres les différentes régions du temps et de l'existence du personnage à l'occasion de coïncidences spatiales ou temporelles :

« C'était dans *cette région-ci* entre Mâcon et Bourg » (p. 100).

« Il y a deux ans un peu plus même... dans un compartiment de troisième classe *semblable à celui-ci...* » (p. 56).

Ces notations et d'autres, multipliées, établissent un réseau de correspondances entre la situation actuelle et les situations passées ou futures.

La superposition des voyages concrétise encore le mouvement de l'esprit. L'évocation de voyages effectués sur le même trajet entraîne en effet celle des gares qui passent et des paysages traversés. L'espace mental comme l'espace physique est donc articulé par des séries de lieux en mouvement. Non seulement les régions du temps *glissent* les unes sur les autres, se succédant et s'entremêlant au cours des heures et des kilomètres, mais chacune d'entre elles semble affectée d'un mouvement propre de glissade.

Les passages relatifs aux séjours dans les deux villes représentent des moments plus statiques dans le cours du récit. Mais là encore le voyage semble communiquer sa mobilité aux lieux : Paris et Rome sont décrites comme des villes où le héros vient d'arriver ou qu'il est sur le point de quitter. Les événements s'y déroulent en fonction d'une arrivée ou d'un départ. Le voyageur s'y conduit en promeneur ou en explorateur.

Le mouvement communiqué par l'évocation de voyages en train est soumis enfin à un processus d'accélération, qui est corrélatif à l'accumulation des pensées chez le héros. Dans le chapitre VII, par exemple[1], tous les événements

1. Cf. tableau III, p. 294.

racontés se passent, se sont passés ou se passeront lors d'un trajet de Paris à Rome ou de Rome à Paris. L'évocation de ces différents trajets, effectués respectivement dans le présent, le futur et à trois périodes différentes du passé, se réalise en outre par bribes. Le héros passe sans cesse d'un voyage à l'autre, pour revenir quelques instants plus tard à celui qu'il évoquait précédemment. On imagine la complexité des superpositions de temps et de lieux qu'entraînent ces évocations. Si l'on y ajoute le fait que les « pensées » du héros à ce moment du voyage se réduisent aux images confuses d'un homme plongé dans un demi-sommeil, ou tout à fait en proie au rêve, on saisit l'impression de confusion qui se dégage du chapitre.

Les gares et les paysages traversés n'ont pas seulement pour fonction, comme dans *Mon plus secret conseil*, de marquer les étapes d'une modification intérieure. Les pensées du héros s'y « accrochent » comme elles s'accrochent aux objets contenus dans le compartiment. Fontainebleau, Mâcon, Modène, Gênes, Tarquinia, ces « gares... et certaines autres *marquées dans vos projets par quelque incident minime ou, dans le cours de l'histoire entière par quelque événement* » (p. 149) suscitent des images, éveillent des souvenirs. Ainsi Gênes et Tarquinia sont marquées par toute une série de souvenirs heureux appartenant à des époques différentes de la vie de Léon, tandis que la gare des Laumes-Alésia lui rappelle l'existence « d'Alise-Sainte-Reine... où selon la tradition Jules César a vaincu les gaulois » (p. 42).

« Les lieux ayant toujours une historicité soit par rapport à l'histoire universelle soit par rapport à la biographie de l'individu, tout déplacement dans l'espace, explique Michel Butor, impliquera une réorganisation de la structure temporelle, changements dans les souvenirs et dans les projets, dans ce qui vient au premier plan, plus ou moins profond et plus ou moins grave [1]. »

La superposition des voyages concrétise ce rapport mouvant de l'espace au temps.

Les gares, les paysages traversés servent encore de point de départ à de nouvelles suites narratives qui conduisent ailleurs vers d'autres lieux, vers d'autres temps. Tandis que « passe la gare de Fontaines-Mercurey » (p. 88) et que le train poursuit sa route dans la région de Mâcon à

---

1. Michel Butor, « Recherches sur la technique du roman », *Répertoire II*, p. 96.

Tournus, le héros évoque un trajet fait la semaine précédente, en sens inverse, et remonte par la pensée de Tournus à Chagny par Sennecey, Varennes-le-Grand, Chalon, Fontaines-Mercurey, Rully, Chagny (p. 92). Tandis que « la gare d'Aix-les-Bains se remet en branle et s'en va » (p. 112) le voyageur revient sur Paris, par Chindrieux, Bourg, Mâcon Fontainebleau (p. 112-113).

Les lieux qui glissent les uns sur les autres, ne se succèdent pas tous dans le même ordre et ne sont pas parcourus à la même vitesse. Ces lieux évoqués développent, d'autre part, leurs pouvoirs, rayonnent sur l'ensemble de la situation, la transformant, la modifiant.

Si l'on excepte Paris et Rome, sur l'historicité desquelles nous reviendrons, Fontainebleau apparaît comme le lieu dont l'évocation est la plus décisive.

Point d'aboutissement de tous les retours sur Paris imaginés par le héros, Fontainebleau est liée à toutes sortes d'impressions pénibles : fatigue et déception à la suite de voyages manqués avec Cécile (p. 126) ou avec Henriette (p. 151), inquiétude au sujet du retour (p. 114 et 170). Fontainebleau c'est encore et surtout la forêt avec ses « taillis et futaies » (p. 97), ses « feuilles pourrissantes » (p. 114 et 171), ses chemins qui ne mènent nulle part. Forêt légendaire où Léon croit chaque fois voir apparaître la figure du Grand Veneur dont Henriette lui a raconté autrefois la légende. Évoquée pour la première fois au chapitre IV, page 97, alors qu'entre Tournus et Senozan il se souvient de son retour la semaine précédente, elle apparaît d'emblée chargée de maléfices.

> « Dehors, sous la pluie, passait la forêt de Fontainebleau dont les arbres étaient encore garnis de feuilles que le vent arrachait comme par touffes et qui retombaient lentement pareilles à des essaims de chauves-souris pourpres et fauves... et il vous semblait voir apparaître, cause de tout ce remuement... la figure d'un cavalier de très haute stature, vêtu des lambeaux d'un habit superbe... sur un cheval dont transparaissaient à demi les os noirs... la figure de ce grand veneur dont vous aviez même l'impression d'entendre la célèbre plainte : M'entendez-vous?
>
> Puis il y a eu les abord de Paris, les murs gris, les cabines des aiguilleurs »... (p. 96).

Cette évocation, comme l'avait vu Michel Leiris : « provoque une collision de temps et de lieux qui donne à croire que l'on est à la fois dans un rapide Paris-Rome, un certain jour du calendrier et hors de l'espace et du temps. Cette

inquiétante apparition... est le premier message que le
héros reçoit du monde d'angoisse où bientôt il va descendre
et la plainte du Grand Veneur constitue la première indication de ce qui, pendant tout le reste du roman, sera
comme un leitmotiv de l'interrogation [1] ». Cette évocation concrétise aussi les leitmotive de l'effritement et de
l'égarement.

Les différentes questions que pose le Grand Veneur à
chaque apparition de la forêt : *m'entendez-vous?* (chap. IV,
p. 97). *Qu'attendez-vous?* (chap. V, p. 114). *Êtes-vous fou?*
(chap. VI, p. 151) sont reprises, on l'a vu, par les nombreuses instances interrogatives du rêve (p. 174, 183, 191).
L'image du cavalier perdu dans la forêt [2] fournit en outre
son thème au livre que Léon Delmont n'a pas lu mais
dont il imagine le contenu :

> « Ce livre... où il faudrait qu'il soit question, par exemple, *d'un
> homme perdu dans une forêt* qui se referme derrière lui sans qu'il
> arrive, même pour décider de quel côté il lui convient d'aller mainte-
> nant, à retrouver quel est le chemin qui l'a conduit là, parce que ses
> pas ne laissent nulle trace sur les feuilles mortes accumulées dans
> lesquelles il enfonce... » (p. 169).

Cette rêverie, à son tour, introduit le héros dans le monde
du rêve. Les caractéristiques du cavalier et de son cheval :
sa « chevelure de *ternes flammes* », ses «*os noirs semblables à
d'humides ramures de hêtre se carbonisant*, ses *chairs flot-
tantes*, ses *fibres détachées* » (p. 97), resurgissent pour qualifier la situation du héros.

Qu'il tente de la réfléchir :

> « cette fois... vous l'aviez enfin prise, cette décision qui s'est peu
> à peu *fanée, calcinée* au cours du trajet... qui continue à se trans-
> former sans que vous parveniez à freiner cette *hideuse déliques-
> cence...* » (p. 174).

---

1. M. Leiris, *Le Réalisme mythologique de Michel Butor*, p. 299. Michel
Leiris indique par erreur que la première apparition a lieu page 116.

2. Georges Raillard a souligné les rapports qui s'établissent dans l'œuvre
de Butor entre le thème de la forêt et celui du livre : « L'homme de Butor
ne tarde jamais à découvrir que son parcours est moins celui d'un terrain
vague que celui d'une forêt. Si Descartes, tendant à organiser le monde
autour de ce point fixe dont toute l'œuvre de Butor désigne l'absence au
voyageur égaré dans la forêt, conseillait de suivre droit son chemin, au
contraire le lieu métaphorique de l'inspection butorienne est la forêt. Au
primordial "je pense donc je suis", répond, dicté par la prudence, imposé
par l'urgence, un "où suis-je?". » G. Raillard, *Butor*, p. 77 et 78 et suivantes.

Ou qu'il soit, dans le rêve, complètement soumis à elle :

> « "Qu'attendez-vous? M'entendez-vous? Qui êtes-vous? Je suis venu pour vous mener sur l'autre rive..."
> Mais non, il ne peut pas prendre cette main, et sur sa propre paume éclairée par les *flammes crues* des brûleurs il voit *dégoutter* de tous les ongles *une huile noire corrosive* qui adhère à sa peau, qui rampe, *visqueuse...* » (p. 183).

Le pouvoir maléfique de la forêt de Fontainebleau, qui commence à s'affirmer dans la deuxième partie du roman, devient donc d'autant plus fort que le héros s'en éloigne matériellement et se rapproche de Rome.

Les images lumineuses de Gênes, de Tarquinia et Civitavecchia, évoquées en contrepoint à la fin du voyage, ne seront pas assez puissantes pour combattre ce foyer d'obscurité et d'interrogation. Ce n'est qu'au terme du voyage, lorsqu'elle aura déployé tous ses pouvoirs et obscurci, définitivement, « la figure lumineuse » (p. 166) de Rome et de son avenir, que le héros comprend ce que cette forêt signifie pour lui : « *toute en pousses vives* » (p. 191), à l'époque très ancienne de son voyage de noces, symbole alors de l'amour et de la vie, elle n'est plus maintenant que celui du jugement, de la déréliction, et de la mort.

Il s'est donc passé lors de ce voyage un phénomène analogue à celui qui avait eu lieu un an auparavant tandis qu'il se rendait à Paris avec Cécile :

> Alors, « déjà *la séparation* avait commencé » — et : « chacune des stations que vous rencontriez, Culoz, Bourg, puis Mâcon et Beaune, signifiaient *un peu plus de distance* entre vous comme toutes les autres fois.
> Impuissant, vous assistiez à cette trahison de vous-même, et comme à l'intérieur de votre compartiment les conversations italiennes avaient peu à peu fait place aux françaises..., *à l'intérieur de votre tête les images* des rues romaines, des maisons romaines, des visages romains qui les peuplaient tout autour de celui de Cécile, à chaque nouveau kilomètre *perdaient un peu plus de terrain devant celles d'autres* visages autour de celui d'Henriette et de tous ceux de tous vos enfants, d'autres maisons autour de votre appartement, quinze place du Panthéon, et d'autres rues » (p. 125-126).

Mais tandis que lors de ce voyage-là les proximités réelles coïncidaient avec les proximités vécues, les images parisiennes se substituent aux images romaines au fur et à

mesure qu'il se rapprochait de Paris, les proximités réelles
sont, cette fois-ci, inverses aux proximités vécues. Léon Delmont croyait se rapprocher de Rome et c'est, au terme de
son voyage intérieur, Fontainebleau qu'il découvre. Toutes
les gares qu'il rencontre signifient « *un peu plus de distance* »,
non seulement entre Cécile et lui mais entre ce qu'il croyait
être et ce qu'il est, entre ce qu'il projetait de faire et ce
qu'il devra faire. Parti dans l'idée de se libérer en allant
vers d'autres lieux, il s'aperçoit en cours de route qu'il lui
faut regarder avec d'autres yeux [1].

3. *Conditionnant — conditionné.*

« Différent des autres, détaché de la séquence habituelle
de [ses] journées et de [ses] actes » (p. 228), ce voyage se
rattache, aussi, étroitement à l'ensemble de la vie de Léon.
A l'occasion de cette fatigue qui *dérange* [*son*] *regard,
lorsqu'* [*il*] *veut l'appliquer à un objet ou un visage* (p. 196),
les circonstances provoquent l'émergence de souvenirs
oubliés, suscitent des images involontaires, conditionnent
le mouvement de l'esprit.

De même qu'il lui suffit « d'appuyer sur les boutons des
deux serrures » de sa valise, « dont le pène *s'ouvre brusquement, libérant* le couvercle » (p. 23), pour que surgisse la
matinée précédente et avec elle l'appartement parisien et
ses habitants, il lui suffit de contempler le tapis de fer chauffant ou de remarquer le visage d'un homme qui passe sa
tête par la portière pour se transporter brusquement deux
ou trois ans auparavant dans un autre train, en compagnie
de Cécile ou d'Henriette :

> « *Sur le tapis de fer chauffant* entre les banquettes, les raies de fer
> s'entrecroisent comme de minuscules rails dans une station de
> triage.
>
> *Il y a deux ans*, un peu plus même, puisque c'était encore en été,
> à la fin d'août, vous étiez assis *dans un compartiment de troisième
> classe semblable à celui-ci...* et en face de vous il y avait Cécile que

---

1. Puisque le héros décide d'écrire un livre, on peut ici songer à
Proust, tel que le cite Butor dans *Répertoire* : « Le seul véritable voyage,
le seul bain de jouvence, ce ne serait pas d'aller vers de nouveaux paysages,
mais d'avoir d'autres yeux, de voir l'univers avec les yeux d'un autre,
de cent autres, de voir les cent univers que chacun d'eux voit, que chacun
d'eux est; et cela nous le pouvons avec un Elstir, avec un Vinteuil. » « Les
moments de Marcel Proust », *Répertoire I*, p. 169.

vous connaissiez à peine, que vous veniez juste de rencontrer »
(p. 56).

« *Un homme* qui marche dans le même sens que le train, *passe
la tête, puis s'en va,* sûr qu'il s'est trompé.

Tout était comble et pourtant *on était en hiver; c'était dans cette
région-ci entre Mâcon et Bourg, à peu près à cette heure-ci;* vous aviez
déjeuné au premier service et vous étiez à la recherche de vos deux
places de troisième. Henriette prétendait toujours que c'était plus
loin et elle avait raison, pourtant vous ouvriez toutes les portes
(aisément, déjà vous n'avez plus votre force d'alors), *vous passiez
la tête et la retiriez comme ce monsieur après avoir constaté votre
erreur* » (p. 100).

Ces plongées brusques dans le passé, motivées par une
circonstance présente, inaugurent de nouvelles suites
narratives concernant ces deux périodes différentes de la vie
du héros.

Mises en branle presque à l'insu du voyageur puisqu'elles
sont suscitées par des associations d'idées involontaires,
ces séries de souvenirs (ou de projets) restent en outre
liées aux circonstances qui ont provoqué leur apparition.
Il suffira qu'au cours du voyage le regard de Léon se porte
sur le tapis de fer, ou qu'un homme, encore une fois, passe
sa tête par la portière, pour que se nouent les uns aux autres,
comme les maillons d'une chaîne provisoirement interrompue, les événements relatifs à ces deux périodes de son
existence. Le tapis de fer chauffant qui introduit le récit
de la première rencontre avec Cécile inaugure également,
lorsqu'il réapparaît plus loin (p. 93, 99, 100), la narration
des premiers épisodes de leur liaison, tandis que la réapparition (p. 121) d'un homme qui passe la tête par la porte,
inaugure celle du séjour avec Henriette à Rome.

Une fois déclenchés, plusieurs fois ranimés par les circonstances actuelles, les souvenirs ou les projets s'enchaînent les uns aux autres et conduisent le héros vers « *une
de ces régions... toutes bouillonnantes, toutes fermentantes,
toutes bouleversées* » qu'il désirait « *justement éviter* »
(p. 196).

Aux évocations des premières semaines qui ont suivi la
rencontre dans le train avec Cécile, succèdent en effet
celles du voyage fait avec elle un an auparavant : l'aller
d'abord où « déjà cela se défaisait, se détendait, se dété-
riorait » (p. 125), le séjour à Paris marqué par la rencontre
des deux femmes, enfin le retour pénible sur Rome. Tandis

qu'aux souvenirs du voyage fait avec Henriette trois ans auparavant, en hiver, dans des conditions psychologiques extrêmement pénibles succèdent ceux de son voyage de noces, au printemps, dans la joie.

Ces divers épisodes ne sont pas tous introduits par la mention du tapis de fer ou de l'homme qui passe sa tête par la porte. Le fait cependant que les derniers : retour à Rome avec Cécile (p. 214, 218, 232), voyage de noces avec Henriette (p. 220, 234) le soient de nouveau, indique leur continuité avec les premiers [1].

Deux circonstances apparemment insignifiantes, « *ouvrant la porte à tous ces souvenirs anciens* » que le héros avait *si bien oubliées, remisées* » (p. 175), l'ont donc conduit là où il ne comptait pas aller.

La plupart des autres circonstances du voyage ne sont pas seulement liées à une (ou deux) régions déterminées de l'existence de Léon, mais reproduisent ou évoquent une infinité de circonstances communes à plusieurs régions différentes les unes des autres. Tout un complexe réseau d'associations, reliant entre elles ces circonstances analogues, s'étend ainsi à travers le roman, faisant communiquer les différentes régions, dessinant, à partir des objets autour desquels les associations se cristallisent, des lignes de force thématique.

Le rôle joué par ces circonstances n'est pas le même suivant qu'elles interviennent au début du voyage ou à la fin. Tandis que les premières semblent conditionner le mouvement de l'esprit, aiguillant, elles aussi, les pensées du héros vers « une de ces régions de [ses] souvenirs ou de [ses] projets » (p. 196) qu'il aurait bien voulu éviter, suscitant des constellations d'images, réveillant des complexes affectifs, les secondes semblent conditionnées par le mouvement même de l'esprit. Elles ne jouent plus le rôle de causes ou conditions de la modification subie par le personnage, mais permettent à ce dernier (et au lecteur) d'en mesurer les effets. Le tapis de fer chauffant qui intervient tout au long du récit assume ces deux fonctions : tandis qu'au début du voyage (p. 56) il sert à motiver l'émergence d'une période du passé, il témoigne plus loin (p. 159) des effets du « souvenir fatal » (p. 159) manifestant indirecte-

---

1. Nous reviendrons sur ce point en examinant la progression narrative (cf. p. 247).

ment l'émergence, chez le héros, d'une « autre instance »
(p. 175) jusque-là occultée.

Pour préciser le rôle joué par ces circonstances : objets
ou images, auxquels s'accrochent les pensées du personnage, il faut donc tenir compte des contextes de leurs apparitions.

La pluie, dont nous avons souligné l'importance dans
l'élaboration d'un cadre vraisemblable, fournit un bon
exemple de circonstance apparaissant au début du voyage.
Elle commence à couler sur les vitres avant que le héros
n'ait eu le temps de se plonger dans le passé et de faire
beaucoup de projets. Elle s'atténue, s'arrête au moment
où les effets catastrophiques de la modification commencent
à se manifester (p. 88, 93, 95, 97). Elle est liée en outre
à d'innombrables régions de l'existence du héros.

Pluie, cris, malentendus (p. 35), ces trois mots, résument
avec Paris, cette part de sa vie que le voyageur cherche
à fuir. Or,

« *Il pleuvait* sur Gênes » (p. 85) *la semaine précédente*
tandis qu'il revenait de Rome après avoir quitté Cécile.

« *Une neige* « *fondante* » (p. 123) tombait à Rome,
trois ans auparavant, lorsqu'il y séjournait avec Henriette.

C'est « sous une *pluie battante* » (p. 149) qu'au retour de
ce « malencontreux séjour » (p. 150) ils ont dû traverser
« la campagne romaine sans une lumière » (p. 149); « de
l'autre côté de la frontière... c'était *la neige, puis la pluie*
dans le Jura, puis *déjà la nuit* à Mâcon... » (p. 151).

« la *pluie* s'est mise à tomber de plus en plus drue,
brouillant les vitres » (p. 124) lors du voyage tout aussi
malheureux qu'il a fait en compagnie de Cécile *un an auparavant*. « C'était *la nuit et il pleuvait* » (p. 137) lorsqu'ils sont
sortis de la gare de Lyon.

A Paris même, ils regardent « à travers les vitres » d'un
restaurant « *l'eau couler* sur la quinze chevaux noire »
(p. 149). — Lors du voyage de retour, marquant la fin
de « ce malencontreux séjour » (p. 185), c'est encore au
travers d'une *fenêtre couverte de gouttes de pluie* » qu'il
a contemplé : « les rails, leurs aiguillages, et les cailloux
entre les rails plus ou moins rouillés » (p. 176); « *Il pleuvait
sur le Jura comme il y a plu aujourd'hui;* la vitre se recou-
vrait de gouttes de plus en plus grosses » (p. 185). « *Il
pleuvait* sur les Alpes » (p. 185); vers Pise encore *la pluie
faisait rage* (p. 214); à Rome enfin, à la Stazione Termini,

la *pluie* tambourinait « en *grandes ondes* sur le toit transparent de la salle des Pas Perdus »... (p. 2 18).

Cette pluie, associée à toutes les périodes malheureuses de la vie du héros est également liée aux sentiments de solitude et à l'impossibilité de communiquer. Il pleuvait sur Gênes, la semaine précédente et il se rappelle n'avoir pu *répondre* (p. 85) aux questions de Cécile. Les rues de Rome étaient « *silencieuses et vides* » (p. 123) lors de son séjour avec Henriette et « *vous ne saviez rien répondre à tant de questions* qu'elle vous posait » (p. 123). « Il y avait dans vos regards ce *pathétique appel* de ceux qui se sentent déjà emportés tous deux dans une *perdition solitaire* » (p. 126) lors du voyage avec Cécile à Paris, et c'est « *sans dire un mot* » (p. 137) qu'ils sont sortis, de la gare de Lyon. Au restaurant, « *vous n'aviez plus rien à vous dire* » (p. 148); au retour, alors qu'il pleut sur le Jura, Cécile est *plongée dans un livre* et ne fait pas attention à lui (p. 187); c'est enfin, « *immobiles, silencieux* » (p. 218) qu'ils attendent dans une salle des Pas Perdus de la Stazione Termini.

Avec ses « ruisseaux *obliques* » (p. 69), « *brouillant* » les vitres (p. 124), ses gouttes qui descendent « lentement *en diagonales sinueuses et comme haletantes* » (p. 185) formant comme une « toile *tissée* sur la vitre (p. 83), la pluie se conjugue enfin aux « fils télégraphiques *tremblants et brouillés* (p. 69), à la futaie « *broussailleuse* » (p. 15), au sol « *rayé de rails luisants* » (p. 40), au « *chemin sinueux* » (p. 13) que se fraye une voiture, à ces « *raies de fer [qui] s'entrecroisent* » sur le tapis de fer (p. 56), pour figurer les rapports « *embrouillés* » (p. 121) qu'entretient le héros avec les autres et avec lui-même. Elle correspond à ce *filet de petits rites* (p. 31) dans lequel, pense-t-il, sa femme Henriette cherche à l'*enserrer*, à ce « *fil embrouillé et détérioré* » (p. 121) qui le retient encore à elle, ainsi qu'à ces *liens et ces nœuds* qu'il lui faudrait rompre avec Cécile (p. 36). Elle contribue à annoncer ce « *lacis* de réflexions et de souvenirs » (p. 163) dans les « *méandres* » duquel il va se perdre (p. 196), elle préfigure la destinée de son amour « *qui n'est pas un chemin menant quelque part* » mais qui « est *destiné à se perdre dans les sables [du] vieillissement* » (p. 227), elle symbolise enfin la quête elle-même du héros, son itinéraire incertain et aveugle.

Cette pluie, « *dont la venue n'était que trop certaine*

depuis le départ » (p. 58), cette pluie dont Léon craint l'effet « *déprimant* » (p. 80) apparaît, on le voit, comme le signe prémonitoire de l'échec du héros. Certes, au début du voyage celui-ci cherche-t-il à en combattre l'influence, évoquant à plusieurs reprises le soleil et la lumière, qui « vous n'en doutez pas » (p. 37), l'attendent à Rome. Elle n'en constitue pas moins un signe avant-coureur du futur, elle joue le rôle d'un présage de fort mauvais augure. Elle influence le cours de la modification, obscurcissant, dès le début, la figure lumineuse de l'avenir. Déjà vers deux heures de l'après-midi, bien avant d'avoir franchi la frontière, lorsque Léon Delmont imagine son voyage de retour, la pluie, associée comme dans le passé, à l'obscurité et à l'impossibilité de communiquer assombrit son futur et contamine ses projets :

> « Alors, après avoir longé le lac du Bourget, au milieu de la courte après-midi de fin novembre, vous reconnaîtrez au passage cette station de Chindrieux : ... *le soleil lui-même, la frontière franchie, vous ne le verrez plus*... A Bourg, *ce sera déjà le crépuscule*, à Mâcon *le ciel sera noir*, et toutes ces villes, tous ces villages, *que de chances il y a que vous n'en aperceviez les lampes, les réverbères* et les enseignes *qu'à travers des vitres couvertes de gouttes de pluie...*
> ... *la nuit humide et froide s'appesantira sur toutes choses et vous pénétrera vous-même* tandis que vous vous rapprocherez de ce Paris où vous attendra une semaine bien plus dure que la précédente, car maintenant que les choses seront définitivement décidées, il faudra les taire aussi soigneusement que possible jusqu'à ce qu'elles se réalisent... attendre sous le masque d'une silencieuse tranquillité l'arrivée de Cécile à Paris » (p. 112).

Tandis que les premières heures du voyage sont marquées par la pluie qui coule sur les vitres, ce n'est que beaucoup plus tard, beaucoup plus loin que la veilleuse bleue s'allume, que la lune apparaît, que les photographies de bateaux s'animent sous le regard du héros ou qu'une femme entre dans le compartiment et finit par s'endormir sur son épaule.

C'est ainsi vers dix heures du soir, un peu avant l'arrivée à Gênes que les images qui illustrent le compartiment prennent vie :

> « Au-dessus » de la jeune Agnès, qui s'est endormie sur l'épaule de Pierre, « *les bateaux* sur les photographies *ont l'air de voguer sur des vagues de soie dorée et bleu sombre, le soir, au coucher d'un chaud soleil romain* » (p. 182).

Cette image ranime le souvenir de ces « pins », qui, la semaine précédente, lorsqu'il allait à Rome, « *se balançaient doucement dans la lumière* » (p. 183) et de ces « *bateaux dans le port avec leurs canots blancs avec des éclats dans leurs vitres* rivalisant avec ceux des *vagues douces* » (p. 208) qu'il a vus « *à la sortie du roc à Gênes* » (p. 208).

Ces objets, ces images, ces circonstances : femme endormie, proximité de Gênes, vagues, reflets, lumière douce, forment une véritable constellation. Cette constellation en reproduit d'autres, analogues, qui, à différentes périodes de la vie du héros, comprenaient aussi d'autres objets, d'autres images, la lune et ses reflets, la veilleuse bleue et sa lueur diffuse en particulier :

Il y a deux ans, lors de sa première rencontre avec Cécile : « elle vous écoutait, vous regardait, vous admirait, riait. Le temps passait, la nuit tombait... Vous en étiez aux tunnels de Gênes ; vous regardiez... les *reflets de la lune sur l'eau* » (p. 58).

Il y a vingt ans, lors du premier voyage à Rome, avec Henriette : « vous rouliez *au bord de la mer avec la lune qui brillait sur les vagues* tranquilles » (p. 192).

Il y a deux ans : « ... il n'est plus resté que *la petite ampoule bleue* », Cécile, « en face de vous... s'est mise à sourire... en laissant *le sommeil* l'envahir sous votre garde... » (p. 58).

Il y a deux ans : « *Cécile dormait* en face de vous tandis que *veillait la lumière bleue* dans le lampadaire ... » (p. 93).

La semaine précédente, lors du retour sur Paris : « la petite *ampoule bleue veillait... il y avait encore cette femme* dans l'ombre dont vous ignoriez les yeux et les traits... dont vous entendiez la respiration régulière un peu rauque... » (p. 95).

Il y a un peu plus d'un an, un peu plus tôt dans la saison : ... Cécile *s'est endormie,* « *la tête penchée sur votre épaule, dès qu'on eut éteint la lampe...* » (p. 111).

Il y a vingt ans, avec Henriette : « vous rouliez au bord de la mer... elle à côté de vous, comme Agnès auprès de Pierre, votre bras derrière sa taille, *sa tête appuyée sur votre épaule...* » (p. 192).

On devine alors l'importance qu'il faudra accorder à « *cette jeune femme, entrée à Gênes* » (p. 209) qui s'endort cette fois-ci encore sur l'épaule du voyageur tandis qu' « il n'y a plus que *la lumière du plafonnier et ce morceau de clair de lune* sur la place vide d'Agnès » (p. 211).

Ces images, ces objets, associés en constellations, relient

les différentes régions du temps et de l'existence du personnage. Mais à l'inverse de la pluie, qui, annonçant ce qui va suivre, a un rôle prémonitoire, les bateaux, la lune, les reflets sur l'eau, la veilleuse bleue, la femme endormie, rappelant ce qui s'est passé, ont un rôle commémoratif.

Pure répétition du passé, le présent apparaît alors dépouillé de son sens (p. 164). Un « *changement d'éclairage et de perspective* » (p. 196) affecte toute la situation. Cette femme, entrée à Gênes, qui s'endort sur l'épaule de Léon rappelle certes Cécile et Henriette mais elle n'apparaît qu'au moment où celles-ci s'éloignent et s'effacent. La veilleuse bleue, « source dans son épaisse couleur murmurante de doux échos sur toutes les mains et sur tous les fronts des dormeurs » (p. 199) s'allume trop tard et s'avère impuissante à « *protéger* » (p. 198) le héros contre les « *cauchemars* qui [*l'*]*assaillent* » (p. 199). Bien loin, comme autrefois, de « *veiller* » sur lui, elle le « *livre à* [*sa*] *lassitude et à* [*ses*] *monstres* » (p. 199). Quant à la lune, son apparition tardive n'apporte pas ce calme qui, dans le passé, lui était intimement lié. Succédant aux tunnels des Alpes, aux « *fuites de rocs noirs* » (p. 138) à une période au cours de laquelle « *la surface de la terre est aussi noire que ses profondeurs* » (p. 145), « *la lune apparaît et vous efface* » (p. 165). Son apparition coïncide avec le sommet de la crise, alors que livré aux « *démons qui hantent les carrefours* » (p. 167), il commence à comprendre qu'il lui faut abandonner ses projets. Associée autrefois à la mer et aux vagues, aux pins dans la lumière, à ces « monts dorés et pourpres, décor de fraîches flammes » (p. 192) symbole de vie et de fertilité, la lune, au cours de ce voyage, s'affirme au contraire comme une puissance maléfique. Tandis que la *queue froide d'un serpent épineux* s'enroule autour de ses deux jambes qui n'arrivent plus à se séparer, *le reflet déformé de la lune* dans la vitre qui recouvre la photographie des bateaux.

« est *semblable à l'empreinte de quelque bête nocturne* non pas seulement à l'empreinte *aux griffes mêmes* qui se détendent et se retendent comme impatientes d'agripper » (p. 208, 214).

Déesse de la nuit et de la mort, la lune survient à point pour accompagner le héros dans sa descente aux enfers [1].

1. On ne manquera pas d'être frappé par le caractère archétypal des constellations de motifs que nous relevons ici. On sait, grâce aux historiens des religions et aux anthropologues, que le symbolisme de la lune

4. *Une machine mentale.*

« S'il n'y avait pas eu ces gens, s'il n'y avait pas eu ces objets et ces images auxquels se sont accrochées mes pensées de telle sorte qu'une machine mentale s'est constituée, faisant glisser l'une sur l'autre les régions de mon existence... peut-être cette fissure béante en ma personne ne se serait-elle pas produite cette nuit... » (p. 228).

Mais il y a eu ces gens, ces objets, ces images. Les circonstances ont mis en branle cette « machine mentale », provoquant l'émergence de certaines régions de l'existence du héros, permettant à ces différentes régions de communiquer entre elles :

« l'agitation du wagon [a fait] jouer et grincer l'une contre l'autre vos certitudes comme les pièces d'une machine trop malmenée » (p. 223).

Conditionnée par la situation matérielle, le mouvement de l'esprit modifie celle-ci en retour. Mise en branle par une circonstance du voyage, la mémoire du héros explore des régions oubliées, met à jour des souvenirs qui, une fois rappelés, changent radicalement l'image qu'il se faisait de lui-même et de son avenir. Provoquée par la nouveauté de ce voyage, par tous ses aspects inhabituels, son imagination s'empare des objets et des images, les associe en constellations signifiantes, leur confère valeur de symboles de plus en plus complexes, de plus en plus obscurs. Une question se pose de plus en plus insidieuse, de plus en plus insistante et c'est finalement cette question, cette « *interrogation contagieuse* » qui « plus encore que l'agitation du wagon, se met à *faire trembler de plus en plus de pièces de cette machine extérieure* » (p. 199) : son personnage.

La perspective narrative, joue donc un rôle capital dans cette intégration épique du train. C'est la mémoire du héros, son imagination qui sont mises en branle par les circonstances, ce sont les associations d'idées qui

est étroitement lié à celui des eaux, de la fertilité, du destin de l'homme après la mort et des cérémonies d'initiation. On sait également que le serpent est un animal lunaire et le serpent décoré de losanges un animal funéraire. Cf. Mircea Eliade, *Traité d'histoire des religions*, Paris, Payot, 1949, p. 140 à 150; Gilbert Durand, *Les Structures anthropologiques de l'imaginaire*, Paris, P.U.F. 1963, 2e éd., p. 99, 101 et 248; Gaston Bachelard, *L'Eau et les rêves*, Paris, Corti, 1964, p. 163.

motivent le passage du présent aux autres régions du
temps, tandis que la substitution de la perception à l'action
qu'entraîne l'emploi du monologue intérieur favorise la
transformation des objets en images ou symboles. Comme
dans la plupart des romans décrivant un courant de conscience, le symbolisme est ici soutenu par son réalisme
même [1].

Le réalisme est en outre mis au service d'une démysti-
fication. L'intégration épique du train telle qu'on vient de
la décrire, confirme à cet égard ce que nous avons remarqué
à propos des modulations du point de vue : la description
du monde n'a pas seulement pour fonction de situer le
personnage dans un cadre vraisemblable mais aussi de
mettre en évidence le processus selon lequel une personnalité se désagrège. Comme l'avait justement remarqué
F.-M. Guyard « l'attention aux objets, l'obsession des
objets est un moyen parmi d'autres de pulvériser cette
fausse unité qu'est une personne humaine pour mettre en
relief au contraire le chaos absurde que nous appelons
ainsi [2] ». Il se produit une véritable spatialisation de la
conscience [3]. Le personnage est peu à peu et de plus en
plus, englué dans les choses, dépassé par les circonstances,
submergé, écrasé, désintégré.

C'est enfin de la situation même que naît un certain
langage. Car, on l'a vu à propos des transformations du
tapis de fer chauffant, ce sont ces objets mêmes : ces
lambeaux, ces fissures, ces miettes, ces poussières, ces
déchirures que le héros a contemplés et qu'on nous a

1. Il s'agit là en effet d'un phénomène commun au roman de Butor et
à ceux de Joyce, Virginia Woolf, Faulkner, Herman Hesse et déjà, dans
une certaine mesure, de Proust. Cf. à ce sujet : R. Humphrey, *Stream of
Consciousness in the Modern Novel*, chap. IV, 4, « Symbolic structures »;
L. Edel, *The Psychological Novel*, chap. X, « The Novel as Poem »; R. Freedman, *The Lyrical Novel*.

2. F.-M. Guyard, *Michel Butor*, p. 235.

3. J. Dubois voit dans cette « spatialisation du mental » une des caractéristiques du monologue intérieur dans le « nouveau roman », qu'il s'agisse
de Nathalie Sarraute, Alain Robbe-Grillet, Claude Simon ou Michel Butor.
Reprenant la formule de ce dernier, il précise : « Machine mentale me paraît
une formule heureuse pour relayer « monologue intérieur ». Qui dit machine
dit structure, fonctionnement, appareil ». Mais nous verrons que J. Dubois
se trompe lorsqu'il ajoute : « Nous saisissons aussi que la machine de Butor
fonctionne hors du temps, hors de la chronologie banale et du sentiment
ordinaire de la durée ». Ce n'est pas parce que le romancier (qu'il s'appelle
Proust, Claude Simon ou Michel Butor) bouscule sans cesse l'ordre temporel (quel « ordre » d'ailleurs?) qu'il se met « hors du temps », bien au
contraire. Cf. J. Dubois, « Avatars du monologue intérieur dans le nouveau
roman », *Revue des Lettres modernes*, 1969, I.

montrés, qui s'introduisent dans son esprit, qui se transforment en images et symboles. Et de la même façon, lorsque le rêve s'empare de lui ce sont les objets mêmes, les gens et les images rencontrés au cours du voyage qui en fournissent les matériaux : le rêveur se heurte à un « *grillage* qui *l'empêche de continuer* » (p. 169), la « *pluie* se met à tomber *drue, assourdissante* » (p. 169), il « trouve un *livre* glissé dans sa ceinture » (p. 169), il doit passer par la « *porte Majeure* » (p. 187, 194), *ne comprend pas les paroles* (p. 179) qu'on lui adresse. Il aperçoit « derrière le *voile de poussière,* une découpure de *montagne* dont un *fossé* le sépare » (p. 172). « Il *longe l'eau... s'enfonce dans le sable...* » (p. 176), identifie un « *port* » (p. 187), retrouve « cette *lumière bleue s'épaississant* » (p. 213), est recouvert de « *plaques de boue* » (p. 224). Et ce sont les douaniers, le contrôleur, les autres voyageurs qui se conjuguent avec le Grand Veneur pour réapparaître sous la forme de gardiens ou de bourreaux, sous les figures des Papes et des Empereurs ou encore du dieu Janus (p. 193).

Sur ce point encore, Michel Butor reste fidèle à son parti pris de réalisme : chacun sait que le rêve emprunte ses matériaux aux sensations de la veille. Mais on sait aussi que les matériaux du rêve se transforment en symboles et que le rêve nécessite une double interprétation. Le fait que le héros retrouve dans son rêve tous les éléments de sa situation présente, indique clairement que c'est cette situation même, dans sa totalité, qui est à déchiffrer.

Les choses accèdent à la parole et les représentations s'obscurcissent. Les signes se multiplient mais l'énigme devient plus grande. La situation qui était claire devient de plus en plus problématique. Léon Delmont découvre donc que « le réel ne comprend pas seulement ce qui est donné à voir mais aussi ce dont on se souvient, ce qu'on rêve, ce qu'on regrette, et ce qu'on espère ». Il est contraint d'admettre que la cohérence du réel n'était telle que pour « un regard pressé : par les fissures que l'attention décèle dans le réel, se révèle un univers complémentaire de la réalité durcie [1] ».

Cet « univers complémentaire », il est clair qu'il n'est pas seulement celui de Léon Delmont. Point n'est besoin d'avoir beaucoup fréquenté Mircea Eliade ou Gilbert

---

1. Jean Roudaut que nous citons, *Michel Butor ou le livre futur,* p. 81, applique ces remarques à l'ensemble de l'œuvre de l'auteur. La dernière formule est de Butor lui-même, qui l'utilise à propos des contes de fées. « La balance des fées », *Répertoire I,* p. 63.

Durand[1] pour reconnaître dans ces liens, ces portes, ce gouffre, cette grille, ce feu, cette lune, ce serpent, ces « *démons non de vous seulement mais de tous ceux de votre race* » (p. 159) les figures de cet imaginaire collectif dans lequel, que nous le sachions ou non, baigne notre propre vie.

III. LE PARTI PRIS DES CHOSES COMME COMPTE TENU DES MOTS

Au niveau réaliste, l'intégration épique du train, confère donc à l'aventure du héros une valeur exemplaire. C'est ici, maintenant, que se produit la modification, le langage naît de la situation même, l'itinéraire revêt l'allure d'un pèlerinage initiatique[2].

Mais au niveau esthétique c'est à tout le roman que cette intégration confère une valeur exemplaire.

Les aventures du tapis de fer chauffant ou de la pluie sont en réalité des « aventures de la description[3] ». Elles nous font voir comment, grâce au roman, les choses accèdent à la parole.

Ce qui est vrai pour le poète l'est également pour le romancier : « parti pris des choses égale compte tenu des mots[4] ». Ce tapis de fer chauffant, cette pluie, qui parais-

---

1. Ce qui ne veut pas dire que leur lecture ne soit pas utile à une meilleure compréhension du roman!

2. Comme Michel Leiris l'avait bien vu : « A un niveau différent du niveau psychologique (et de celui du panorama historique) le roman de Michel Butor où est décrit minutieusement un itinéraire matériel doublé d'un itinéraire spirituel, revêt l'allure d'un récit de pèlerinage initiatique. Ce n'est pas seulement une mythologie romaine — introduite par la cogitation du voyageur — qui fait irruption dans le cadre d'une réalité quotidienne, c'est le récit tout entier qui se situe sur le plan du mythe, sans que jamais soit faussé ce que je serais tenté de nommer son vérisme tant on y est au ras du sol », *Le Réalisme mythologique de Michel Butor*, p. 298. Nous nous efforçons de montrer comment s'articulent ces différents « niveaux » du texte.

3. Selon la formule qu'utilise Jean Ricardou (*Problèmes du Nouveau Roman*, p. 110) à propos de Robbe-Grillet et de Claude Ollier. Ce renversement de « l'écriture d'une aventure » à « l'aventure de l'écriture », que manifeste l'examen détaillé du roman de Butor, s'opère également *(mutatis mutandis)* chez tous les grands romanciers. Il suffirait d'appliquer notre méthode à n'importe quel roman de Balzac, ou, bien sûr, à celui de Proust pour s'en convaincre.

4. Le poète est ici Francis Ponge, *Le Grand Recueil*, Paris, Gallimard, 1961, p. 17.

sent motiver le passage d'une région de temps à une autre sont aussi des motifs narratifs liant entre elles les diverses phases de la narration. Cette veilleuse bleue ou cette pluie qui paraissent associés aux sentiments du personnage, sont des motifs thématiques permettant au lecteur de regrouper et déchiffrer les différents thèmes. Ce qui égare le héros, ce qui contribue à le perdre, est justement ce qui aide le lecteur et lui permet de s'y retrouver. Au déroulement fatal des souvenirs suscités par la mémoire répond ainsi le déroulement calculé de la progression narrative; au désordre de l'imagination, le développement ordonné des constellations d'images et de symboles. Compte tenu des mots puisque c'est leur présence à tel endroit du texte, leur groupement sur la page, leur récurrence dans le récit qui confère au roman sa structure propre et par là même sa signification.

Repérer les aventures du tapis de fer chauffant, ou de tout autre objet, c'était ainsi dévoiler l'aventure même de l'écriture et éclairer celle de la lecture. C'est insensiblement, on l'a vu, que les objets prennent valeur d'images et de symboles, que ce qui était signifié joue le rôle de signifiant pour signifier tout autre chose, que se réalise le transfert du « propre » au « figuré [1] ». Du réalisme objectif au réalisme subjectif et de ce dernier au « réalisme mythologique », il n'y a pas de solution de continuité. C'est insensiblement que la réalité décrite se charge de sens. Ces mots mêmes qui semblaient désigner une réalité univoque et prosaïque : *lézarde* sur une cheminée de banlieue (p. 14), couture *défaite* de la serviette *noire* (p. 10), écriteaux *rouillés* (p. 40), « *accrocs* dans le tissu urbain », « *plaques de boue* » (p. 14), « dos *lépreux* des immeubles » (p. 13) se sont enrichis peu à peu de toutes les connotations que l'auteur, au cours du texte, leur adjoint. Après coup, le livre une fois lu, c'est dès les premières pages que la réalité prosaïque et univoque paraît chargée d'un sens symbolique et ambigu.

Il suffit alors de relire les textes qui paraissaient témoigner d'un maximum d'objectivité pour y voir apparaître comme en filigrane toute la thématique du roman. Cette

---

[1]. La métaphore, donnée directement dans certaines œuvres poétiques baroques et surréalistes en particulier, ne surgit dans le roman qu'au terme d'un procès. L'étude de ce procès nous semble confirmer les théories modernes de la métaphore, qui contestent celle, traditionnelle, selon laquelle « un mot pris dans un sens métaphorique perd sa signification propre ». Du Marsais, *Des tropes*, p. 153. Cité par A. Kibédi Varga, *Les Constantes du poème*, Den Haag, Ven Goor en Zonen, 1963, p. 182.

« *grille* » sur le tapis de fer, ces pépins de pomme « *écrasés* » et leurs « *déchirures* » (p. 111), ces « *traces boueuses* semblables à des *nuages très menaçants de neige* » (p. 119), ces « *pérégrinations compliquées* » de la boule de papier qui l'amènent dans « *cette région, de l'autre côté* de la rainure sur laquelle on fait *glisser la porte frontière* du compartiment » (p. 127) dénotent toujours l'état matériel du compartiment. Mais le lecteur y lira l'emprisonnement du héros, les déchirures de sa vie intérieure, les menaces qui pèsent sur sa décision et sa personne, les frontières matérielles et morales qu'il lui reste à franchir, le chemin qu'il doit parcourir avant d'atteindre Cécile et Rome, avant surtout de se découvrir lui-même. Le lecteur y déchiffrera aussi les motifs de cette quête spirituelle, dont le récit de ce voyage en train est à la fois la figure et le prétexte.

Ce qui arrive au personnage réfléchit donc, mais de manière inverse, ce qui arrive au lecteur. Ce qui apparaissait à Léon Delmont comme une réalité stable et univoque s'est avéré mouvant et ambigu. Attentif de son côté à « céder l'initiative aux mots[1] », le lecteur prend conscience de leur polyvalence sémantique. La modification à laquelle il est appelé à participer est donc celle du roman lui-même : celle que la lecture introduit dans ses représentations. En utilisant systématiquement les mêmes mots pour leur faire signifier dans des contextes différents des choses différentes, Michel Butor rend compte de l'entrelacement de la conscience au monde et des conditions de son aliénation. Mais il rend compte aussi de la puissance du langage à transformer nos représentations. Tandis que nous participons au mouvement par lequel, au cours de ce voyage différent des autres, le héros se perd dans les choses, nous prenons part au processus, grâce auquel le monde accède à la signification.

---

1. Pour parler cette fois comme Mallarmé! *Variations sur un sujet*, in *Œuvres complètes*, Paris, Gallimard, Pléiade, 1945, p. 366.

CHAPITRE V

PROGRESSION NARRATIVE
ET PROGRESSION THÉMATIQUE

« *Un merveilleux système de signes.* »

I. LE PROBLÈME DU TEMPS.
FICTION ET NARRATION

La Modification pourrait s'intituler *l'Emploi du lieu*. Emploi du lieu par le personnage narrateur, qui « de ce sombre labyrinthe où il est enfermé ne cesse de recevoir des signes qui, peu à peu, l'informent, guident le cours de sa rêverie, enfin, malgré leur présence accablante, le mènent à travers la nuit jusqu'à la lumière du matin qui lui apprend qui il est[1] ».

Emploi du lieu par l'auteur qui utilise ses particularités pour construire l'aventure de son personnage, manifestant ainsi « le pouvoir que peut prendre un lieu sur l'esprit d'un homme[2] ». Emploi du lieu par l'auteur qui utilise ses propriétés pour construire son livre faisant, en quelque sorte, parler les choses mêmes.

Mais cet emploi du lieu est aussi un emploi du temps[3].

Emploi du temps pour le personnage-narrateur, puisque les objets conditionnent l'émergence de ses souvenirs et de ses projets, puisque le voyage actuel concentre en lui les voyages passés et futurs, puisque le déplacement dans

---

1. Comme le formule bien L. Janvier, *Une parole exigeante*, p. 158.
2. C'est ainsi que Michel Butor explique à Madeleine Chapsal ce qu'il entend par « Le génie du lieu ». *Les Écrivains en personne*, p. 66.
3. Commentant *L'Emploi du temps*, Ludovic Janvier remarque, réciproquement, que « l'emploi du temps c'est d'abord l'utilisation de l'espace, son organisation ». *Une parole exigeante*, p. 31.

l'espace entraîne un changement de ses représentations. Emploi du temps par l'auteur, puisque les lieux et les objets lui permettent de faire intervenir dans son récit les diverses suites narratives, et de les relier entre elles.

Emploi du temps donc grâce à l'emploi du lieu, mais aussi bien emploi du lieu grâce à l'emploi du temps.

Emploi du temps qu'il s'agirait maintenant d'étudier en lui-même, comme on l'a fait précédemment de l'emploi du lieu.

Mais justement, cet emploi du lieu, nous n'avons pu l'étudier en lui-même. Pour décrire les modalités selon lesquelles se réalise l'intégration épique du train, il a fallu faire intervenir tous les éléments du récit que l'analyse avait cru pouvoir distinguer sous les catégories du vérifiable, du vraisemblable et de la perspective narrative. Il a fallu aussi tenir compte du temps de l'aventure avec l'évocation des différentes périodes de la vie du héros, du temps de la lecture [1] avec la prise en considération des pages du roman. Il a fallu enfin faire allusion aux thèmes : distance et communication, quête et interrogation, emprisonnement et libération, scission et réconciliation, concrétisés par les divers motifs de la pluie ou du soleil, du grillage et de la veilleuse, des déchirures et des poussières, des vagues et des reflets sur l'eau, de la forêt et de la lune...

Mis en pièces par nos soins, le roman commence cependant à reprendre figure. Dévoilées progressivement selon des perspectives nécessairement partielles et partiales, les données du texte manifestent leur appartenance réciproque. Si le chapitre précédent a contribué à éclaircir le fonctionnement particulier du roman de Butor, s'il a permis aussi de vérifier indirectement certains présupposés théoriques sur le fonctionnement du récit romanesque, c'est d'abord parce que l'espace dans le roman et particulièrement dans *La Modification* n'est pas dissociable de la totalité de l'œuvre, c'est peut-être aussi parce que la méthode de dévoilement progressif que nous avons suivie jusqu'ici a permis de montrer comment les données précédemment décrites s'intègrent dans cette totalité.

C'est cette totalité qu'une étude de l'emploi du temps dans le roman devrait, encore mieux, contribuer à éclaircir.

---

1. Cette distinction, sur laquelle nous allons revenir, est de Michel Butor, « Recherches sur la technique du roman », *Répertoire II*, p. 94.

Le roman en effet, et celui de Butor bien loin de faire exception à la règle en exploite au contraire les possibilités, est un art du temps [1]. Comme art du langage d'abord, de sorte que l'on peut dire avec Lämmert que son « principe de construction le plus essentiel est celui de la succession [2] », et parmi les arts du langage comme récit en prose racontant des événements qui eux-mêmes se déroulent dans le temps. Art du temps donc par le fait même qu'il raconte et par les choses qu'il raconte. Art du temps comme narration et art du temps comme fiction.

Remarquons que si l'on ne peut récuser le principe de succession comme principe fondamental de construction de toute narration, l'histoire du roman, depuis l'épopée homérique jusqu'au Nouveau Roman manifeste en revanche la contingence du développement temporel au niveau de la fiction. Le « il y avait... et alors » qui selon Lämmert constitue le schéma fondamental de tout récit d'événements [3], peut être soumis à d'innombrables variations, à commencer par celle-ci : « alors... il y avait » ou retour en arrière, dont Balzac fournit un bon exemple dans le chapitre d'*Illusions perdues* dont nous avons parlé [4]. Ces variations peuvent être telles qu'il devient impossible de

1. Le roman est un art du temps, comme la musique, par opposition aux arts de l'espace, comme la peinture ou la sculpture. Cette distinction proposée par Lessing dans le *Laocoon* est devenue un lieu commun de la critique allemande. Il est remarquable de voir ressurgir en France cette référence à Lessing, chez des critiques aussi différents qu'un G. Blin (*Leçon inaugurale*, p. 31) et un J. Ricardou (« Le temps dans le roman contemporain », in *Entretiens sur le temps*, Mouton, La Haye, 1957, p. 253). E. Lämmert, qui s'y réfère également, précise que c'est depuis Herder et grâce à lui que cette détermination de l'art narratif comme art du temps est devenue assez précise pour être utilisable. Cf. *Bauformen des Erzählens*, p. 19 à 21. Lessing en effet, en se référant à Homère ne distinguait pas la temporalité du narré de celle du narratif.
2. E. Lämmert, *Bauformen des Erzählens*, p. 19.
3. E. Lämmert rejoint en une seule formule ce qui pour Herder d'une part et pour G. Müller d'autre part constitue la forme fondamentale de tout récit : *es war... und dann*. Ce schéma est selon lui plus essentiel que le « il était une fois » proposé par R. Petsch, où l'idée de devenir n'est pas impliquée, *Bauformen des Erzählens*, p. 21.
4. On sait que ce procédé était considéré par les poéticiens « classiques » comme indispensable à la qualité artistique de l'œuvre narrative. Pierre-Daniel Huet, dans son *Traité de l'origine des romans* (1670), déclare à propos des *Babyloniques* de Jamblique : « La vraisemblance y est observée avec assez d'exactitude et les aventures y sont mêlées avec beaucoup de variété et sans confusion. Toutefois *l'ordonnance de son dessein manque d'art. Il a suivi grossièrement l'ordre du temps*, et n'a pas jeté d'abord le lecteur dans le milieu du sujet suivant l'exemple d'Homère. » Ed. Arend Kok, Amsterdam, 1942, p. 157.

reconstituer une histoire qui soit indépendante de la narration qui l'institue. Il s'agit certes de cas limites, mais que les romans d'un Robbe-Grillet (pour rester fidèle aux exemples invoqués plus haut) suffisent à établir. Il y a bien une histoire dans *La Jalousie*, une aventure qui se découvre à la lecture, mais le développement de cette « jalousie » n'est suggéré que par le développement de la narration. Toute tentative pour en reconstituer le déroulement dans une temporalité indépendante de celle de la lecture est vouée à l'échec. Les romans de ce type manifestent la tension qui, dans les romans habituels, s'institue entre le temps narré et le temps de la narration[1]. Cette tension, il est vrai, peut passer inaperçue. Soit que l'auteur ait pris soin de « ménager des transitions savantes et dissimulées » de façon à donner « l'illusion complète de réalité[2] », soit, tout simplement, que le lecteur accepte comme allant de soi les conventions du genre[3] et trouve naturel que l'auteur passe sous silence une vingtaine d'années pour s'attarder au récit de quelques instants. Cette tension n'en constitue pas moins un des facteurs essentiels de l'efficacité du récit romanesque.

La duplication du temps narré et du temps de la narration manifeste d'autre part clairement le fait que l'œuvre d'art narrative n'imite pas la réalité, mais l'exprime indirectement, ne la reproduit pas mais produit une « réalité » sui generis. Les rapports entre le temps narré et le temps de la narration permettent ainsi de préciser la nature des rapports qui s'instituent entre la réalité globale et indéfinie sur le fond de laquelle se détache l'œuvre et à laquelle

---

1. Jean Ricardou remarque justement que *La Jalousie* « qui a établi sans conteste l'éclatement du temps de la fiction repose en revanche sur un ordre classique de la narration », de sorte que « la jalousie est entièrement inventée par la narration et sa succession préservée. » Il propose à son tour de pousser plus loin l'expérience en perturbant cette fois l'ordre temporel de la narration. Par exemple en injectant la fin du livre en son milieu. Ces « redites », ces « anticipations textuelles » ouvriront des domaines nouveaux en substituant l'espace au temps comme principe organisateur principal. Il n'en reste pas moins, comme le fait remarquer Georges Blin, que « dans les contrats du langage, la symétrie n'est pas possible. Ni la répétition : le refrain même prend une valeur différente selon l'incidence du couplet qui le ramène ». Cf. J. Ricardou, *Le Temps dans le roman contemporain*, p. 259, et G. Blin, *Leçon inaugurale*, p. 29 et 31.

2. Comme le préconisait Maupassant dans sa préface à *Pierre et Jean*.

3. G. Mendilow, dans *Time and the Novel*, distingue trois sortes de conventions : celles qui sont relatives au thème (le fait par exemple que le héros ne dort pas et ne mange pas) celles qui sont relatives à la forme (par exemple l'explication des événements par leurs causes), celles qui sont relatives au langage (par exemple l'emploi du passé défini).

elle renvoie et la « réalité » déterminée et significative qui est instaurée par l'œuvre. Certes chacun des chapitres précédents a déjà mis en évidence la dépendance de la fiction par rapport à la narration, et que c'était le choix des signes et leur agencement qui instituaient le vérifiable, le vraisemblable, la perspective narrative ou l'espace. On peut cependant penser avec Lämmert qu'une comparaison du temps narré et du temps de la narration offre un des moyens les plus efficaces pour analyser et comprendre les rapports entre la réalité racontée et son expression littéraire [1].

Cette duplication du temps romanesque depuis toujours reconnue et diversement exploitée par les romanciers [2] n'a pas manqué d'attirer l'attention des critiques et des théoriciens du roman. On rappellera la distinction qu'ont faite les formalistes russes entre la « fable » et le « sujet». Tandis que la fable correspond à « l'ensemble des événements communiqués au cours de l'œuvre... que l'on peut exposer de manière pragmatique, à savoir l'ordre chronologique et causal des événements, indépendamment de la manière dont ils sont disposés et introduits dans l'œuvre », le « sujet » est « constitué des mêmes événements », mais « respecte l'ordre de leur apparition dans l'œuvre et la suite des informations qui nous les désigne [3] ».

Cette distinctions correspond à celle que fait Lämmert entre ce qu'il nomme *Geschichte* et ce qu'il nomme *Fabel* (*Fabel* désignant chez lui ce que les formalistes russes appellent le « sujet ») [4]. Mais on connaît aussi la distinction proposée autrefois par E. Forster et E. Muir entre *story* et

1. E. Lämmert, *Bauformen des Erzählens*, p. 23.

2. Depuis Homère, comme on l'a indiqué dans la note 4, p. 217. Mais tous les grands romans français en offrent des illustrations remarquables. Les plus célèbres sont sans doute l'accélération du récit au début de *L'Éducation sentimentale* et le « blanc » qui précède la dernière partie du récit dans *Le Rouge et le Noir*. Comme l'a montré J. Ricardou, Michel Butor, dans *L'Emploi du temps*, « a joué systématiquement jusqu'à le dramatiser du rapport entre les deux axes temporels ». « Temps de la narration. Temps de la fiction », in *Problèmes du Nouveau Roman*.

3. Les définitions que l'on vient de citer sont celles de B. Tomachevski dans la traduction de T. Todorov, *Théorie de la littérature*, p. 268. V. Erlich, qui commente ces distinctions, proposées également par Eikhenbaum et Chklovski, traduit *Fabula* par « fable » et *Sjushet* par « plot », *Russian Formalism*, p. 208-211.

4. E. Lämmert, *Bauformen des Erzählens*, p. 24 et suivantes. Cette disparité terminologique s'accentue encore si on se réfère à la distinction proposée par T. Todorov entre « histoire » et « discours », dans son article sur « Les catégories du récit littéraire », *Communications*, n° 8, p. 126.

plot, termes qui désignent respectivement « la suite des événements dans le temps » et « cette suite d'événements en tant qu'elle est soumise au principe de causalité [1] », ou celle que fait Günther Müller entre le temps narré qui se rapporte aux événements racontés *(erzählte Zeit)* et le temps de la narration qui se mesure par la pagination *(Erzählzeit)* [2].

Si ces distinctions désignent bien le fait de la duplication du temps romanesque, elles ne s'accordent pas tout à fait sur la nature et les fonctions des deux instances temporelles et elles ne suffisent pas à les déterminer. On peut se demander en effet si cet ordre causal des événements que les formalistes russes considèrent comme appartenant au domaine de la « fable » ne relève pas plutôt du « sujet » ou du moins d'une de ses formes que l'on pourrait désigner sous le nom d'intrigue et qui correspondrait à ce que Forster appelle *plot.* Inversement, il faut reconnaître avec Lämmert que le principe de causalité n'est pas, et de loin, le seul principe possible de construction du « sujet [3].» On peut se demander également s'il est possible d'identifier le temps du « sujet » qui se rapporte comme celui de la « fable » à une succession d'événements racontés et relève par conséquent de la fiction, avec le temps de la narration tel qu'il est mesurable par la pagination [4].

Si donc il faut admettre le fait d'une duplication du temps romanesque et adopter le principe d'une comparaison entre les deux instances temporelles, il faudra, à l'épreuve du texte, tâcher de répondre à ces questions, et en commençant par définir nos termes, adapter ces concepts à l'objet concret de notre étude.

Cette duplication du temps romanesque est en tout cas évidente dans *La Modification.* Il suffit pour s'en convaincre de rappeler les divers aspects du temps que l'on a déjà rencontrés.

1. E. M. Forster, *Aspects of the Novel,* Londres, 1927, et E. Muir, *The Structure of the Novel,* Londres, 1928. Cf. aussi E. Lämmert, *Bauformen des Erzählens,* p. 25, et R. Welleck et A. Warren, *Theory of Literature,* p. 208.
2. G. Müller, *Über das Zeitgerüst des Erzählens. Erzählzeit und erzählte Zeit.*
3. Cf. E. Lämmert, *op. cit.,* p. 25. T. Todorov, dans *La Poétique structurale,* p. 123 et suivantes, développe également certains aspects de ce problème.
4. Identification que nous semble faire G. Müller dans son analyse du roman de Virginia Woolf, *Mrs Dalloway,* dans son article intitulé : *Erzählzeit und erzählte Zeit.*

Temps de la fiction : cosmique avec l'évocation des saisons et des jours, civil avec l'utilisation du calendrier et de l'indicateur des chemins de fer, psychologique avec les souvenirs, les projets, les actions ou les sensations du personnage, historique avec les monuments et œuvres d'art, légendaire avec la Forêt de Fontainebleau et le Grand Veneur, mythique avec les apparitions de la lune et du serpent...

Temps de la narration, avec la succession ordonnée des descriptions, les modulations du point de vue, l'intervention progressive et périodique des différentes suites temporelles, la modification des motifs thématiques.

Cette énumération manifeste l'écart entre la fiction et la narration mais ne suffit pas à préciser leurs rapports. Qu'il y en ait et qu'ils soient déterminants pour la signification de l'œuvre, les analyses que nous avons faites des transformations du tapis de fer chauffant, de la distribution des pronoms personnels au cours du récit ou du rôle joué par les motifs circonstanciels comme la pluie ou la lune l'ont cependant déjà fait entrevoir : si nous avons le sentiment d'une durée concrète, si nous participons à une prise de conscience, si nous pouvons comprendre comment des circonstances contingentes peuvent conditionner ou exprimer un changement de représentations, c'est parce que la succession des signes dans le texte, est ordonnée selon des lois particulières.

Ce sont ces lois, prises dans leur ensemble ou plus précisément les modes de construction de la succession narrative qu'il s'agit maintenant de dégager.

II. LA PROGRESSION NARRATIVE

1. *Temps et point de vue.*

Temps et roman, tel est le titre, on s'en souvient, du livre que Jean Pouillon a consacré aux problèmes du point de vue. Qu'il y ait un rapport étroit entre la perspective narrative et l'emploi du temps dans le roman est en effet peu contestable. Seront d'accord avec lui sur ce point la plupart des théoriciens du roman et la plupart des romanciers. « La situation du narrateur est d'une importance décisive pour l'enchaînement des événements dans le « sujet »

(Fabel) et l'organisation de la succession narrative[1] », reconnaît, par exemple, Lämmert. « L'introduction du narrateur, point de tangence entre le monde raconté et celui où on le raconte, moyen terme entre le réel et l'imaginaire, va déclencher toute une problématique autour de la notion de temps[2] », remarque de son côté Michel Butor. Les rapports entre le temps narré et le temps de la narration, entre le temps de l'aventure et celui de l'écriture, ne peuvent en effet être les mêmes suivant que le narrateur est à distance de ce qu'il raconte ou qu'il semble, au contraire, faire partie de ce qui est raconté.

D'après Jean Pouillon la « vision par derrière » suppose un « privilège inadmissible de l'auteur sur le lecteur[3] » qui aurait en particulier pour effet de « fausser l'expression de la temporalité[4] ». Dans un roman de ce type, explique-t-il, « le déroulement temporel d'un caractère posé d'abord n'est plus qu'une affaire de technique romanesque et ne nous apprend rien[5] ». « Les sentiments et les actes des personnages apparaissent dans le temps mais sont définis en dehors de lui[6] ». En revanche le monologue intérieur, qui représente la forme extrême du « point de vue avec », « se veut l'expression la plus lucidement adéquate de l'écoulement du temps »[7]. Dans ce cas en effet c'est le présent qui « appelle » le passé et le futur et leur assignent leur sens[8]. On a à faire à une conscience en acte qui « déploie le temps » et pour laquelle, par conséquent, les différentes instances temporelles ne sont pas dissociables de la conscience qu'elle en prend. Ainsi, « décrire le présent pour lui-même c'est expliquer ce qui arrive à l'individu par sa psychologie propre et non par la succession extérieure des situations où il se trouve jeté[9] ». En outre, ce présent apparaît comme étant « à la fois libre et inévitable : libre en tant qu'il se fait et éclaire son passé, inévitable en tant qu'il devient aussitôt passé et ne peut plus être repris[10] ». S'il y a l'expres-

1. E. Lämmert, *Bauformen des Erzählens*, p. 72. Cf. aussi F. K. Stanzel, *Typische Formen des Romans*, p. 50.
2. Michel Butor, « L'usage des pronoms personnels dans le roman », *Répertoire II*, p. 63.
3. J. Pouillon, *Temps et roman*, p. 170.
4. *Ibid.*, p. 89.
5. *Ibid.*, p. 170.
6. *Ibid.*, p. 171.
7. *Ibid.*, p. 185.
8. *Ibid.*, p. 186.
9. *Ibid.*, p. 170.
10. *Ibid.*, p. 169.

sion d'un destin, celui-ci n'apparaît pas comme le résultat d'une fatalité extérieure mais comme le sens particulier que le héros confère à son propre passé : il relève de la psychologie particulière d'un être et non de la structure du temps qui reste contingent [1]. Respectant les caractères du temps et en particulier sa contingence, exprimant sa « plurivocité [2] » le monologue intérieur apparaît « comme le véritable roman du temps [3] ».

On admettra sans peine que, d'après ces critères, *La Modification* est un véritable roman du temps. C'est bien à partir du présent que sont évoqués souvenirs et projets. Les différentes dimensions du temps sont données en perspective conformément au réalisme psychologique selon lequel la conscience déploie ou constitue le temps [4]. Le passé et le futur sont perpétuellement confrontés au présent : « *Mais maintenant ça y est, c'est fait,* vous voilà libre » (p. 70). Ce présent confère son sens au passé : « *Ah déjà, (maintenant vous vous en rendez compte)... déjà cela se défaisait* » (p. 125). Évoqués sous la forme de souvenirs ou de projets, remémorés ou imaginés, le passé et le futur sont actualisés. Le temps n'est donc pas un cadre formel à l'intérieur duquel se déroule une histoire, mais cette histoire même en train de se faire. La prise de conscience ne s'effectue pas seulement dans le temps, elle est prise de conscience du temps. Le présent apparaît comme libre puisqu'il se fait et éclaire le passé, et comme inévitable puisqu'il devient lui-même passé. Ainsi vers la fin du voyage, lorsque Léon évoque ce qui le sépare de Cécile : son incapacité à l'aider à déchiffrer la Rome chrétienne, le peu de confiance qu'elle a en lui et la demande qu'elle lui a faite, la semaine précédente, de lui donner une preuve de son amour, il ne se dit plus : « Mais maintenant ça y est, c'est fait », mais : « *c'était* pour la lui donner cette preuve *que vous aviez* pris le train ce matin » (p. 145). Si l'on a pu déclarer que le passé pesait de tout son poids sur la situation présente, si le héros reconnaît que « s'il n'y avait pas eu cet ensemble de circonstances » (p. 228) la modification de ses projets ne se serait pas produite, si, en ce sens, il y a

1. *Temps et roman*, p. 212 et suivantes.
2. *Ibid.*, p. 168.
3. *Ibid.*, p. 187.
4. Toute la théorie de Jean Pouillon est fondée sur l'analyse phénoménologique de la temporalité, que Sartre a développée dans *L'Être et le Néant*.

bien une sorte de fatalité, ce destin n'est tel que pour lui, et dans la mesure même où il le reconnaît comme tel.

Le choix du monologue intérieur a donc des conséquences pour l'emploi du temps du personnage. Il en a aussi pour celui du lecteur. Si ce dernier, explique Butor, « est mis à la place du héros, il faut aussi qu'il soit mis en son moment, qu'il ignore ce qu'il ignore, que les choses lui apparaissent comme elles lui apparaissent [1] ». C'est bien ainsi, on l'a vu, que les choses se passent dans *La Modification*. C'est avec le voyageur et en même temps que lui que l'on explore les objets contenus dans sa valise, que l'on apprend ce qu'il a fait le matin et qu'on imagine ce qu'il fera demain. On doit passer par la mémoire du héros pour découvrir son passé ou épouser ses projets pour découvrir son futur. Ces souvenirs et ces projets ne sont donnés que par bribes qu'il faut reconstituer peu à peu. L'on est contraint de déchiffrer la situation au fur et à mesure qu'elle se dévoile pour le héros-narrateur. Dans la mesure où le lecteur adopte le point de vue du personnage, on peut dire avec Jean Pouillon que « le temps de la lecture et le temps de l'histoire se recouvrent exactement [2] ».

On peut alors se demander si cette « abolition imaginaire de toute distance entre le temps de l'aventure et celui du récit [3] », dont parle à son tour Butor, n'interdit pas toute comparaison entre le temps narré et le temps de la narration. N'est-ce pas fausser le sens du roman que de tenter de reconstituer une « histoire » (ou fable), indépendamment du « sujet » : de rétablir un ordre chronologique des événements sans tenir compte de la manière dont ils sont introduits dans le récit ? N'est-ce pas méconnaître le « sujet » lui-même : la succession des représentations du personnage-narrateur, que de le confronter avec la « narration » : la succession des mots sur les pages, organisées en phrases, paragraphes et chapitres ?

Mais, soulignons-le, les analyses qui précèdent ne portent que sur un seul aspect du roman. Celui-ci n'est considéré que du point de vue du personnage-narrateur. C'est dans la mesure seulement où l'on adopte le point de vue du héros, que le temps de l'aventure (de son aventure) s'identifie au temps de la lecture (de notre lecture). Or ce point

1. Michel Butor, « L'usage des pronoms personnels dans le roman », *Répertoire II*, p. 64.
2. J. Pouillon, *op. cit.*, p. 86.
3. Michel Butor, « Recherches sur la technique du roman », *Répertoire II*, p. 97.

de vue n'est qu'une convention parmi d'autres, le résultat d'un certain nombre d'artifices. Il relève, par conséquent, de cette technique romanesque que semble mépriser Pouillon. Comme le souligne justement Butor, l'abolition de toute distance entre le temps de l'aventure et celui de la lecture est « imaginaire » : c'est une illusion provoquée par l'auteur et qu'une relecture ne manque pas, d'ailleurs, de dissiper. Ce point de vue d'autre part n'est pas le seul que nous puissions adopter puisque s'y superpose celui de l'auteur, tel qu'il se manifeste au niveau de l'organisation du texte. Ce n'est pas comme l'affirme Pouillon parce qu'il « connaît le fin mot de l'histoire [1] » que le romancier qui adopte la « vision par derrière » « déforme » le temps [2], mais s'il le déforme ou plutôt lorsqu'il le déforme c'est parce qu'il manque des artifices qui lui permettent d'en donner l'illusion adéquate. L'auteur d'un roman au monologue intérieur connaît lui aussi parfaitement le « fin mot de l'histoire » et encore mieux sans doute que le romancier traditionnel à en juger par la complexité des artifices qu'il est contraint de mettre en œuvre pour donner l'illusion du contraire et faire en sorte que le lecteur reste dans l'ignorance jusqu'au bout! Refuser de distinguer le temps narré et le temps de la narration, c'est en fait refuser de considérer le roman comme un texte écrit.

Or, pour s'en tenir à *La Modification*, il est clair que la superposition des voyages et le fait qu'il y en a dix et non pas onze ou douze, ne relève pas d'une motivation psychologique, ni plus généralement réaliste, mais d'une motivation compositionnelle [3]. De même l'intervention de telle ou telle « région » à tel ou tel moment du récit est soumise à des règles que l'on peut parfaitement retrouver. Tout autant, sinon plus, que la perspective narrative, le découpage du temps narré en époques et en périodes, ainsi que le montage [4] de ces séquences de temps en une

---

1. J. Pouillon, *Temps et roman*, p. 221.
2. *Ibid.*, p. 215 à 223.
3. Nous empruntons l'expression aux formalistes russes. Cf. *Théorie de la littérature*, p. 282.
4. Empruntés à l'art cinématographique, ces termes ont depuis longtemps conquis droit de cité dans la critique romanesque. Nous les utiliserons donc à la suite d'un L. Edel, *The psychological Novel*, p. 30, d'un R. Humphrey, *Stream of Consciousness in the modern Novel*, p. 49, d'un W. C. Booth, *The Rhetoric of Fiction*, p. 55. Il est remarquable qu'en France, tout récemment, un ouvrage collectif de textes littéraires, *Change*, ait pris comme titre *Le Montage*, Seuil, 1968, et que s'y trouve justement traduit un texte de S. M. Eisenstein, dont on sait l'influence sur les formalistes russes et une part de la critique anglo-saxonne.

succession ordonnée de suites narratives, confère à l'œuvre sa signification particulière.

On pourrait, à la rigueur, donner raison à ceux qui considèrent que dans le cas du monologue intérieur la distinction entre le temps narré et le temps de la narration n'est pas pertinente[1] si ce roman ne permettait pas de reconstituer une « histoire », ou encore, si le temps du « sujet » : celui de l'aventure telle qu'elle est racontée correspondait exactement au temps de la narration; c'est-à-dire à celui de la lecture. Mais il est possible de reconstituer une « histoire » et il faut constater que le temps du « sujet » ne se confond pas exactement avec celui de la narration.

Il est possible de reconstituer une histoire. Après coup en effet, le livre une fois lu, le lecteur se trouve en possession des éléments qui lui permettent de reconstituer la vie entière du voyageur et d'y replacer chronologiquement les principaux événements. Il peut en particulier situer cet « épisode crucial » de l'aventure : ce mouvement qui s'est produit dans l'esprit du héros lors du trajet entre Paris et Rome. Et non seulement il le peut, mais à l'instar du personnage, qui reconnaît dans cet épisode la « conclusion » d'une « crise » (p. 230), il se rend compte que c'est le rapport entre ces deux aventures qui, dans une grande mesure, donne son sens à ce qu'il vient de lire. Un aspect essentiel de la modification telle qu'elle se produit chez le personnage vient du fait qu'il se trouve contraint de reconstruire sa vie tout entière et par conséquent de la reconsidérer sous un éclairage nouveau. Un aspect essentiel de *La Modification* telle qu'elle est lue par le lecteur vient du fait qu'il doit reconstituer une « histoire » à partir « d'un sujet » et par conséquent participer activement à la construction du livre.

S'il est ainsi non seulement légitime mais nécessaire de comparer le sujet à l'histoire, il faut bien d'autre part distinguer le temps du sujet, qui est fictif et hétérogène du temps de la narration, qui est réel et (relativement) homogène. Certes le sujet de *La Modification* compris comme la succession des représentations du personnage au cours des vingt et une heure trente-cinq du voyage, couvre un laps de temps plus proche de celui qu'un lecteur peut mettre

---

1. C'est ce qu'implique en effet la théorie d'un J. Pouillon et ce qu'affirment explicitement F. K. Stanzel, *Typische Formen des Romans,* p. 35, ou E. Hönisch, *Das gefangene Ich,* p. 35.

à lire les 236 pages du livre que le sujet d'un roman comme *Illusions perdues* ou *Le Rouge et le Noir.* Certes, lors de l'exploration de sa valise par le voyageur, la succession des phrases semble épouser étroitement le temps de l'action racontée et des représentations qui l'accompagnent. Mais cette adéquation, dans ces deux cas, n'est qu'approximative, et surtout ne se réalise que par le biais des ralentissements, accélérations, ruptures, que l'auteur fait subir au temps narré pour l'introduire dans la narration. Tandis que, par exemple, le chapitre VIII raconte en 27 pages ce qui se passe dans l'esprit du héros entre une heure du matin et cinq heures, le chapitre IX relate en 10 pages ce qui se passe lors des 25 dernières minutes du voyage. Tandis que certains souvenirs ou projets sont racontés en détail, d'autres sont passés sous silence ou évoqués rapidement et il en est de même pour les actions. Les blancs entre les paragraphes correspondent à des ruptures dans la succession des représentations : le personnage passe brusquement du présent au passé ou d'une période du passé à une autre fort éloignée de la précédente. Les pages blanches à la fin des chapitres correspondent à des moments vécus qui sont tout simplement passés sous silence. Il faudra donc comparer non seulement l'histoire au sujet mais l'une et l'autre à la narration. D'autant plus que si le lecteur ne reconstruit l'histoire qu'à partir du sujet, il ne découvre le sujet qu'à partir de la narration qui l'instaure.

2. *Histoire — sujet — narration.*

C'est grâce aux indications fournies par le texte et grâce à elles seules, que l'on peut reconstituer ce que nous avons convenu d'appeler l'histoire [1]. Pour que la chose soit possible, il faut que le texte fournisse suffisamment d'indications permettant de regrouper les événements dans un ordre chronologique. Lorsqu'il s'agit en outre d'un monologue intérieur, qui présente des représentations se succédant dans un ordre apparemment incohérent et appartenant à des niveaux de conscience plus ou moins proches de celui de la réflexion claire, ces indications sont particulièrement nécessaires. Du moins dans la mesure où la tension entre l'histoire et le sujet doit jouer un rôle. C'est

---

1. Comme le souligne E. Lämmert, *Bauformen des Erzählens*, p. 27, l' « histoire » en effet n'est pas non plus extérieure à l'œuvre.

le cas dans le roman qui nous occupe et l'on constate que les indications de temps y sont effectivement nombreuses et précises. On a déjà souligné le rôle joué pour le présent par les informations fournies par le Chaix, indications horaires et noms de lieux. L'édition « *du 2 octobre 1955 service d'hiver* » (p. 24) permet en outre de fixer l'année du voyage.

Les autres dates s'organisent par rapport à ce voyage central. On peut ainsi préciser que les événements qui se sont déroulés « *Il y a un an* », « *Il y a deux ans* », « *Il y a trois ans* » se sont passés au cours des années 1954, 1953, 1952. L'époque, plus ancienne, du voyage de noces est déterminable, approximativement par rapport à certains événements historiques : « *C'était une Italie policière en ce temps-là* » (p. 192). « *C'était avant cette guerre. Il y avait des enfants en chemises noires* sur le quai » (p. 221). « *On venait d'achever et d'ouvrir la via dei Fori Imperiali* » (p. 223).

Ces indications relatives aux années permettent d'évaluer l'ampleur du temps narré et d'y distinguer plusieurs époques. D'autres indications relatives aux mois, aux jours et aux heures permettent encore de repérer, à l'intérieur de différentes époques, certaines périodes de temps dont les durées et les dates sont bien précisées.

Deux jours avant le voyage auquel nous assistons, *le mercredi treize novembre* (p. 31) très exactement, le héros a fêté en famille son anniversaire. Tandis que la précision relative au mois permet de situer à la fin octobre le voyage entrepris « *il y a un peu plus d'un an, un peu plus tôt dans la saison* » (p. 110), la précision relative au jour permet de dater les jours précédant et suivant celui du voyage : le lundi et le mardi de la semaine précédente par exemple, ou le lundi et le mardi de la semaine suivante.

De même que la précision des dates pour les années permet non seulement d'évaluer l'ampleur totale du temps narré mais de remarquer les ruptures et omissions entre les différentes époques, la datation précise des jours permet non seulement de repérer leur succession mais de remarquer l'omission de certains d'entre eux. On verra que ces omissions sont significatives. Comme le souligne Butor dans ses « *Recherches sur la technique du roman* », le « parallélisme entre la longueur occupée par un épisode et sa valeur significative est dans l'immense majorité des cas une pure illusion; un mot peut avoir des conséquences plus grandes qu'un long discours. Nous assisterons par conséquent à des inversions de structures. On pourra souligner l'importance de tel moment par son absence, par l'étude de ses alentours, faire sentir ainsi qu'il y a une lacune dans le tissu de ce qu'on raconte, ou quelque chose que l'on cache. Ceci n'est possible que par une utilisation méthodique des jalonnements temporels, car ce n'est que si nous avons pris soin de dire où était Pierre lundi, mardi, jeudi, vendredi, et samedi, qu'apparaît soudain mercredi comme un vide [1] »...

On a vu que les indications de lieux permettent de fixer l'heure à laquelle se déroule tel ou tel épisode du voyage central. De la même façon, les gares évoquées par le personnage permettent de reconstituer le moment du temps où se déroulent les événements remémorés ou imaginés. Si l'on nous dit, par exemple, que le héros est parti de Rome dans la soirée et qu'il évoque un peu plus tard le passage de Dijon, Mâcon et Bourg, nous saurons que ce qu'il est en train d'évoquer a eu lieu l'après-midi du jour suivant ce départ.

À ces indications directes et indirectes s'ajoutent encore la mention des circonstances qui ont marqué telle ou telle période de l'existence du héros. Ainsi la pluie sur les vitres il y a trois ans et il y a un an, ou la lecture des lettres de Julien l'Apostat lors du voyage qui a eu lieu la semaine précédente. Parmi ces circonstances il faut accorder une attention particulière aux repas : petits déjeuners, déjeuners et dîners, aux rendez-vous avec Cécile qui ont eu lieu à dix-huit heures à la sortie des bureaux, ainsi qu'au coucher et au lever du héros dans sa chambre à Paris, dans son hôtel à Rome, ou dans le train. Systématiquement notées ces activités quotidiennes jalonnent et articulent l'emploi du temps du personnage ainsi que les phases de la narration [2].

Toutes ces indications permettent de situer avec précision les événements dans le temps et de les replacer dans l'ordre chronologique. Le temps narré se déploie sur une vingtaine d'années : de 1938 environ à 1955. De ces vingt années cinq seulement sont explicitement mentionnées et de ces cinq années seules certaines périodes sont racontées. Ces

---

1. Michel Butor, « Recherches sur la technique du roman », *Répertoire II*, p. 95.
2. Alors que le héros classique, comme on l'a indiqué, ne mange ni ne dort. On sait au contraire l'importance que prennent ces actions prosaïques chez un Flaubert et un Zola et plus encore chez Joyce.

périodes en revanche font l'objet d'indications précises et les événements qui s'y déroulent sont soigneusement localisés et datés. Si l'on complète les indications strictement temporelles par les indications relatives aux actions et aux sentiments du personnage, on constate que ces différentes périodes correspondent à ce que le personnage-narrateur considère comme des régions de son existence. Il suffit donc de les énumérer pour reconstituer dans ses grandes lignes « l'histoire » que voici :

1. Vers 1938. Avant la guerre, au printemps, Léon Delmont fait son voyage de noces à Rome, ville dont il rêve depuis l'époque de ses études secondaires (p. 190). Henriette est alors jeune et belle et ils sont l'un et l'autre « en plein accord » (p. 235).

2. En 1952, soit environ quatorze ans plus tard, en hiver, Léon retourne avec sa femme à Rome, ville où s'est «réfugié [son] être ancien et durable » (p. 151). Ce voyage est un « échec », il apporte une « séparation » qui n'est que « la confirmation et l'accentuation » de son échec dans la vie et de sa séparation d'avec sa femme, qui se dessinait depuis des années (p. 150).

3. En 1953, à la fin août, Léon rencontre Cécile dans le train qui va de Paris à Rome. Quelques mois plus tard, à la suite de plusieurs rencontres et promenades à Rome, ils font « ce que font ensemble les amoureux » (p. 103). Grâce à Cécile, Léon redécouvre Rome et ses prestiges.

4. En 1954, début novembre, Léon ramène Cécile à Paris, sa ville natale. De même qu'il n'avait été « d'aucun secours pour Henriette à l'égard de Rome » lorsqu'ils y étaient « retournés ensemble après la guerre », il n'est d'aucun secours pour Cécile à l'égard de Paris (p. 188). Après ce malencontreux séjour, les choses cependant se sont « à peu près arrangées » (p. 157).

5. En 1955, du mercredi 6 novembre au dimanche 10, Léon Delmont fait un voyage à Rome. Son séjour dans la ville est éclairé par les derniers rayons du soleil d'automne. A ces merveilleuses journées romaines succède une semaine harassante de grisaille parisienne, marquée par la cérémonie dérisoire de son anniversaire. C'est pour fuir « l'asphyxie menaçante » (p. 32) qu'il prend la décision de faire venir Cécile à Paris.

6. Le vendredi matin 15 novembre, à huit heures Léon Delmont prend l'Express Paris-Rome pour aller annoncer à Cécile qu'il veut désormais vivre avec elle.

Durant le trajet, qui prend fin le samedi matin 16 novembre à cinq heures quarante-cinq, ses projets se modifient.

7. Après un court séjour à Rome, Léon doit reprendre le train et arriver à Paris dans la soirée du mardi 19 novembre.

Ce résumé succinct de l'histoire (pour lequel nous avons volontairement utilisé le présent de narration) suffit à montrer que les événements marquants de la vie du personnage, les étapes essentielles de son aventure, auraient pu faire l'objet d'une narration totalement différente de celle qu'a choisie l'auteur. L'histoire est sur ce point indépendante du sujet. Mais on peut voir aussi que cette histoire est elle-même soumise à certains principes d'organisation qui lui confèrent ses caractéristiques. On remarquera par exemple que si l'ensemble du temps narré englobe une vingtaine d'années, il n'inclut pas le temps plus ancien de l'enfance du héros. Lacune remarquable dans un roman de la mémoire qui, à bien des égards, est une « recherche du temps perdu ». Lacune qui se justifie structurellement et thématiquement par la place primordiale accordée à Rome : le temps perdu qu'il s'agit de retrouver n'est pas celui, individuel, de l'enfance mais celui, collectif, de l'histoire et du mythe, la vraie naissance du héros coïncide avec le temps de ses études secondaires. De ces vingt années, seules d'ailleurs sont mentionnées celles qui sont marquées par l'événement privilégié que constitue un voyage à Rome. On remarque aussi l'omission des quatorze années de la vie conjugale à Paris, à laquelle s'oppose, à partir de cette « reprise manquée du voyage de noces » (p. 150) que constitue le voyage à Rome avec Henriette en 1952, la mention d'une période pour chacune des années plus récentes. On remarquera encore que chacune des périodes racontées ne s'étend que sur quelques jours.

Les périodes évoquées qui auraient pu constituer les épisodes d'une histoire, sont donc unifiées par des circonstances communes de lieu, de temps et d'action. Ces caractéristiques de l'histoire sont déjà révélatrices de l'organisation du sujet : celui-ci se concentre sur un nombre réduit d'événements qui présentent des analogies frappantes et sont susceptibles d'être remémorés, imaginés et comparés par un seul individu en quelques heures.

Le choix de ce qui est raconté nous renseigne donc déjà sur le sujet mais il faut encore, pour déterminer les lois d'organisation de ce dernier, tenir compte de la manière dont ces événements sont racontés, c'est-à-dire de l'ordre dans lequel les informations sont distribuées.

Puisque nous sommes en possession de deux séries de données mesurables : les indications relatives au temps narré d'une part, la pagination d'autre part, le plus clair et le plus précis est de les coordonner en un graphique où l'on mettra en ordonnée les périodes racontées et en abscisse les pages correspondant à leur narration [1].

Pour être vraiment éclairant, un tel graphique doit être établi avec une rigueur absolue quant au choix et à la mise en place des données. Les indications fournies par l'auteur permettent dans ce cas de satisfaire à cette exigence et d'arriver à un degré de précision mathématique. Ce graphique doit être également facilement déchiffrable puisqu'il est destiné à supporter et alléger le commentaire. Il faut donc pour des raisons d'intelligibilité et de lisibilité choisir une échelle pertinente tant pour l'ordonnée que pour l'abscisse.

Pour l'ordonnée nous avons choisi la journée de vingt-quatre heures, que nous avons divisée en quatre unités de six heures. Ce choix nous était imposé 1° par l'impossibilité de trouver une échelle commune aux années, aux jours et aux heures; 2° par le fait, en revanche, que la journée est l'unité de temps commune aux différentes périodes racontées. Ces journées, en outre, s'articulent, au niveau de la fiction, en quatre parties bien distinctes : matinées, après-midi, soirées et nuits. Les ruptures dans la succession narrative et les sauts dans le temps narré qu'elles impliquent sont indiquées sur le graphique par des signes conventionnels d'interruption. On notera que ces ruptures interviennent entre les périodes ainsi qu'à l'intérieur de certaines d'entre elles.

Pour l'abscisse, nous avons pris en considération l'organisation du livre en parties et la division en chapitres et non pas le nombre de pages dévolu à chaque période. Nous avons donc relié par un trait plein le début et la fin de la narration de chaque période dans chaque chapitre au lieu d'indiquer dans le détail les différents fragments narratifs qui leur sont consacrés. Cette simplification, rendue nécessaire pour la lisibilité du schéma est légitime dans la mesure où le chapitre constitue par lui-même une unité structurante. L'intervention d'une nouvelle période a toujours

1. Cf. tableau IV en appendice, p. 295.

lieu en effet dans un chapitre différent et, quelle que soit la période considérée, sa narration à l'intérieur d'un même chapitre s'effectue toujours du plus ancien au plus récent. Lorsqu'il y a, comme c'est le cas pour le passé proche, des retours en arrière, ils se produisent toujours au début d'un chapitre nouveau.

Étant donné ces limitations, ce graphique ne permet pas de rendre compte intégralement de la progression narrative [1]. Pour étudier la structure fine du récit, c'est-à-dire l'organisation des suites narratives en strophes à l'intérieur des différents chapitres, il faudra adopter d'autres critères et une autre symbolisation. Nous y reviendrons.

Tel quel, ce graphique doit nous permettre :

— de mesurer exactement le temps narré en tenant compte de son découpage en époques et en périodes;

— d'évaluer l'importance respective du passé, du futur et du présent;

— de repérer les ruptures et les continuités entre les différentes périodes et de montrer quand et comment elles interviennent dans la narration;

— d'examiner séparément et en détail les suites narratives consacrées à chaque période;

— d'étudier leurs rapports respectifs.

3. *Le montage des suites temporelles.*

a) *Le découpage du temps narré en périodes.*

Pour les cinq années mentionnées dans le texte, seules certaines périodes font l'objet d'une narration. L'ampleur de ces périodes varie. Pour 1955, le temps narré comprend treize journées de vingt-quatre heures dont neuf pour le passé, une pour le présent, trois et demie pour le futur. Pour 1954, la période dont il est question comprend environ

---

1. Le choix d'autres coordonnées (les heures par exemple pour le temps narré) aurait révélé d'autres aspects de la construction. Nous avons choisi celles qui nous ont paru les plus révélatrices et les plus commodes. Le problème qui se pose au critique est analogue à celui qui s'est posé au romancier. Comme le dit fort bien Butor : « Les structures chronologiques de fait sont d'une complexité tellement vertigineuses que les schémas les plus ingénieux utilisés soit dans l'élaboration de l'ouvrage, soit dans son exploration critique, ne pourront jamais être que de grossières approximations. Ils n'en projettent pas moins une vive lumière; il faut bien commencer par les premiers degrés », « Recherches sur la technique du roman », *Répertoire II*, p. 91.

trois semaines, pour 1953 il s'agit de trois ou quatre mois, pour 1952 de deux semaines, pour 1938 de « quelques rapides journées » (p. 235). Tandis que toutes les journées de l'année 1955 sont mentionnées et racontées, seules quelques-unes le sont pour les autres périodes : trois pour 1954, neuf ou dix environ pour 1953, trois ou quatre pour 1952, trois pour 1938.

Des vingt années de l'histoire, une trentaine de jours seulement font donc l'objet d'une narration détaillée. Cette concentration du temps de l'histoire est à mettre en rapport avec la concentration du temps du sujet. Elle joue le même rôle unificateur que le voyage en train. De même que les neuf trajets évoqués se superposent au trajet principal, les quelques trente journées de vingt-quatre heures, passées ou futures, se superposent aux vingt et une heures trente-cinq du présent.

Le découpage du temps narré s'effectue d'autre part selon un rythme précis qui correspond, dans son ensemble, à celui de la narration. Le nombre de jours racontés pour chaque période oscille en effet entre neuf et trois, alors que la narration s'articule en neuf chapitres groupés en trois parties de trois chapitres chacune. On peut voir là un exemple de « symbolisation » ou réflexion dans la forme extérieure du roman de ce qu'il raconte [1].

b) *Introduction et disposition des périodes.*

Notre graphique ne rend pas compte visuellement de l'ampleur des sauts opérés dans le temps narré. Il rend compte en revanche du fait de ces ruptures et du moment de leur intervention.

Le passé proche, le présent et le futur, font l'objet de suites narratives distinctes, qui se succèdent et s'entre-croisent au fil du récit. On peut voir cependant que le passé et le futur sont en continuité avec le présent. La narration

---

1. Rappelons que pour Butor, le symbolisme externe du roman (son rapport à la réalité qu'il décrit, et où nous vivons) tend à se réfléchir dans un symbolisme interne, certaines parties jouant par rapport à l'ensemble, le même rôle que celui-ci par rapport à la réalité, « Le roman comme recherche », *Répertoire I*, p. 10.

On peut également établir un rapport entre ce chiffre 3 et le nombre des personnages principaux. Ce triangle réfléchit à son tour la situation triangulaire : narrateur (auteur), lecteur, personnage : je, vous, il.

Jean Roudaut, qui a analysé de près *Degrés* a mis en évidence la structure mathématique extrêmement complexe de ce roman qui est construit sur le chiffre 7. Cf. *Répétition et Modification dans deux romans de Michel Butor*.

du passé proche, inaugurée au chapitre ɪ nous ramène deux heures avant le voyage, soit à « l'aube » du vendredi 15 novembre mais rejoint l'heure du départ (p. 15 à 19). La narration du futur, inaugurée au chapitre ɪɪ, débute par des considérations sur le présent et nous conduit, dans ce même chapitre, au lendemain matin cinq heures quarante-cinq, soit à « l'aurore » du samedi 16 novembre (p. 27-29 et 37-39).

L'intervention des quatre autres périodes représente chaque fois un saut, plus ou moins grand, dans le passé : deux ans au chapitre ɪɪɪ, trois ans au chapitre ɪᴠ, un an au chapitre ᴠ, vingt ans au chapitre ᴠɪɪ.

Si l'on considère l'ensemble du passé par rapport à son introduction dans la narration, on voit qu'il est introduit dans le sens d'un approfondissement vers le plus ancien. Prise dans son ensemble, la narration du passé est anachronique : l'ordre de succession des périodes dans le sujet est (en gros) inverse à l'ordre de succession dans l'histoire : 6-5-7-3-2-4-1 au lieu de 1-2-3-4-5-6-7.

A cet approfondissement vers le passé correspond une amplification de la narration : tandis que deux périodes seulement interviennent dans le chapitre ɪ, il y en a trois dans le chapitre ɪɪ, quatre dans le chapitre ɪɪɪ, cinq enfin dans les six derniers chapitres, soit dans la deuxième et la troisième partie.

L'équilibre entre le passé proche, le présent et le futur, établi au chapitre ɪɪ, se trouve compromis dès le chapitre ɪɪɪ par l'émergence d'une nouvelle région de souvenirs. Cette disproportion entre le passé d'une part, le présent et le futur d'autre part ne fait que s'accroître au cours du récit :

« *C'est tout le temps antérieur*, qui s'était accumulé depuis des années qui tenait en équilibre comme un grand pan de briques, et *qui s'est mis à basculer* soudain au cours de ce voyage... jusqu'à ce que les choses aient pris enfin une *nouvelle figure un peu stable* » (p. 184).

Cet ancrage dans un passé de plus en plus ancien s'accompagne de la récupération de ce passé par le personnage narrateur. Celui-ci « plonge de plus en plus profondément dans le passé comme un archéologue ou un géologue qui dans leurs fouilles rencontrent d'abord les terrains récents, puis de proche en proche, gagnent les anciens [1] ». Cette remontée

---

1. En proposant cette image dans ses « Recherches sur la technique du roman ». *Répertoire II*, p. 92, l'auteur pense sans doute à son roman *L'Emploi du temps*; il précise en effet : « L'apparition de nouvelles données

dans le temps est en même temps découverte de ce qui jusque-là restait inconnu ou qui simplement se cachait [1]. Elle coïncide avec le processus d'intériorisation et de prise de conscience qui se manifeste parallèlement par les modulations de point de vue.

L'ordre d'introduction des périodes du passé est dans son ensemble anachronique mais n'est pas exactement l'inverse de l'ordre de succession dans l'histoire. Nous n'avons pas 5-4-3-2-1 mais 5-3-2-4-1. On est amené à comparer successivement ce qui s'est passé il y a deux ans et il y a trois ans (chapitre IV), il y a trois ans et il y a un an (chapitres V et VI), il y a un an et il y a vingt ans (chapitres VII, VIII et IX).

Les périodes relatives aux années 1953 et 1954 (deux ans, un an) se rapportent à des souvenirs concernant Cécile, les périodes de 1952 et 1938 (trois ans, vingt ans) se rapportent au passé avec Henriette. Les périodes relatives à Cécile se succèdent donc du plus ancien au plus récent et celles qui concernent Henriette se succèdent du plus récent au plus ancien. Cette inversion dans l'orientation chronologique des périodes relatives aux deux femmes correspond à l'inversion des motifs qui leur sont associés. A l'évocation d'une période heureuse avec Cécile succède en effet celle d'une période malheureuse, tandis qu'à l'évocation d'une période malheureuse avec Henriette succède celle d'une période heureuse.

Marius François Guyard qui avait signalé cette divergence d'orientation dans la succession des suites narratives consacrées aux deux femmes en a bien marqué l'importance au niveau de l'intrigue. « En suivant le fil de la durée, pour revivre les épisodes de sa liaison avec Cécile, Léon ne pouvait que se persuader de la nature irréversible de son aventure, d'une aventure marquée par le temps et déjà promise à la mort. Quand il songe à Henriette au contraire, Léon remonte peu à peu le cours du temps. L'épouse vieillissante reprend ainsi un à un les traits de l'amour. Elle est la vie même de Léon et triomphe de Cécile, dans la mesure certes où l'usure d'un premier amour préfigure l'effritement du second, mais aussi dans la mesure où elle

va parfois modifier à tel point ce que l'on savait d'une histoire qu'il faudra la dire deux fois, ou plus. »

1. Dans son essai sur *Michel Butor ou le livre futur*, Jean Roudaut a fortement insisté sur le rôle de l'oubli (et de la mémoire) chez l'auteur de *La Modification*. Cf. surtout p. 55 et 111 à 117.

échappe au domaine de ce qui arrive pour régner dans le domaine de ce qui est. La légende du Grand Veneur — une des clés du livre — n'est-ce pas elle, Henriette, qui l'a enseignée à son jeune mari? Il en va de même pour tous les moments du passé. Cécile elle-même n'a eu pour amant que l'époux d'Henriette, un homme qui ne s'appartenait plus, qui ne pouvait plus jamais s'appartenir tout à fait. Autant la descente au fil des jours de la liaison a convaincu Léon qu'il allait se heurter à un obstacle infranchissable... autant la remontée aux sources de l'amour conjugal, si loin, si détaché qu'il s'en croie aujourd'hui, a remis Henriette à sa place, à sa place inexpugnable. Elle aura toujours en un sens l'âge de ce premier voyage, leur voyage de noces qui déjà les menait à Rome. L'inégalité de la partie qui se joue entre Cécile et Henriette, entre le mirage du rajeunissement et l'inexorable vie à deux est renforcée par ces démarches en sens opposé de la mémoire [1]. »

Cette analyse, dévoile bien des aspects du roman et se trouve confirmée, en partie, par la promesse finale que fait Léon à Henriette, de revenir avec elle à Rome. Nous ne pensons pas cependant que malgré ce « triomphe » de l'amour conjugal, *La Modification* soit un roman à proposer en lecture édifiante aux lecteurs de « l'Anneau d'Or » ou de toute autre revue de spiritualité conjugale. Ce n'est en effet qu'à la fin, et dans l'impossibilité où il se trouve de changer sa vie, que le héros débouche sur le souvenir lointain de son voyage de noces. Ce souvenir apparaît plutôt comme le témoin de son échec. L'association d'Henriette à une forêt de Fontainebleau « toute en pousses vives » (p. 191) au moment même où Leon se considère comme « *condamné maintenant jusqu'à* [sa] *mort...*, *condamné jusqu'à* [sa] *fin* » (p. 190) à vivre avec sa femme, place du Panthéon, nous paraît plutôt situer Henriette dans un passé définitivement révolu. Il est vrai qu'Henriette « reprend un à un les traits de l'amour ». Mais il s'agit d'un amour au passé. Le fait même que les motifs associés d'abord à Cécile : printemps, soleil, lumière, communication, soient finalement associés à Henriette, à un amour dont nous savons ce qu'il est devenu, les font apparaître (sur le plan du moins de l'intrigue sentimentale) comme mensongers et inaccessibles. Ce dont Léon a pris conscience, c'est qu'à Paris, Cécile elle-même perdait tous ses pouvoirs, n'était plus « qu'*une femme comme les autres, une nouvelle*

1. M.-F. Guyard, *Michel Butor*, p. 232 et 233.

Henriette » (p. 230) précisément. Cécile, Henriette, c'est d'ailleurs du pareil au même : « *une autre femme que Cécile aurait, elle aussi, perdu ses pouvoirs* » (p. 231). L'intrigue ne se dénoue pas par la victoire de la femme sur la maîtresse mais par leur éloignement à toutes deux et le passage du héros à un autre plan de conscience. A la quête amoureuse va succéder la quête de la « *vérité* » (p. 199).

Quoi qu'il en soit, il est clair que ces démarches en sens opposé renforcent le contraste entre les deux femmes, jouent un rôle dans le développement de l'intrigue et permettent une permutation des motifs thématiques. On voit comment, cette fois encore, la narration instaure la fiction.

c) *La construction des suites narratives.*

Envisagées par rapport à leur introduction dans la narration, les périodes sont soumises à un double mouvement d'amplification et d'approfondissement vers le passé. On vient de voir que ce mouvement d'ensemble était lui-même soumis à certaines variations. Celles-ci affectent non seulement l'ordre de succession des différentes périodes, mais encore le déroulement de chacune d'entre elles. Il suffit d'ailleurs de jeter un coup d'œil sur le graphique pour constater que les suites narratives consacrées aux différentes périodes sont ordonnées selon des lois différentes.

— La suite narrative consacrée au présent, c'est-à-dire au voyage hors série, à l'épisode crucial de l'aventure, joue un rôle privilégié. Nous avons suffisamment insisté sur son importance pour ne pas avoir à y revenir. On remarquera seulement que le graphique souligne bien le fait que le temps narré dans ce cas se rapproche au maximum du temps de la narration. On remarquera également que le présent intègre et rejoint une partie du futur : ce qui est raconté dans le chapitre II, comme devant avoir lieu durant la nuit du vendredi au samedi, se passe effectivement lors des chapitres VII et VIII, de sorte qu'au chapitre IX, ce n'est plus : « *demain matin* » (p. 28), mais « *dans quelques instants* » (p. 227) que va avoir lieu l'arrivée dans cette « *gare transparente, dans laquelle il est si beau d'arriver à l'aube* » (p. 28 et 227).

— La narration du futur, qui s'enchaîne à celle du présent, couvre la période du samedi 16 novembre cinq heures quarante-cinq au mardi soir 19 novembre. La narration introduit des perturbations dans la chronologie du temps narré. Orientée du plus proche au plus lointain : du samedi au mardi, jusqu'au chapitre v, la narration nous ramène, dans les quatre derniers chapitres, du mardi au samedi. Ce changement d'orientation s'amorce lors de l'évocation du mardi soir, date à laquelle le héros, de retour à Paris, devra fournir des explications à sa femme. Ce tournant dans le récit, qui s'effectue au cours du chapitre vi (p. 133-135) coïncide avec le passage de la frontière (Modane), et correspond d'autre part à un passage du *vous* au *je*.

Ce changement d'orientation a pour conséquence que les mêmes journées ou soirées sont évoquées deux fois. Le chapitre vii (p. 167-171) revient sur ce qui a été dit dans les chapitres v et vi pour la nuit du lundi jusqu'à la soirée du mardi (p. 107-108, 112-114 et 133-135), le chapitre viii (p. 220-225) revient sur ce qui a été dit au chapitre iv pour la nuit du lundi (p. 81-83, 86-88), le chapitre ix revient sur ce qui a été dit dans les chapitres ii et iii pour la période du samedi matin au lundi soir (p. 27-29, 37-39 et 48-51, 70-72).

On comprend que cette reprise systématique des mêmes moments du temps permet de mesurer la modification des projets du héros. Le futur se défait progressivement et il est finalement détruit par le présent, gonflé lui-même par le passé. A la première évocation de l'arrivée à Rome (p. 37-39) que nous avons citée plus haut pour illustrer le rôle joué par le point de vue du voyageur s'oppose finalement, terme à terme, la dernière :

« vous ne descendrez pas à l'Albergo Diurno... vous ne pourrez vous rendre... via Monte della Farina... vous n'irez point guetter les volets de Cécile... » (p. 227).

Ce renversement complet de la situation, « ce changement d'éclairage et de perspective » (p. 196) se réalise insensiblement. Il était cependant annoncé, dès le début, par cette restriction qui succède à l'évocation de la « *gare transparente* » : « *mais demain il fera encore nuit noire* [1] » (p. 29).

— Des cinq périodes du passé, celle qui concerne le passé proche est particulièrement importante. La suite

---

[1]. On peut voir là un exemple caractéristique de cet aspect de la construction narrative que E. Lämmert désigne sous le nom de *Vorausdeutung* et dont il analyse les diverses formes dans son livre *Bauformen des Erzählens*.

narrative qui lui est consacrée débute au premier chapitre
et se poursuit jusqu'à la fin du livre. Sa construction reproduit celle qui régit l'ensemble de la narration du passé.
Elle est en effet anachronique, nous conduisant du vendredi matin 15 novembre au mercredi précédent 6 novembre.
Cet ancrage dans un passé de plus en plus ancien, auquel
succède chaque fois une remontée vers le plus récent, au
lieu de se produire dans chaque partie du roman, comme
c'est le cas pour l'introduction des différentes périodes
(première partie, il y a deux ans, deuxième partie il y a
trois ans, troisième partie, avant la guerre) se produit
au début de chaque chapitre.

Cette construction anachronique est de conséquence
pour le lecteur. Il faut avoir lu tout le roman pour connaître l' « histoire » et comprendre en particulier pourquoi
Léon Delmont échoue, il faut aussi avoir lu le chapitre II
pour comprendre le chapitre I, le chapitre III pour comprendre le chapitre II et finalement les neuf chapitres pour savoir
que déjà, il y a quinze jours, les relations du héros avec ces
deux femmes approchaient de la « *crise* » « *dont* [*ce*] *voyage...*
est la conclusion* » (p. 230).

Cette construction, corrélative et non causale, correspond aux exigences du point de vue : nous ignorons ce
qu'ignore le personnage médiateur et sommes contraints
d'attendre qu'il découvre le comment (sinon toujours le
pourquoi) de ses actes.

Cette construction est soumise à une structuration particulière et rigoureuse. Si la narration du passé proche
débute dans chaque chapitre par un ancrage dans un passé
plus ancien, elle se termine, à l'intérieur du même chapitre,
par un retour à ce qui a été évoqué au début du chapitre
précédent. Comme pour le futur, mais suivant un rythme
différent, la narration repasse donc deux fois sur les mêmes
événements. Cette reprise permet, là encore, de percevoir
la modification du héros et cette fois les progrès (ou les
limites) de sa prise de conscience. Un exemple significatif
est fourni par la mention de l'oubli qu'il a fait d'aller
prendre son petit déjeuner avec Cécile le week-end précédent. Lorsqu'il est évoqué pour la première fois, au chapitre IV (p. 109) cet oubli est interprété par des motifs
prosaïques (Léon s'est réveillé trop tard, parce qu'il est
resté trop longtemps la veille au soir avec Cécile), lorsqu'il
est évoqué pour la seconde fois au chapitre VI (p. 145) il
n'est pas interprété du tout, mais le contexte suffit alors à
indiquer qu'il s'agissait d'un acte manqué.

— Une fois introduites dans la narration, les quatre autres périodes du passé se déroulent suivant l'ordre chronologique du plus ancien au plus récent. Mais, tandis que les trois périodes que l'on vient d'évoquer sont racontées sans solution de continuité : jour après jour et heure après heure, le temps narré est soumis dans le cas des quatre autres périodes à des ruptures, des accélérations et des ralentissements.

Le récit de la première rencontre du héros avec Cécile il y a deux ans qui commence au chapitre iii, se poursuit au chapitre iv par celui des débuts de leur amour. On relève dans ce chapitre deux ruptures d'un mois. Les omissions qu'elles entraînent correspondent à des temps morts relativement à ce qui fait l'objet de la narration : entre la première rencontre et la deuxième, Léon a perdu Cécile de vue, entre la deuxième, racontée en détail (p. 99-101), et les suivantes s'intercale un séjour à Paris. Cécile, qui n'est encore pour Léon qu'une « chère Madame » (p. 101) ne tient pas beaucoup de place dans ses pensées. La narration des nombreuses rencontres qui succèdent à la deuxième offre d'autre part un bel exemple d'accélération suivi de ralentissement. A la narration au passé défini (dont on a vu plus haut combien elle était rare), des mois passés à faire connaissance :

« le pli était pris; chaque fois vous l'avez revue; *bientôt ce fut l'automne, puis l'hiver* » (p. 102),

succède le récit détaillé de ce qui s'est passé « *un soir enfin* » où :

« *vous avez franchi* le seuil du cinquante-six Monte della Farina, *vous avez monté* ces quatre hauts étages, *vous avez pénétré* dans l'appartement... *vous êtes entré* dans sa chambre... *vous vous êtes approché* d'elle doucement... et *vous avez fait* ce que font ensemble les amoureux » (p. 102-103).

Ces ruptures, accélérations et ralentissements correspondent, on le voit, à l'importance relative des événements racontés. Le récit se rapproche ici de ce qui, selon Butor, fait l'idéal du récit quotidien : « Ne retenir que l'important, le « significatif », c'est-à-dire ce qui peut remplacer le reste, ce par quoi le reste est donné et par conséquent de passer ce reste sous silence, et même, procédant par degrés, de s'attarder, sur l'essentiel et de « glisser » sur le secondaire [1]. »

1. « Recherches sur la technique du roman », *Répertoire II*, p. 95.

Les suites narratives consacrées à ce qui s'est passé il y a trois ans avec Henriette et il y a un an avec Cécile présentent également des ruptures et des omissions. Mais on peut interpréter ces « lacunes dans le tissu de ce qui est raconté » comme des exemples cette fois de ces « inversions de structure » dont parle Butor dans la suite du texte que l'on vient de citer. Il s'agit, en effet, du récit de ces *malencontreux séjours* avec Henriette à Rome et avec Cécile à Paris qui se sont produits dans des circonstances matérielles et psychologiques analogues. Il est significatif que, dans les deux cas, des moments qui auraient dû être importants : la visite de Rome en compagnie d'Henriette, les rencontres à Paris avec Cécile, n'aient pas eu lieu et que le héros ne tienne pas à évoquer ces journées vécues dans la séparation et l'impossibilité de communiquer.

d) *La narration n'est plus une ligne mais une surface.*

La représentation graphique suggère que les différentes périodes se superposent « comme des voix en musique[1] ». Certes le graphique est trompeur puisqu'il ne rend pas compte du fait que ces voix ne se superposent pas exactement, mais se juxtaposent et se succèdent. En réalité, le texte se développe en séquences qui ne peuvent, comme c'est le cas dans la musique polyphonique, se produire simultanément mais doivent nécessairement se succéder les unes aux autres. Cette comparaison avec la musique, dont on verra bientôt qu'elle s'impose lorsqu'il s'agit de *La Modification*, éclaire cependant le fait, illustré par le graphique, de la pluridimensionalité de l'œuvre. A l'horizontalité de la succession narrative exprimée par l'abscisse correspond la verticalité de la fiction : entre les diverses voix joue une « épaisseur ou une profondeur psychologique[2] » ou, plus généralement, thématique.

1. Selon l'expression de Michel Butor, « Recherches sur la technique du roman », *Répertoire II*, p. 92. On sait quelle importance l'auteur accorde à l'étude de l'art musical. Il s'est exprimé plusieurs fois à ce sujet, en particulier dans ses entretiens avec Georges Charbonnier. Une de ses œuvres, *Votre Faust* (1962), en collaboration avec Henri Pousseur, est d'ailleurs une « fantaisie variable genre opéra ».

L'emploi de métaphores musicales nous semble donc justifié, malgré notre incapacité à préciser les rapports formels entre les modes de composition des deux arts. Signalons à ce sujet l'ouvrage fort instructif de Hörst Petri, *Literatur und Musik, Form und Strukturparallelen*, Göttingen, 1964.

2. Michel Butor, « Recherches sur la technique du roman », *Répertoire II*, p. 92.

On pourrait dire que la « narration n'est plus une ligne mais une surface dans laquelle nous isolons un certain nombre de lignes, de points, de groupements remarquables », ou, mieux encore, que le roman est un volume, dans le double sens que l'on peut accorder à ce mot : étymologique *(volumen)* pour rendre compte du déroulement successif et par conséquent temporel du texte [1], et géométrique [2] pour rendre compte de la contiguïté des mots sur les pages et de la superposition des pages les unes sur les autres. Foliotage et reliure, ces deux aspects du « livre comme objet » sont loin d'être indifférents par rapport au livre comme mode de communication.

Réservant pour plus tard l'étude de la succession des séquences temporelles, nous voudrions illustrer certains aspects de cette verticalité ou profondeur, suggérée par la superposition des suites temporelles et narratives.

— Envisagées dans leur développement parallèle, les deux périodes relatives à Cécile et les deux périodes relatives à Henriette se succèdent, on l'a vu, dans un ordre chronologique inverse, auquel correspond une permutation des motifs qui leur sont respectivement associés. Les deux femmes qui dans les premiers chapitres s'opposent l'une à l'autre comme le passé (Henriette) au futur (Cécile), s'opposent à la fin comme le futur (Henriette) au passé (Cécile). Conjointement tous les motifs descriptifs et psychologiques (les premiers étant d'ailleurs métaphoriques des seconds) : poussière, lézarde, déchirure, gris, sombre, obscur, fermé... ou au contraire, lumière, air, clarté, etc. changent d'affectation.

A ce parallélisme et ce renversement des suites narratives consacrées au passé ancien répond le parallélisme

---

1. Georges Blin qui s'insurge contre le spatialisme de la nouvelle littérature insiste sur cette acception du terme dans sa *Leçon inaugurale,* p. 29, 31, 37.

2. C'est le sens que lui donne Michel Butor dans son article sur « Le livre comme objet », *Répertoire II.* Il voit dans cet aspect du livre, un progrès sur le « rouleau antique », par l'utilisation d'un troisième axe en épaisseur, perpendiculaire aux deux autres. « L'immense avantage du livre sous sa forme actuelle sur le volumen antique, ou surtout sur les moyens d'enregistrement direct, c'est de rendre un tel retour [en arrière] possible »... Grâce à « la disposition du fil du discours dans l'espace à trois dimensions », le lecteur a « une grande liberté de déplacement par rapport au « déroulement du texte, une grande mobilité, qui est ce qui se rapproche le plus d'une présentation simultanée de toutes les parties d'un ouvrage », Michel Butor, « Le livre comme objet », *Répertoire II,* p. 107.

et le renversement des suites narratives consacrées au futur, au passé proche et au présent.

De même que tous les motifs associés à Cécile finissent par être associés à Henriette, le passé relayant le futur, de même à partir du chapitre vi, auquel correspond le passage de la frontière suivi de « *l'entrée dans le tunnel* du Mont Cenis » (p. 133), les motifs associés au futur proche : lumière, bonheur, renouvellement, repos, sont pris en charge par le passé proche qui n'était jusque-là que grisaille et malheur. Au sinistre « mardi prochain » (p. 134) date du retour à Paris, s'opposent d'abord les jours heureux du dernier séjour à Rome la semaine précédente, du jeudi 7 au dimanche 10 : « *c'était un dernier oasis d'été, magnifiant, dorant encore le superbe automne romain* » (p. 136). Tandis que dans les trois derniers chapitres c'est au voyage de retour, à la descente, « sur le versant français dans ces vallées encaissées *toutes gluantes d'ombres* » (p. 169) que s'oppose le voyage effectué la semaine précédente de Paris à Rome, où, par la fenêtre du compartiment, le héros contemplait « *les pins qui se balançaient doucement dans la lumière* » (p. 174 et 182). Le passé, dans ce cas aussi, relaie le futur et il s'agit encore d'un passé nostalgique :

> « *Tout était encore en attente ; tout l'avenir était encore ouvert* avec Cécile, cette possibilité de vivre avec elle une jeunesse nouvelle, votre première jeunesse véritable, encore intacte. *Le soleil entrait* dans la Stazione Termini par la gauche ; ah, ces quelques jours ont été si beaux ! » (p. 184).

On voit que pour le lecteur, sensible à la polyphonie du texte, les phases d'ombre et de lumière se succèdent mais également s'entremêlent et se superposent, s'organisant en une totalité mouvante et complexe.

Le schéma suivant, dans lequel les motifs d'obscurité sont symbolisés par les pointillés et les motifs de clarté par les traits pleins, ne donnera certes qu'une faible approximation de cette mouvance et de cette complexité, mais aidera peut-être à se les figurer.

	I	II	III	IV	V	VI	VII	VIII	IX
Futur									
Présent									
Passé proche									
Il y a un an									
Il y a deux ans									
Il y a trois ans									
Il y a vingt ans									

4. Le Montage des séquences.

« Lorsqu'on accorde tant de soin à l'ordre dans lequel sont présentées les matières, la question se pose inévitablement de savoir si cet ordre est le seul possible, si le problème n'admet pas plusieurs solutions, si l'on ne peut pas prévoir à l'intérieur de l'édifice romanesque différents trajets de lecture, comme dans une cathédrale ou dans une ville. L'écrivain doit alors contrôler l'œuvre dans toutes ses différentes versions, les assumer comme le sculpteur responsable de tous les angles sous lesquels on pourra photographier sa statue, et du mouvement qui lie toutes ces vues [1]. »

Que l'œuvre romanesque soit contrôlée à l'instar d'une cathédrale, d'une symphonie ou d'une statue, qu'elle présente divers trajets de lecture [et puisse être vue sous tous les angles, c'est ce que l'analyse de sa structure fine va nous permettre de vérifier encore mieux.

a) Les séquences temporelles et leur organisation en strophes.

L'étude du graphique a permis de mettre en évidence certains rapports de la fiction à la narration : le temps

---

[1]. Michel Butor, « Recherches sur la technique du roman », *Répertoire II*, p. 98, 99. L'auteur pense évidemment à ses œuvres ultérieures, plus « mobiles » que ses romans, mais il se réfère également à *La Comédie humaine*, comme « exemple d'une œuvre conçue en blocs distincts que chaque lecteur, en fait, aborde dans un ordre différent ».

narré est découpé en périodes de plusieurs jours et les suites narratives qui leur correspondent sont soumises à une double structuration, formelle par l'organisation du livre en neuf chapitres et trois parties, thématique par l'attribution aux différentes périodes d'un certain nombre de motifs qui permutent au cours des chapitres.

Ce graphique, on l'a dit, ne rend pas compte de tous les aspects de la construction narrative. Les périodes de temps narré ne font pas l'objet d'une narration continue mais sont elles-mêmes découpées en séquences, qui se succèdent en s'entremêlant. Le livre n'est pas seulement articulé en chapitres, mais ces chapitres eux-mêmes se composent de strophes, séparées par des blancs. Comme les strophes correspondent au récit des différentes séquences de temps narré, il faut en faire un relevé précis et étudier leur distribution pour déterminer la fréquence d'intervention des différentes périodes ainsi que l'ordre de leur succession.

On peut distinguer deux sortes de strophes. Les unes qui se composent de plusieurs paragraphes et s'étendent sur plusieurs pages (de une à sept), correspondent aux diverses phases du monologue intérieur, passé, présent ou futur. Les autres, composées d'un seul paragraphe, correspondent toujours à la description d'une circonstance présente. Il apparaît vite que les strophes du second type ont pour fonction d'introduire les premières et de relier entre elles les séquences appartenant à des périodes différentes.

On a vu déjà que les circonstances actuelles du voyage motivaient psychologiquement l'émergence des différentes « régions » de souvenirs ou de projets, la vision du tapis de fer chauffant suscitant, par exemple, le souvenir de la rencontre avec Cécile ou celle de l'homme qui passe sa tête par la porte, évoquant celui du voyage avec Henriette. Une fois associés à telle ou telle région de l'existence du personnage ces motifs jouent le rôle de leitmotive accompagnant les différentes phases du monologue intérieur. Ils permettent donc de recomposer l'histoire en déchiffrant les associations du personnage. Ils permettent également de suivre le cours de la narration en dépit des interruptions et des intervalles qui séparent les séquences appartenant à une même suite narrative.

Cette motivation réaliste ne rend compte cependant que partiellement du rapport des strophes descriptives aux strophes proprement narratives. Il suffit d'examiner le texte d'un peu plus près pour constater que les fonctions d'introduction et de liaison que l'on peut reconnaître aux strophes descriptives relèvent d'une motivation qui n'est pas réaliste mais compositionnelle [1]. Si en effet le motif du tapis de fer chauffant introduit généralement le récit du passé avec Cécile (p. 56, 93, 99, 101, 110, 119, 136, 214) et celui de l'homme qui passe sa tête par la porte, le récit du passé avec Henriette (p. 100, 121, 220, 234), on peut également constater que ces mêmes motifs succèdent aux séquences qu'ils ont d'abord introduites (p. 58, 95, 178, 233, et 101, 124, 234). Il arrive même que ces motifs succèdent aux séquences consacrées à Cécile ou à Henriette sans les avoir pour autant introduites. Il n'y a donc plus dans ce cas de rapport psychologiquement vraisemblable entre des perceptions et des souvenirs, mais des rapports purement formels entre des motifs descriptifs et des strophes narratives. De ce point de vue, la motivation réaliste ne sert qu'à préparer le lecteur à accepter la liaison constante de tel motif avec telle unité temporelle ou thématique.

De même que les séquences relatives au passé avec Cécile et au passé avec Henriette sont associées aux motifs fixes : « *Sur le tapis de fer chauffant* » et « *un homme passe sa tête par la porte* », les séquences au présent, au futur et au passé proche sont associées respectivement aux motifs : « *passe la gare de* », « *de l'autre côté du corridor* » « *au-delà de la fenêtre* ».

Ces motifs fixes ont pour fonction d'introduire, d'encadrer et de relier les différentes séquences. Ils ne font pas toujours l'objet de strophes séparées mais on les retrouve alors dans les premiers et les derniers paragraphes des strophes consacrées aux différentes séquences.

Ces cinq motifs sont introduits dans la narration suivant une progression arithmétique : il y en a deux dans le chapitre I, trois dans le chapitre II, quatre dans le chapitre III, cinq dans le chapitre IV. Soumis par la suite à certaines modifications que nous étudierons, ils se retrouvent tous dans le chapitre IX.

Étant donné cette disposition des motifs descriptifs, il est tout indiqué de les prendre en considération pour identifier les différentes séquences. Suivant l'exemple de l'auteur qui, pour composer son roman, s'est servi « d'un système

---

1. Les formalistes russes auraient sans doute dénoncé dans la motivation réaliste un camouflage de cette motivation compositionnelle. Nous pensons plutôt qu'il s'agit de deux niveaux du texte, hiérarchisés dans la mesure où le second intègre le premier, mais tous deux essentiels.

de lettres comme une algèbre [1] », nous désignerons désormais les différents motifs de liaison par des lettres minuscules (a, b, c, d, e) et les séquences qui leur sont associées par des lettres majuscules (A, B, C, D, E,). Nous déciderons ainsi d'appeler :

A : le présent;
B : le futur;
C : le passé proche;
D : le passé avec Cécile, il y a deux ans et il y a un an;
E : le passé avec Henriette il y a trois ans et il y a vingt ans.

L'ordre alphabétique correspond ici à l'ordre d'introduction des motifs et des suites narratives dans les cinq premiers chapitres (à l'exception du premier, nous y reviendrons) qui est également l'ordre de succession des suites narratives dans le chapitre final.

A, B et C correspondent aux trois périodes du temps proche. D et E, en revanche, représentent des suites narratives concernant deux périodes de temps appartenant à deux époques différentes.

Cette division en cinq suites narratives, au lieu de sept, se justifie par le fait que les deux périodes relatives à Cécile et les deux périodes relatives à Henriette sont introduites et encadrées par les mêmes motifs. Cette unification compositionnelle confirme d'ailleurs ce que l'analyse thématique des périodes vient de mettre en évidence : on peut dire que B est à C ce que D est à E et, réciproquement, que E est à D ce que C est à B. Cette division nous était d'autre part suggérée par la structure du chapitre final, où sont repris les cinq motifs introducteurs.

Une fois identifiées par ces critères formels [2], les séquences peuvent êtres disposées dans un schéma qui, montrant leur distribution dans le texte, en facilitera l'étude.

---

1. Entretien avec Paul Guth, *Le Figaro littéraire*, n° 607, 7 déc. 1957. L'auteur précise d'ailleurs que pour *La Modification* il n'a pas réussi à faire un schéma graphique, comme il l'avait fait pour *L'Emploi du temps*.

2. Toute schématisation, à la fois révèle certains aspects du texte et en sacrifie d'autres. On aurait pu, comme l'a fait récemment Jean Roudaut, combiner les deux schémas en un seul, en distinguant les strophes par les lettres *a b c d e f k* correspondant aux sept périodes de l'histoire (du temps narré). Cf. *Répétition et modification dans deux romans de Michel Butor*, p. 315 à 323. Mais notre second schéma, parce qu'il est établi d'après des critères purement formels, permet de distinguer ce qui relève d'une motivation réaliste et ce qui relève d'une motivation compositionnelle, et par conséquent de distinguer clairement la narration de la fiction.

b) *Disposition des séquences.*

SCHÉMA DE LA DISPOSITION DES STROPHES

I	A	C	A										
II	A	B	C	B	A								
III	A	B	C	D	C	B	A						
IV	A	B	C	B	A	C	D	C	A	D	E	D	A
V	A	B	C	D	C	B	A	C	D	E	D	C	A
VI	A	B	C	D	C	A	C	D	E	D	A		
VII	A	B	C	D	A	C	D	E	A				
VIII	A	B	C	A	C	D	A	D	E	A			
IX	A	B	A	C	A	D	A	E	A				

Ce schéma révèle que la structure très stricte, sur laquelle est fondée le livre, est également dynamique. Introduites progressivement comme les diverses voix d'une fugue, les suites narratives s'imitent et se répondent, en canon[1], selon des rythmes très précis. A l'amplification résultant du nombre accru des « voix » s'ajoute une amplification due à la multiplication des séquences.

Cette progression est ascendante durant les quatre premiers chapitres et descendante à partir du cinquième. Elle est arithmétique durant les trois premiers chapitres (3-5-7 séquences) et est ensuite comme infléchie par un principe de dissymétrie. Dans ce roman, comme dans les autres œuvres de l'auteur[2], les formes initiales sont progressivement disloquées : introduites dans des combinaisons nouvelles, soumises à des permutations systématiques, elles se reconstituent à la fin mais selon un ordre différent.

1. On connaît la prédilection de Butor pour ce « procédé classique en musique ». Il l'a utilisé, entre autres, dans *L'Emploi du temps* et dans *6 810 000 litres d'eau par seconde.* Dans ce dernier cas, c'est la description des chutes du Niagara par Chateaubriand qui est mise en canon. Cf. G. Charbonnier, *Entretiens,* p. 144, 146.

2. Jean Roudaut signale cette dissymétrie, destructrice de l'ordre initial, dans *Mobile, L'Emploi du temps* et *Degrés :* « Il faudrait, dit-il, étudier les modifications apportées dans les calligrammes représentant les oiseaux et la mer qui s'inversent ou se combinent au cours du récit, les changements qui font que la deuxième journée aux U.S.A. n'est point identique à la première; le livre porte en lui sa progression future; en ses dyssimétries sont les germes de sa vie à venir. *Je me vois contraint d'interrompre l'ordre que je suivais depuis un mois...* est-il dit dans *L'Emploi du temps* (III, 10); de la même façon, dans les dernières pages de chaque partie de *Degrés,* le schéma initial se dégrade, érodé par le temps. Jean Roudaut commente : « Le propre de toute classification est d'être temporaire, si elle prétend à l'absolu, elle est *le foyer d'un massacre,* une forme morte. » J. Roudaut, *Michel Butor ou le livre futur,* p. 41.

Cette modification du schéma structurel, qui affecte la fréquence des séquences ainsi que leur disposition, correspond au désordre croissant qui envahit la conscience du personnage. Le résultat de cette « *métamorphose obscure* », de cette « *rotation des faits et des significations* », de cette « *réorganisation* » (p. 196) qui s'est accomplie au cours du voyage et du livre, s'exprime en revanche dans la structure du chapitre final. Les cinq suites narratives s'y succèdent suivant l'ordre de leur introduction dans la narration : A-B-C-D-E. Chacune d'entre elles fait en outre mention d'une arrivée ou d'un départ, fournissant ainsi au niveau du thème la conclusion de ce voyage matériel et mental qu'est *La Modification*. Ces suites narratives se disposent d'autre part en neuf séquences, soit un nombre qui, non seulement, reproduit le nombre des chapitres ainsi que celui des journées racontées pour chaque période, mais qui complète en outre la progression arithmétique instaurée au début du livre : 3-5-7...9.

A ces modifications affectant la fréquence et la disposition des strophes s'ajoutent les modifications des motifs de transition. A partir du chapitre v, certains de ces motifs manquent et dans les chapitres vi, vii et viii, ils sont remplacés par d'autres. A ces modifications de détail (que nous examinerons) s'oppose, cette fois encore, la réorganisation finale qui s'accompagne dans le dernier chapitre, de la reprise textuelle des cinq motifs initiaux.

c) *Privilèges du présent et versification.*

L'importance du présent se manifeste par la plus grande fréquence et par la disposition particulière des strophes qui lui sont consacrées.

On relève en effet 28 A contre 19 C, 12 B, 15 D, et 6 E, sans compter les strophes de transition qui sont toutes également au présent.

Chaque chapitre commence et se termine par une séquence au présent. Ces passages, qui se caractérisent par un plus grand réalisme dans la description, encadrent et rythment le monologue intérieur, et marquent les étapes du voyage et de la modification. Ces reprises au niveau du temps s'accompagnent de reprises au niveau de l'action. A la fin de chaque chapitre, le voyageur sort du compartiment pour aller dans le couloir ou au wagon-restaurant et il y rentre au début du chapitre suivant. Avant chacune de ses sorties, il dépose son livre sur la banquette et le reprend en rentrant. Lors du troisième, du septième et du dernier chapitre, la fin coïncide avec un arrêt dans une gare : Dijon, Gênes et Rome. Le voyageur cette fois quitte le compartiment pour se promener sur le quai et à la fin du livre quitte le train définitivement. La disposition des séquences au présent, au début et à la fin de chaque chapitre accentue donc l'irréversibilité du voyage qui se fait lui aussi par étapes, ainsi que l'irréversibilité de cet autre voyage qu'est la lecture.

Ces interruptions qui établissent une tension entre l'extérieur et l'intérieur ne ruinent pas cependant la continuité de la « modification ». Lorsque le train s'arrête et que le personnage sort du compartiment, le lecteur est incité lui aussi par les pages blanches séparant les chapitres ou les parties du livre à s'arrêter. Mais comme l'a fait remarquer S. Dresden[1], si le train (s')arrête, le voyageur lui ne s'arrête pas. Habitué à continuer mentalement, malgré ces interruptions, le monologue du personnage, le lecteur à la fin du livre et du voyage, lorsqu'on lui dira précisément : « *vous quittez le compartiment* » (p. 236), se sentira appelé à prolonger pour son propre compte les réflexions auxquelles on l'a fait jusque-là participer. On pourrait même ajouter que c'est à lui cette fois qu'il revient de reprendre le livre ou de le poursuivre par un autre.

Il est remarquable que cette continuité de la narration, en dépit des interruptions introduites par les chapitres et par leur encadrement au présent, se manifeste par la place accordée au motif *passe la gare de....* Cette phrase qui devrait normalement se trouver au début et à la fin de chaque chapitre, pour introduire la première séquence A et conclure la dernière, manque en effet dans les deux cas, de sorte que la dernière séquence du chapitre I trouve sa conclusion formelle à la fin de la première séquence du chapitre II et ainsi de suite jusqu'au chapitre IX. Il suffit de mettre en formule les deux premiers chapitres pour rendre compte de cette disposition :

Chapitre I : Aab C baA
Chapitre II : Aab B bc C cb B baA

et pour constater que c'est bien par sa seule distribution que le motif a relié les différents chapitres, soulignant du même coup la continuité de la modification.

1. S. Dresden, *Wereld in Woorden*, p. 50.

A partir du chapitre IV, les séquences au présent s'introduisent également à l'intérieur des chapitres, rythmant ces derniers de façon régulière. Les autres séquences B.C.D.E. se disposent de façon symétrique par rapport à A. La structure des chapitres apparaît ainsi comparable à celle des vers d'un poème : les A du début et de la fin jouant le rôle des rimes et les A du milieu celui des césures. On sait d'ailleurs que pour Butor, comme pour Mallarmé, « chaque fois qu'il y a un effort sur le style, il y a versification[1] ». Conformément aux préceptes de l'art poétique classique la prosodie a ici pour effet de souligner le sens : c'est à la rime et à la césure, qu'il apparaît avec le plus de clarté, puisque les retours au présent représentent des retours à la réflexion.

Ce retour du présent et du motif qui l'accompagne structure enfin le chapitre final où sont tirées les conclusions de l'aventure. Tandis que suivant un rythme accéléré :

— passe la gare de Magliana (p. 227);
— passe la gare de Roma Trastevere (p. 229);
— passe la gare de Roma Ostiense... (p. 232);
— passe la gare de Roma Tuscolna... (p. 234);

se succèdent, entrecoupées de passages au présent, les séquences relatives aux différentes « régions ».

Cette récapitulation, si l'on considère la disposition des strophes, prend la forme d'un rondeau : A-B-A-C-A-D-A E-A, dans lequel le présent jour le rôle du refrain. Si l'on tient compte du rythme et de la disposition des motifs de transition, la structure de ce chapitre peut également être comparée à celle, plus dynamique, d'une strette[2] : les suites narratives se succèdent rapidement et se chevauchent dans la mesure où elles trouvent leur point de départ dans la séquence précédente et leur conclusion dans la séquence suivante.

La formule du chapitre :

Aab B bAac C cAad D dAae E eA

---

1. Michel Butor, « Intervention à Royaumont », *Répertoire I*, p. 271.
2. Rappelons qu'en musique la « strette » est la partie d'une fugue qui précède la conclusion et dans laquelle les différentes voix se multiplient, se succèdent rapidement et se chevauchent. Elles se chevauchent parce que lors des reprises la voix initiative reprend avant que la voix dirigeante ait fini.

manifeste en outre que les A, ont comme attirés à eux les motifs des autres strophes, et que le motif e, relatif à Henriette, inaugure la dernière strophe au présent, par laquelle s'achève le récit!

d) *Reprises et variations.*

Les suites temporelles offrent par elles-mêmes différents trajets de lecture. La disposition des séquences en strophes en offre d'autres. De même que l'on peut suivre les aventures des personnages et leurs rapports, on peut suivre les aventures des différentes séquences A, B, C, D, E, et leurs combinaisons A-B-C, D-E-D, C-D, etc... L'œuvre narrative offre des possibilités qui semblaient réservées aux œuvres musicales ou architecturales. C'est le jeu des formes : répétitions, variations, contrastes, inversions, qui soutient la thématique et non pas seulement l'illusion référentielle favorisée par les descriptions, le point de vue et le découpage du temps narré. Certes notre schéma ne peut que montrer les reprises et les variations dans l'ordre de succession des séquences sans indiquer celles des motifs thématiques qui leur sont associés, mais il devrait permettre justement, en examinant celles-là, de rendre compte de celles-ci.

On remarquera d'abord que la disposition des séquences dans les chapitres réfléchit celle des suites narratives dans les parties. On voit en effet qu'à partir du chapitre ɪɪ, les trois séquences A-B-C se succèdent invariablement pour inaugurer la narration. Cette succession des strophes réfléchit à la fois la continuité des trois périodes de 1955 dans l'histoire et le parallélisme de leur développement dans le sujet. De la même façon, tandis que les périodes relatives au passé plus ancien n'interviennent qu'à la fin de la première partie et dans les deux dernières, les strophes D et E, n'interviennent qu'à la fin des différents chapitres. C'est donc, chaque fois, par rapport aux trois séquences A, B, C soit par rapport à maintenant, hier et demain que le passé ancien joue son rôle. Chaque chapitre reproduit ainsi la structure totale du livre : aux formes stables du début, incessamment reprises, succèdent des formes de plus en plus complexes et difficiles à maîtriser.

On notera que la succession des séquences A-B-C, dans le premier chapitre, fait exception à la règle. On peut interpréter cette présence de C dans le premier chapitre comme une anticipation de ce qui va se produire au cours du roman, soit la prise en charge par le passé proche des motifs primitivement associés au futur. Il est remarquable à cet égard que dans ce chapitre dont la formule est la suivante :

$$Aab \quad C \quad baA$$

le motif *b* associé par la suite au futur, soit justement chargé d'encadrer la séquence consacrée au passé proche. On peut d'ailleurs lire que « *de l'autre côté du corridor... c'est le même spectacle de futaie broussailleuse et terne qui va s'épaississant* »... (p. 15).

On a vu que les deux périodes consacrées respectivement à Cécile et à Henriette se succédaient en ordre inverse, aussi bien sur le plan chronologique que sur le plan thématique. Cette inversion se réalise progressivement par la reprise, à la fin de chaque chapitre, des séquences D-E-D puis D-E, qui s'imitent et se répondent en canon jusqu'à la fin du livre. Les images qu'elles contiennent s'y succèdent de manière contrastée pour finalement s'inverser. Il suffit de symboliser par de l'italique les ensembles complexes de motifs qui s'opposent termes à termes, pour manifester les modalités suivant lesquelles s'effectue cette transformation.

Chapitre	IV	D
		E
		D
Chapitre	V	D
		E
		D
Chapitre	VI	D
		E
		D
Chapitre	VII	D
		E
Chapitre	VIII	D
		E
Chapitre	IX	D
		E

Faisant allusion aux inversions dans l'ordre chronologique qui, dans son roman *L'Emploi du temps*, affectent les suites temporelles, l'auteur raconte à Georges Charbonnier : « J'ai étudié dans la musique classique les différentes formes que l'on pouvait donner au canon et j'ai vu qu'une des formes les plus intéressantes c'était lorsqu'une des parties était reprise non point exactement comme elle avait été donnée mais quand elle était reprise à l'envers [1]. » Dans *La Modification* ces reprises à l'envers affectent l'ordre de succession des strophes. Chaque chapitre est même construit systématiquement sur ces inversions : A-B-C / C-B-A (chap. II), A-C-D-E /E-D-C-A (chap. V), etc... Ces répétitions et inversions affectent aussi les moindres détails du texte.

Examinons par exemple les séquences C et D à la fin du chapitre V. Dans la séquence C_3 (p. 117-119) on voit Cécile qui montre à Léon la chambre voisine de la sienne : « celle sur laquelle donne *cette porte fermée* par cet antique énorme verrou » (p. 118), chambre où, s'il le voulait, il pourrait venir dormir au lieu de rentrer chaque fois à l'hôtel :

> « Elle a tiré le verrou qui résistait un peu; *elle a ouvert la porte* dont les gonds se sont mis à grincer.
> *Les persiennes étaient encore fermées ;* on voyait le grand lit de fer défait, *une valise ouverte* et toutes sortes de cravates et de chaussettes éparpillées sur la commode... » (p. 118).

Le motif de la valise reprend dans cette strophe celui de la « *valise ouverte* » pleine de linge sale, qui se trouvait dans la séquence C précédente (p. 109-110). Le héros cette fois-là n'était justement pas chez Cécile mais à l'hôtel.

Le motif de la porte fermée puis ouverte est repris dans la séquence suivante C_4, mais dans un ordre inverse :

> « *Vous étiez* tous les deux *dans l'embrasure de la porte* entre la pièce claire et la pièce obscure... » (p. 128).
> « *Elle a refermé cette porte* dont les gonds ont grincé de nouveau, elle a renfoncé le verrou » (p. 129).

On voit que le motif final de la première séquence devient le motif initial de la seconde. Ce canon en écrevisse relie ici deux séquences appartenant à une même suite narrative C. Il en est de même avec le motif du lac qui termine la séquence D_2 (p. 119) et inaugure la séquence D_3 (p. 124).

Cette disposition particulière des motifs sert également à relier entre elles deux séquences appartenant à des suites temporelles différentes. Ainsi celui de la fenêtre

---

1. G. Charbonnier, *Entretiens avec Michel Butor*, p. 106, 107.

et des persiennes pour les strophes D et C au début de ce même chapitre v (p. 110-111 et 111-112). Dans les deux cas, le héros nous est montré dans la chambre de Cécile mais à deux périodes différentes de son existence. Tandis qu'au début de D « *la fenêtre et les persiennes sont grand ouvertes* » et sont « *fermées* » à la fin par Léon (p. 111), les « *volets* » au contraire sont « *juste entrouverts* » en C et c'est encore Léon qui après quelques instants *ouvre* « *les persiennes en grand* » (p. 112).

On remarquera que dans tous ces exemples la disposition des motifs est motivée sur le plan réaliste. Dans la série C_3-C_4, la succession des actes : ouvrir la porte, puis la fermer, ne saurait être différente. — Dans la série D-C, où sont mises en jeu deux périodes différentes, il s'agit la première fois d'une soirée et les personnages quittent la chambre pour se rendre à la gare, tandis qu'il s'agit la seconde fois d'une matinée et Léon entre dans la chambre de Cécile. Rien d'étonnant à ce qu'il ferme les volets dans le premier cas et les ouvre dans le second. Mais de même que les inversions dans les suites temporelles peuvent se justifier sur le plan réaliste : « ce mouvement inverse du temps chronologique normal c'est quelque chose dont nous avons l'expérience dans notre mémoire constamment[1] », mais ont également des fonctions compositionnelles et thématiques, la disposition des strophes et des motifs de transition manifeste le caractère polyvalent de tous les éléments du texte.

e) *Transitions.*

Les représentations se juxtaposent dans l'esprit du héros, elles changent de sens au fur et à mesure que le temps passe et que le voyageur approche du but. A cette machine mentale qui s'est constituée faisant glisser l'une sur l'autre les régions de l'existence du personnage correspond une machine verbale faisant glisser l'une sur l'autre les différentes phases de la narration.

Ce glissement, déjà sensible dans les premiers chapitres s'accentue à partir du chapitre v, par l'omission de certains motifs de transition. Si l'on compare par exemple les formules du chapitre iv et du chapitre v :

iv : Aab B bc C cb baAac C cd D dc C caAad D de E ed D daA
v : Aab B c C d D d C c B baAac C d D e E e D d C caA

1. G. Charbonnier, *Entretiens avec Michel Butor*, p. 107. Butor parle ici de *L'Emploi du temps*.

On voit qu'à la présence de tous les motifs et à la fixité de leur association avec les strophes correspondantes dans le chapitre iv s'oppose, pour le chapitre v, l'omission d'un des motifs dans les strophes de transition.

Il résulte de ces omissions que le motif jusque-là affecté à une région déterminée sert d'introduction à une autre. Dans la série — c C d D d C c —, par exemple au début du chapitre v, le passé proche cC encadre le passé plus ancien dDd, mais c'est le motif d qui introduit le second C. Dans la série — d D e E e D d — les séquences consacrées à Cécile : dD et Dd encadrent la séquence consacrée à Henriette eEe mais c'est le motif consacré à Henriette qui introduit le passage sur Cécile.

Ces omissions entraînent donc des juxtapositions significatives.

Dans le premier cas : DdCc sont rapprochés deux événements analogues mais ayant eu lieu à des périodes différentes. En D le personnage se revoit prenant le thé avec Cécile, dans sa chambre à Rome, « il y a un peu plus d'un an » dans la chaleur et la lumière du soleil couchant (p. 110-111). En C soit immédiatement après dans le récit, il se revoit arrivant dans cette même chambre, la semaine précédente, alors qu'il a précisément oublié de venir prendre le thé préparé par Cécile, et il considère la théière « à demi pleine de thé froid » (p. 111-112). La collision de ces deux événements contribue à la prise de conscience du personnage ainsi qu'à celle du lecteur. On voit qu'elle est facilitée par l'absence d'un élément de transition. Dans le second cas : DeEeD, les passages reliés par e relatent deux voyages différents, d'abord en D1 le voyage fait avec Cécile un an auparavant (p. 119-121), puis en E le voyage fait avec Henriette (p. 121-124) et de nouveau en D2 le voyage avec Cécile (p. 124-125). La juxtaposition des deux voyages et la prédominance du thème lié à E, se manifeste cette fois encore par l'absence de d et la répétition de e, Cécile et Henriette jusque-là opposées sont en train de se rencontrer dans l'esprit du personnage comme sur les pages du livre :

« Mais l'auriez-vous autant aimée, cette Cécile, s'il n'y avait pas eu avant votre rencontre ce voyage malheureux? Mais si vous l'aviez déjà connue alors, vous seriez vous ainsi détaché d'Henriette, seriez-vous maintenant dans ce train? » (p. 124).

De la même façon, l'absence du motif de transition en Bc et cB confirme ce que l'on a dit à propos du passé proche et du futur.

A ces omissions de certains motifs de transition succèdent dans les chapitres vi, vii et viii des substitutions.
Aux cinq motifs fixes, s'ajoutent ou se substituent des
indications sur la lune qui se lève, les reflets dans les
vitres, les bateaux qui voguent, les pins dans la lumière,
l'entrée du train dans des tunnels, la femme endormie,
des lumières qui s'allument. Ces modifications peuvent
elles aussi être interprétées de manière réaliste : il fait nuit,
le voyageur est fatigué. Mais il est clair qu'à l'instar de
celles que nous avons examinées jusqu'ici, elles ont également des fonctions compositionnelles et thématiques.
Puisqu'il n'est guère possible de les prendre toutes en
considération, on se contentera d'en signaler quelques-
unes dans le chapitre vi :

La séquence consacrée au futur B, est introduite normalement par la formule « *du côté du corridor* » (p. 133) mais
elle se termine par la phrase « *on entre dans un tunnel* »
(p. 135), or il s'agit de l'évocation du mardi soir fatidique.

La séquence consacrée au passé proche C, commence
bien par la formule « *au-delà de la fenêtre* » mais on peut
lire qu'au-delà de cette fenêtre « *on ne voit plus que le reflet
brouillé de ces objets, de ces visages* » (p. 135), et elle se
termine par « voici la *sortie du tunnel*... vous commencez
à apercevoir dans la montagne... des *petites lumières qui
s'allument* » (p. 136). Ces petites lumières qui ponctuent
l'évocation du passé proche annoncent ces « *pins dans la
lumière* » qui dans les chapitres suivants lui serviront de
leitmotiv.

La séquence D, où est évoqué le séjour fatal de Cécile
à Paris, se termine par le même motif mais inversé :
« *s'allument de plus en plus de villages mais le train entre
dans un tunnel* » (p. 138).

Ces lumières et reflets changent donc de valeur suivant
le contexte immédiat des séquences, mais, pris ensemble,
ils « *pointent d'accents fugitifs l'image renversée* de ce
compartiment « (p. 149). Comme tels, ils annoncent cette
« *lumière* » que le héros, beaucoup plus tard, voit « *enfin
apparaître dans* [son] *esprit comme la sortie d'un tunnel* »
(p. 205), c'est-à-dire : ne pas voir Cécile et ne rien lui dire,
ainsi que ce « *reflet* » (p. 229) de la liberté véritable que
constituera le livre qu'il décide finalement d'écrire.

III. THÉMATIQUE

1. *Progression narrative et progression thématique.*

« En faisant jouer les mots à l'intérieur de certaines formes, [le poète] arrive à retrouver leur sens, à les dénuder, à leur rendre leur santé, leurs puissances vives [1] ». De même, le romancier, « en se servant de structures suffisamment fortes comparables à celles du vers, comparables à des structures géométriques ou musicales, en faisant jouer systématiquement les éléments les uns par rapport aux autres jusqu'à ce qu'ils aboutissent à cette révélation que le poète attend de sa prosodie, parvient à intégrer en totalité, à l'intérieur d'une description partant de la banalité la plus plate, les pouvoirs de la poésie [2]. »

Comparables à celles du vers, les structures fortes qui soutiennent le roman n'ont pas leur sens en elles-mêmes. Les objets, les sentiments, les actions, les idées auxquels renvoient les mots « riment entre eux », et ce sont des « pans entiers de réalité quotidienne », qui, transfigurés, « luisent d'une phosphorescence inattendue [3] ». Métamorphoses d'un tapis de fer chauffant, multiplication des reflets dans les vitres, lumières qui s'allument, persiennes ouvertes ou fermées, pluie sur les vitres, pins dans la lumière, il n'est pas de motif si prosaïque soit-il qui, au cours du récit, ne prenne une valeur symbolique. Apparitions de la lune, franchissement de seuils ou de frontières, fontaines jaillissantes, forêt obscure, il n'est pas de motif, si chargé soit-il, qui ne prenne un sens nouveau.

Porte, lune, lézarde, déchirure, broussailles, lumière, obscurité, grille, frontière, tous ces mots ont un sens en dehors du livre. S'ils prennent un sens nouveau, c'est parce qu' « ils fonctionnent par rapport à d'autres mots [4] » et deviennent les « nœuds d'un système de références [5] ».

---

1. Michel Butor, « Intervention à Royaumont », *Répertoire I*, p. 271.
2. *Ibid.*, p. 272.
3. Michel Butor, « Le roman et la poésie », *Répertoire II*, p. 24. Ces « pans de banalité, de réalité quotidienne » désignent dans ce texte les « phrases de tous les jours », entendues dans la rue par exemple, qu'il propose également de faire rimer entre elles. C'est ce qu'il fera, on le sait, dans *Description de San Marco, Réseau aérien, Mobile* et surtout *6 810 000 litres d'eau par seconde.*
4. G. Charbonnier, *Entretiens*, p. 30.
5. *Ibid.*, p. 23.

Mais comme le précise l'auteur, « le système de références qui est à l'intérieur du livre va être tout entier une figure du système de références à l'intérieur duquel le lecteur joue lui-même, à l'intérieur duquel se trouve déjà le langage du lecteur, et ainsi le livre va permettre au lecteur de retrouver la signification oubliée, méconnue, inaperçue, des mots qu'il emploie lui-même en dehors du livre... Le mot vidé d'un certain nombre de ses significations est chargé de significations nouvelles... et ces significations nouvelles se révèlent peu à peu être les significations anciennes dont celles qu'on avait au point de départ n'étaient qu'une ombre, n'étaient que les cendres [1]... »

Comparables à des structures musicales, les formes fortes qui soutiennent le roman sont soumises au temps. L'appréhension des correspondances, des rapports inédits, n'est pas immédiate mais progressive. La progression narrative commande la progression thématique. Amplifications, juxtapositions, reprises et variations, corrélations, contrastes, ces principes de construction affectent directement le développement des thèmes. A la prise de conscience du personnage, dont le roman propose l'image, se superpose celle du lecteur que le livre par sa forme même, provoque en la guidant.

De même que les mots ont un sens en dehors du livre, les thèmes actualisés dans *La Modification* ont un sens en dehors de l'œuvre. Bain de Jouvence et descente aux enfers, mythe romain et recherche du centre, femme rédemptrice et salut par l'écriture, ces thèmes, que l'on peut d'autant mieux relever qu'ils sont explicités par le narrateur à la fin du livre, n'ont rien d'original. L'anthropologue et l'historien n'auraient pas de peine à y reconnaître des formes typiques de l'imaginaire collectif, et des motifs traditionnels de la littérature mondiale. Mais de même que leur « place dans le déploiement de la page et dans l'expansion du volume change le sens des mots [2] », leur place dans le déroulement du texte change le sens des thèmes. On ne peut donc, en aucun cas, faire l'économie de la lecture.

Ce n'est qu'après avoir lu le livre et par conséquent grâce au livre que les mots retrouvent leur sens, ce n'est qu'après avoir lu le livre et grâce au livre que les thèmes que l'on croyait familiers, les thèmes devenus lieux communs, manifestent leur indestructible nouveauté, rede-

1. G. Charbonnier, *Entretiens*, p. 23 et p. 31.
2. « La littérature, l'oreille et l'œil », *Répertoire III*, p. 402.

viennent, parce qu'explicités, le bien commun de l'auteur et de ses lecteurs.

Nous savons, bien sûr, que le choix de certains mots et leur récurrence, le choix de certains thèmes et leur assemblage, renvoie à un imaginaire singulier, celui de l'écrivain. Tout lecteur familier de l'œuvre de Butor reconnaîtra dans le vocabulaire de *La Modification* les mots clés de l'auteur de *Mobile*, de *6 810 000 litres d'eau par seconde* ou du *Portrait de l'artiste en jeune singe*. Fissure, déchirure, fragments, ruines, cendres, sables, poussière, fumée, — frontière, région, seuil, — ombres, lumières, — grille, chaîne, prison, barrière, libération — exploration, pèlerinage, guide, messager, ambassadeur, quête, salut, — ces constellations se retrouvent dans toute son œuvre. De même retrouverait-on chaque fois la forêt, les eaux jaillissantes, les lieux à déchiffrer et explorer, les allusions à l'Egypte, une descente aux enfers, le passage du jour à la nuit et de la nuit au jour, et surtout la reprise de ce thème fondamental du voyage initiatique, dont le *Portrait de l'artiste en jeune singe* indique les origines[1] et précise le sens.

Pas plus qu'il n'est question de sous-estimer l'intérêt d'une approche thématique qui s'appuierait sur l'anthropologie de l'imaginaire, ni celle que pourrait proposer un historien comparatiste, il n'est question de récuser celle qui s'attache à dégager les constantes de l'imagination d'un auteur déterminé. Nous savons parfaitement et si besoin était, le contact quotidien avec l'œuvre de Butor suffirait à nous en convaincre, que les mots, les thèmes, les formes d'une œuvre renvoient à une subjectivité, à un projet existentiel qui en est le principe structurant. Nous savons fort bien aussi que pour retrouver ce projet et en exposer l'essentiel, il faudrait envisager la totalité des œuvres de l'auteur.

Si cependant le poète, et en général l'écrivain, « extrait ses images du grand réseau de la syntaxe conventionnelle de l'imaginaire », il les isole et leur « confère un caractère emblématique[2] ». Si le poète emprunte souvent ses motifs et ses thèmes à une longue tradition, il leur attribue des significations nouvelles. L'image, archétypale, de la lune sur les eaux n'a pas le même sens chez Lamartine, chez Flaubert et chez Butor, bien que dans *Le Lac, Madame*

---

1. Dans la mesure où il s'agit d'une sorte d'autobiographie.
2. Comme le formule J. Plessen, à propos de Rimbaud, *Promenade et poésie, L'expérience de la marche et du mouvement dans l'œuvre de Rimbaud*, La Haye, Mouton, 1967, p. 57.

Bovary et *La Modification* elle soit également liée aux thèmes du temps et de l'amour. La descente aux enfers du VIe livre de *L'Énéide* n'est plus celle de *L'Odyssée* et celle de *La Modification*, bien qu'empruntant ses matériaux aux précédentes [1], bien que, comme elles, révélatrice et transformatrice, n'a pas non plus la même signification. Il est vrai qu'à l'instar d'Enée, le divin fondateur de Rome, Léon Delmont, en rêve, est parti « *à la recherche de [son] père pour qu'il [lui] enseigne l'avenir de [sa] race* » (p. 179), mais démuni du « *rameau d'or* » qui aurait pu le « *guider* » (p. 180), incapable de parler, « *silencieux devant le douanier Janus* » (p. 193), impuissant à se défendre (p. 207), « *paralysé* » (p. 215), soumis à la question par les cardinaux et le pape (p. 215), ainsi que par les dieux et les empereurs romains (p. 221), « *condamné* » par le « *Roi du Jugement* » ou plus exactement par « *tous ceux qui [l']accompagnent et leurs ancêtres* » (p. 217), le héros de Butor, s'il n'est pas sans rapport avec son illustre modèle en propose plutôt la figure inversée.

De même si l'on peut dire d'un auteur qu'il dit toujours la même chose, il faut reconnaître qu'il le dit toujours différemment. Lorsque Michel Butor lui-même a « l'impression que (ses) livres sont tous pareils » parce qu'il y « retrouve les mêmes thèmes [2] », il sait bien aussi et mieux que personne, que ces thèmes ne se révèlent que par les formes mêmes qu'il a mises en œuvre dans chacun de ses livres et que ces formes par leur nouveauté en dévoilent chaque fois des aspects nouveaux. Ainsi le Bain de Jouvence de *6 810 000 litres d'eau par seconde* n'est plus celui de *La Modification*. Le seul fait qu'il ne s'agit plus du rêve d'un individu particulier, d'un personnage caractérisé, situé dans un contexte culturel précis et raffiné, mais du rêve collectif d'une foule anonyme suffit à délivrer d'autres aspects du mythe. Le fait aussi que le lieu privilégié du renouvellement n'est pas, comme dans *La Modification*, un « foyer capital » (p. 229) de l'Histoire et de l'Histoire ancienne, mais un site naturel du « Nouveau Monde ».

Ce qui donc, dans la perspective que nous adoptons, va retenir notre attention, n'est pas la thématique de Michel Butor, ni même celle de *La Modification* [3]. Nous nous

1. Ainsi qu'à celle de Dante, et peut-être à d'autres.
2. G. Charbonnier, *Entretiens*, p. 99.
3. On trouvera déjà bien des renseignements à ce sujet dans les livres de Jean Roudaut et de Georges Raillard, mais rien que pour la thématique

attacherons à dégager la manière particulière dont certains mots et par conséquent certains thèmes sont développés au cours du livre et prennent, grâce à lui, un sens nouveau. Pour rendre compte de ce processus et évaluer ses effets, nous choisirons de suivre les aventures d'un mot [1]. Un mot qui se trouve au début du roman et à la fin, ainsi que dans chacune des séquences de la narration. Un mot banal, dont la signification immédiate est tout à fait claire. Un mot que le lecteur, s'il le rencontre dans le livre, utilise aussi fréquemment en dehors du livre. Un mot dont ce livre, précisément, déploie la signification. Les aventures de ce simple mot et avec elles, celles des objets, sentiments, idées, mythes auxquels il renvoie, nous aideront à saisir celles de ces « constructions de mots », de ces « mots complexes » que sont les thèmes du roman [2].

2. *Les aventures du mot* (la porte).

« ... Vous vous efforcez de fermer la porte coulissante » (p. 12).

« Il faut réussir à ouvrir complètement cette porte » (p. 225).

La porte dont on nous parle au début du roman et celle que l'on retrouve à la fin du chapitre VIII, est bien la même porte, celle du compartiment de troisième classe que tout au long du voyage, les voyageurs ne cessent d'ouvrir ou de fermer. Et pourtant, cette dernière porte qu'*il faut réussir à ouvrir complètement,* représente encore bien autre chose.

Introduite dans des contextes d'action différents, qui sont révélateurs des sentiments d'un personnage à bien des égards semblable à nous, utilisée métaphoriquement pour concrétiser une aventure spirituelle [3], qualifiée d'épithètes qui en

de *La Modification* on pourrait écrire un second livre, complémentaire de celui-ci.

1. Comme nous y invite l'auteur. Cf. G. Charbonnier, *Entretiens,* p. 23 à 31.

2. Les thèmes peuvent, en effet, au même titre que les personnages, être considérés comme des « mots » 1° parce qu'ils sont eux-mêmes faits de mots, 2° parce que, constituant des unités de sens relativement autonomes, ils renvoient à autre chose. Cf. à ce sujet G. Charbonnier, *Entretiens,* p. 28.

3. « Comme tout devient concret dans le monde d'une âme quand un objet, quand une simple porte vient donner les images de l'hésitation, de la tentation, du désir, de la sécurité, du libre accueil, du respect ! » déclare Bachelard dans *La Poétique de l'espace,* Paris, P.U.F., 1964 (1967), p. 201.

dévoilent les multiples fonctions et deviennent à leur tour
centres de références, remplacée par ses nombreux synony-
mes : panneau coulissant, trappe de communication, entrée,
ouverture, pas, saut, seuil, gorge, défilé, arc, arche, guichet,
issue, embrasure, frontière, passage..., cette porte, « à la
fin du livre, est chargée d'une signification extrêmement
complexe et précise [1] ».

« On dirait toute sa vie si l'on faisait le récit de toutes les
portes qu'on a fermées, qu'on a ouvertes, de toutes les
portes qu'on voudrait rouvrir [2] ». Bachelard, que l'on vient
de citer, aurait pu invoquer le roman de Butor. C'est bien
en effet toute la vie de Léon Delmont qui se raconte au
moyen de ces portes qu'il a ouvertes, qu'il a fermées, qu'il
voudrait ouvrir ou qu'il voudrait fermer. Faisons le compte:

La porte du compartiment qu'il ne parvient pas à ouvrir,
indique son âge et sa fatigue, puisqu'autrefois il l'ouvrait
« aisément », mais « *déjà vous n'avez plus votre force d'alors* »
(p. 110).

La porte de l'armoire à glace Louis-Philippe, qui non
seulement signale son appartenance à un certain milieu
social, mais qui, une fois ouverte par sa femme, se met à
réfléchir la lézarde du plafond de la chambre ainsi qu'à
révéler « *les ombres impitoyablement ironiques dans leur
silence et leurs balancements des précédentes femmes de
Barbe-Bleue* » (p. 16). (« Qui n'a pas dans sa mémoire,
un cabinet de Barbe-Bleue qu'il n'eût pas fallu ouvrir,
entrouvrir? ou... qu'on n'aurait pas dû imaginer ouverte,
susceptible de s'entrouvrir [3]? ») La porte de sa chambre
qu'il *referme* derrière sa femme (p. 17). Celle de l'appartement
qu'Henriette, à son tour, *referme* sans attendre que Léon
ait fini de descendre les marches de l'escalier (p. 17).
La portière du taxi que le chauffeur ne prend *pas la peine
d'ouvrir* (p. 18). « *La vieille porte de l'immeuble* » où se trouve
son bureau, vieille porte qu'il médite « *depuis longtemps
de faire transformer* » (p. 62) comme il aurait dû « *depuis
longtemps faire disparaître et colmater* » la lézarde au plafond
de sa chambre (p. 16).

Portes de Paris, portes de l'appartement conjugal, portes
du bureau, portes de Rome aussi.

La « *porte Majeure* » d'abord, à partir de laquelle « *vous
pénétrerez droit vers le centre* » (p. 29). La porte Majeure,

1. G. Charbonnier, *Entretiens*, p. 19.
2. G. Bachelard, *La Poétique de l'espace*, p. 201.
3. *Ibid.*, p. 201.

la porte de Rome que jouxte le temple de *Minerve médecin* (p. 94, 216).

La porte de la maison de Cécile où Léon va « *guetter son apparition* » (p. 49). La « *porte de communication* » entre la chambre de Cécile et la chambre voisine dans laquelle, une fois « *libre* », « *le seuil franchi* » (p. 70), il pourra venir s'installer. Porte qu'il imagine « *restant ouverte toute la nuit* » (p. 119). Mais porte qui est « *fermée par cet antique énorme verrou* » (p. 118) et que jusqu'ici Cécile n'a réussi qu'à entrouvrir :

« Vous étiez tous les deux *dans l'embrasure de la porte entre la pièce claire et la pièce obscure* » (p. 128).

avant d'être obligée de la refermer (p. 129).

A ces portes qui, dans le contexte de l'action, manifestent les rapports du héros avec les deux femmes s'ajoutent toutes ces portes, seuils, frontières, pas, grilles, murs, barrières qui expriment, métaphoriquement, la situation de ce personnage aux « yeux *mal ouverts* » (p. 9), désireux d'échapper à cette « demi-vie qui se *refermait* autour de [lui] *comme une pince* » (p. 34). La situation de cet homme que sa femme a empêché jusqu'ici de « *faire le saut* » (p. 67), sa femme dont chaque parole semblait venir « *de l'autre côté d'un mur s'épaississant* de jour en jour » (p. 91), de cet homme que « *l'énorme écran* du travail » chez Scabelli a séparé jusqu'ici de son amour (p. 174), mais pour qui s'est « *ouverte* » une « vie toute autre » (p. 32) et qui croit avoir enfin « *franchi* [le] *pas* » (p. 92) qui doit conduire à sa « *délivrance* » (p. 35) :

« Vos yeux se fermeront et vous vivrez alors d'avance... un peu de cette vie prochaine dont le voyage vous aura *ouvert les portes* en rêve ; vous explorerez cette contrée dont votre dure décision vous aura fait *franchir la frontière* » (p. 108).

La situation de cet homme pour qui la porte Majeure, s'appelle aussi Cécile :

« Parce qu'elle y a été... votre introductrice, *la porte de Rome* comme on dit de Marie dans les litanies catholiques qu'elle est *la porte du ciel* » (p. 198).

Cécile, la femme médiatrice « *messagère des régions heureuses et claires* » (p. 35), Cécile dont *le regard* « *délivre* » (p. 35) et qui, avant de redevenir « semblable aux autres femmes », avant de « perdre ses pouvoirs » (p. 231), « apparaissait *délivrance, retour à votre nature authentique, délassement, sourire et flamme, pure eau brûlante, cicatrisante et purifiante* » (p. 174), Cécile, elle aussi, *Minerva Medica.*

Ces portes de la chambre et de la maison, portes de séparation ou de communication, ne sont pas les seules et il ne suffit pas de les franchir pour se libérer vraiment. L'espace des conduites humaines s'inscrit dans l'espace historique. Aux portes des maisons privées s'ajoutent celles des monuments publics :

« *Guichets du Louvre* » qui, à Paris même, permettent de « *déboucher de l'autre côté* en plein devant ce grand ciel mouvementé et nacré sur les Tuileries » (p. 54). Guichets du Louvre qui permettent de découvrir « les trois mauvaises statues représentant les *fils de Caïn,* mais aussi les *arcs de triomphe* du Carrousel et de l'Étoile, ainsi que, dans le lointain, l'aiguille grise de l'*obélisque* » (p. 54). Guichets du Louvre : portes ouvertes sur les mondes chrétien, romain, égyptien, dont le héros cherche les clés à Rome, alors qu'elles étaient peut-être là, à portée de la main.

Guichets du Louvre, arcs de triomphe, porte Majeure, mais aussi les portes de ces lieux « *maudits* » (p. 140) : « Le *Vatican... cette cité cancer* qui s'accroche au côté de la splendeur et de la liberté romaines » (p. 139), le Vatican et certaines églises de Rome où Cécile refuse de pénétrer, manquant sur ce point essentiel à son rôle de médiatrice, d'introductrice. Alors que pour explorer vraiment les thèmes romains il aurait fallu aller :

« ... d'église Saint-Paul en église Saint-Paul, de San Giovanni en San Giovanni, de Sainte-Agnès en Sainte-Agnès, de Lorenzo en Lorenzo, pour essayer d'approfondir ou de cerner, de capter et d'utiliser les images liées à ces noms, *portes de biens étranges découvertes* à n'en pas douter sur le monde chrétien lui-même si fallacieusement connu, sur ce monde encore en train de s'écrouler, de se corrompre, de s'abattre sur vous, et des ruines, des cendres duquel vous cherchiez à vous échapper... » (p. 139).

Les portes de ces lieux où il aurait fallu pénétrer, qu'il aurait fallu déchiffrer, pour que les images qui leur sont liées ne constituent plus autant de « *barrières* », de « *chaînes* », d' « *obstacles* » (p. 83) à une véritable communication, à une véritable libération.

Porte, par exemple, de *Sant' Andrea della Valle,* église où sont rassemblées des copies anciennes de statues de

Michel-Ange (p. 140), porte de *Saint-Pierre-aux-Liens* où se trouve le *Moïse* (p. 142), porte de la *Villa San Severino* qui contient une *Pietà* (p. 144), portes que le héros trouve fermées, ou qu'il n'a pu franchir que la nuit, de sorte qu'il n'a « *pour ainsi dire rien vu* » (p. 142)...

Les guichets du Louvre, les arcs de triomphe, la porte Majeure, les portes des églises, ouvrent sur des lieux que le héros explore, déchiffre ou interroge. Mais ces lieux mêmes, à leur tour, ouvrent sur d'autres lieux, délivrent d'autres images, faisant communiquer Paris avec Rome, le monde païen avec le monde chrétien.

Si dans le déploiement de la page les Guichets du Louvre débouchent sur les Tuileries, la Concorde et l'Étoile, dans l'expansion du volume, les lieux et monuments ainsi découverts communiquent avec ceux qui sont évoqués ailleurs.

Avec la *piazza Navona* par exemple qui, elle aussi, concentre en elle le monde romain avec l'*ancien cirque de Maxime*, chrétien avec l'*église de Borromini* consacrée à *sainte Agnès* [1], égyptien aussi avec l'*obélisque* de la fontaine du Bernin. Trois civilisations qui chacune à leur tour ont réussi à intégrer les précédentes, à en assimiler, dans une certaine mesure, les secrets. Ainsi les architectes romains avec les monuments égyptiens, mais aussi les architectes baroques qui :

« donnent à imaginer, grâce à leur merveilleux système de signes, leurs agrégations de pilastres, et leurs voluptueuses courbes, des monuments rivalisant... dans l'effet et le prestige avec les énormes masses réelles des ruines antiques » (p. 55).

La piazza Navona, pour cette raison sans doute, représente pour le héros et pour Cécile « *l'épine dorsale* » (p. 82) de Rome. De même les arcs de triomphe français communiquent avec les arcs romains, celui bien sûr, de *Constantin* (p. 72 et 138), dont l'arc du Carrousel est la copie, mais aussi les autres : l'*arc de Janus Quadrifrons* par exemple (p. 72).

Si Rome est ainsi présente à Paris (elle l'est encore, mais par dérision cette fois, avec le *bar romain* de la rue Caumartin) (p. 63), Paris est également présent à Rome. Ainsi par cette photographie de l'*arc de triomphe de l'Étoile* qui illustre la chambre de Cécile, comme elle illustre le compartiment.

1. Agnès est aussi le prénom que porte le double de Cécile : la jeune épouse du compartiment. Signalons, par ailleurs, que deux des filles de l'auteur se prénomment Cécile et Agnès...

C'est debout, « *face... à cette photographie de l'arc de triomphe de Paris* » (p. 228) que le héros à la fin du voyage, comprend que sa « *fissure personnelle... est en communication avec une immense fissure historique* » (p. 229). Mais le lecteur lui, lorsqu'il relit le livre, lorsqu'il a réussi à connaître les lois du texte, peut comprendre dès le début que Rome n'est plus dans Rome et que d'ailleurs :

« si puissant pendant tant de siècles sur tous les rêves européens, le souvenir de l'Empire est maintenant une figure insuffisante pour désigner l'avenir de ce monde, devenu pour chacun de nous beaucoup plus vaste et tout autrement distribué » (p. 231).

S'il réussit à connaître les lois du texte et en particulier à utiliser ces « *trappes de communication* » (p. 231), ces « *passages instantanés* » (p. 233) qui à chaque page s'ouvrent sur ce qui est dit aux autres pages. Trappes de communication, passages instantanés que constituent en particulier les références aux œuvres d'art et aux monuments historiques qui, on s'en rend compte maintenant, se commandent les unes aux autres, prennent sens les unes par les autres. C'est ainsi dès le début du livre qu'il est question de cet « *effort pour relever* ce qui depuis le seizième siècle était ressenti comme un constant *défi jeté par l'Ancien Empire à l'actuelle Église* » (p. 55), de cet effort « que soulignent les deux tableaux symétriques » (p. 55) de Pannini mais que souligne aussi le roman de Butor.

Mais s'il le souligne en montrant dans cet effort même, la raison profonde de l'amour que son héros porte à Cécile, c'est en montrant du même coup l'incapacité de celui-ci à « *fondre ces deux thèmes* », Paris et Rome (p. 231), à réaliser cette « *mise en balance* » (p. 55) et à réussir « *sur les deux tableaux* » (p. 45). S'il le souligne c'est en montrant que cet effort est voué à l'échec, non seulement parce qu'il est entrepris par un homme seul, mais surtout parce que le problème ne se pose plus aujourd'hui dans les mêmes termes que par le passé. Non seulement Rome n'est plus « *au centre de la terre* » (p. 231), mais Paris n'y est plus non plus, même si « *l'étoile noire des chemins de fer sur la France* » qui est « *comme l'ombre de l'étoile des voies romaines* » (p. 231) peut encore, à certains, donner l'illusion du contraire! Non seulement Rome et Paris ne sont plus au centre de la terre mais la terre elle-même n'est plus au *centre du monde* (p. 231). Non seulement « *un centre s'est déplacé* » (p. 231), mais il n'y a plus de centre. Il faut changer de système de représentation, passer à un autre niveau, trouver un autre moyen d'ordonner les images qui dans le grand « désordre mythologique [1] » où nous vivons, ne pourront autrement que nous submerger.

C'est ce *passage* à un autre plan, par la mise en évidence de ce désordre, qu'illustre le « grand rêve [2] » que fait Léon Delmont.

Ce rêve concentre en lui tous les éléments de la situation du héros et tous les éléments constitutifs du livre. Il faudrait donc pour en rendre compte, l'envisager dans sa complexe totalité, suivre les étapes de son déroulement et déchiffrer les nombreuses allusions qu'il contient. Cette entreprise, qui ne manquerait certes pas d'intérêt, dépasse malheureusement nos possibilités. Ne serait-ce que parce que l'univers intellectuel du rêveur est « hanté par les débris des systèmes anciens [3] » et qu'il faudrait pour détecter toutes ces ruines et reconstituer ces monuments, la culture encyclopédique d'un Joyce ou d'un Butor!

Ce grand rêve cependant, comme l'avait vu Michel Leiris, est « marqué par l'idée des obstacles à la communication » et revêt l'allure d'un pèlerinage initiatique. On peut donc penser que la porte : obstacle et passage, fermeture et ouverture doit y jouer un rôle important. Fidèle à notre parti pris, nous l'examinerons donc sous cet aspect.

« *C'est le vrai départ maintenant, l'entrée dans le tunnel* » (p. 133). Cette phrase au début du chapitre vi annonce

1. Selon l'expression de Michel Butor, « Le Roman et la poésie », *Répertoire II*, p. 17. Nous pensons à ce que dit à ce sujet Mircea Eliade dans *Aspects du mythe*, Paris, Gallimard, Idées, 1963.

2. L'expression est de Jung qui distingue par là les rêves qui ont une signification collective et non pas seulement privée. Cf. *L'Homme à la découverte de son âme*, Paris, Payot, 1966, p. 315. Il n'est pas nécessaire d'adopter les idées de Jung sur l'inconscient collectif inné et héréditaire, pour reconnaître qu'il y a des correspondances entre la pensée mythique et la pensée onirique. Michel Butor s'est d'ailleurs expliqué sur la portée qu'il accorde au rêve dans ses œuvres et sur leur interprétation possible : « Une interprétation freudienne au sens strict, une interprétation au sens étroit du mot est évidemment insuffisante. Elle ne prend son sens que si on la situe à l'intérieur d'une psychanalyse existentielle. Mais il faudrait encore dépasser le sens que Sartre donne à cela. Tout cela ne prend son sens que dans une analyse historique, que dans les relations de tout cela avec l'histoire universelle ». F. C. St. Aubyn, *Entretien avec Michel Butor*, p. 19.

3. A l'instar des univers mentaux d'un Bloom et d'un Stephen Dedalus, d'après Michel Butor, « Petite croisière préliminaire à une reconnaissance de l'archipel Joyce », *Répertoire I*, p. 204.

le tournant dans le récit qui coïncide avec le passage de la frontière. Malgré l'avertissement qui lui a été donné au départ « *Il est dangereux de se pencher au dehors* » (p. 15), le héros a *ouvert la porte aux souvenirs anciens* (p. 175) et est finalement contraint de se débattre « parmi les mauvais rêves que vous entendez déjà souffler et hurler *derrière les portes de votre tête* » (p. 158).

Comme nous l'avons signalé plus haut, c'est une rêverie sur le livre que le voyageur a emporté mais qu'il n'a pas lu qui introduit les images du rêve. Un livre « où il faudrait qu'il soit question d'un homme *perdu dans une forêt qui se referme* derrière lui » (p. 169), une forêt sans issue où il ne peut retrouver son « *chemin* » et ne sait « *de quel côté il lui convient d'aller* » (p. 169). A cette image de la forêt s'ajoutent celles d'un « *grillage qui l'empêche de continuer* » (p. 169) et, un peu plus loin, d'un « *voile de poussière* » *et d'un fossé qui le sépare* (p. 172). Retombant dans le rêve, après quelques instants de lucidité, « *il longe l'eau à la recherche d'un gué* » et se met à « *ramper jusqu'à l'entrée d'une caverne* » (p. 176). Toutes ces images ont en commun, on le voit, la recherche d'une issue et symbolisent une quête semée d'obstacles.

Le thème de la communication et de ce qui l'empêche se précise un peu plus loin avec l'intervention d'une « vieille femme » qui regarde « dans un *grand livre* » et qui « *chuchote... il est très difficile de comprendre ce qu'elle raconte* » (p. 179).

Avec le dialogue qui s'engage entre cette « Sibylle » et le rêveur, les motifs du chemin, de l'issue à trouver, du guide, de la parole et du livre sont indissociablement liés, en même temps que s'annonce le thème de la recherche du père et de la quête de l'avenir.

La Sibylle :

« — Pourquoi ne me parles-tu pas? T'imagines-tu que je ne sais pas que toi aussi tu vas à la recherche de ton père afin qu'il t'enseigne l'avenir de ta race?

— ... Non... je ne veux rien, Sibylle, je ne veux que sortir de là, rentrer chez moi, reprendre le chemin que j'avais commencé; et puisque vous parlez ma langue, ayez un peu pitié ... de cette incapacité où je suis ... de vous dire les mots qui vous conviendraient...

— Ne sont-ils pas là sur ces feuilles du guide bleu des égarés?[1]

---

1. *Le Guide des égarés* est rapproché par Michel Leiris, du *Guide des indécis* du juif Maïmonide, *Le Réalisme mythologique de Michel Butor*, p. 302. Cf. à ce sujet E. Hönisch, *Das gefangene Ich*, p. 53.

— Hélas, ils n'y sont plus, Sibylle, et même s'ils y sont, je ne puis pas les lire » (p. 179).

Suivant le schéma virgilien, le rêveur ayant parlé à la Sibylle et sollicité (mais sans l'obtenir) le rameau d'or qui lui aurait permis « *d'ouvrir les grilles* » (p. 180), descend aux enfers[1].

Il est vrai que le mot n'est pas prononcé, mais le « *fleuve boueux* », la ...*barque* de métal... dont les bords sont « aiguisés comme *le tranchant d'une faux* », et les paroles que prononce le passeur : « *Je suis venu pour vous mener sur l'autre rive. Je vois bien que vous êtes mort* » (p. 183), ne permettent pas d'en douter.

Cette descente aux enfers est une épreuve : « *il s'écroule, les vagues boueuses lui lèchent tout le corps* » (p. 183) et cette épreuve est une anamnèse. La reprise du mythe antique et le contexte du roman nous invitent en effet à l'interpréter à partir de ce que nous savons des « mythologies de la mémoire et de l'oubli [2] ». On a vu que c'était l'émergence d'un « *souvenir fatal* » qui livre le héros aux cauchemars. C'est d'autre part au réveil de cette épreuve qu'il se dit que « *tout le temps antérieur... s'est mis à basculer* » (p. 184). On sait d'autre part, que dans les mythologies anciennes, le sommeil et l'oubli sont identifiés à la mort. Il en est de même pour le passé — historique ou primordial — dans la mesure où il est oublié [3]. Or, Léon Delmont a oublié non seulement son propre passé, mais celui de ses *ancêtres* (p 217). Il faudra toute la durée du voyage pour qu'il retrouve l'un et prenne conscience de la nécessité de retrouver l'autre.

« Tu désirais aller à Rome... il n'est plus temps de reculer, je t'y mène » (p. 183), ces paroles du passeur auxquelles succède la phrase : « *il est passé sous la porte Majeure* », (p. 184) situent la démarche du personnage et toute l'action du roman [4] dans un contexte mythique.

1. D'après Bachelard, « le complexe de Caron n'est pas très rigoureux; l'image est actuellement bien décolorée. Dans bien des esprits cultivés il subit le sort de ces références trop nombreuses à une littérature morte. » *L'Eau et les rêves*, Paris, Corti, 1964, p. 104. Dans le roman de Butor, cependant, ce « complexe » reprend sa dimension poétique et mythique.

2. Grâce à Mircea Eliade, en particulier, *Aspects du mythe*, chap. VII.

3. Mircea Eliade, *ibid.*, p. 150.

4. Il faut signaler en effet que ce Il dans la phrase « Il est passé sous la porte Majeure », peut désigner à la fois le rêveur, sujet de la phrase qui précède et le train, sujet de celle qui suit. On sait d'ailleurs que le train est un symbole de la mort.

Le rêveur répète en effet l'action d'Enée, même s'il en est, comme on l'a indiqué, la figure inversée puisqu'il ne parvient ni à restaurer le passé ni à instaurer l'avenir. Mais la référence à Virgile (qui est en même temps une référence à Dante et à beaucoup d'autres), nous fait comprendre que son aventure ne le concerne pas seul mais toute l'humanité : c'est *dans notre conscience ou notre inconscience* que l'aventure, désormais, se joue.

Le thème du passé à retrouver et de l'avenir à constituer, comme condition préalable à l'accession à la lumière, se confirme d'ailleurs dans les fragments qui suivent.

Celui qui *monte si cruellement la garde à la porte de la ville* (p. 171) n'est autre qu'un « *homme... avec deux visages* » dont l'un est « *tourné vers le malheureux* », l'autre, « *vers la porte, vers la ville* » (p. 187). Un homme à deux visages où l'on reconnaîtra Janus aux visages tournés vers le passé et vers l'avenir, Janus dieu des portes mais dieu également de la paix, du temps, des lumières et du chemin...

Comme si cette rencontre avait libéré une autre instance de sa personnalité, le rêveur jusque là désigné par la troisième personne prend la parole en disant *je*[1]. Conjointement s'affirment les rapports du livre et du passage, du livre comme guide pour trouver la route et clé pour ouvrir la porte :

« Si je suis arrivé jusqu'ici parmi tant de dangers et d'erreurs, c'est que *je suis à la recherche de ce livre que j'ai perdu parce que je ne savais même pas qu'il était en ma possession...* On m'a dit que dans cette ville... je pourrais m'en procurer quelque exemplaire...
— *Entre, la porte est grande ouverte...* » (p. 191).

Avec la recherche du livre et la pénétration dans la ville, autorisée par le gardien du seuil, le passage de l'autre côté devient irréversible :

« Tu ne pourras plus jamais revenir... » (p. 187).
« ... aucune autre solution ne te demeure : je ne puis que *fermer la route derrière toi...* » (p. 191).

En rêve, la modification est accomplie. Un seuil est désormais franchi, un *autre pas* est fait. Par rapport aux

---

1. A propos de ce passage du *il* au *je*, cf. Michel Leiris, *Le Réalisme mythologique de Michel Butor*, p. 301.

conduites humaines, le rêve a valeur prophétique[1]. Il annonce et prépare ce qui va se passer par la suite : la prise de conscience du fait que l'aventure avec Cécile est sans issue et qu'il ne reste d'autre possibilité à Léon que d'écrire un livre qui lui permette de mieux comprendre ce que le mythe romain signifie pour lui et pour les autres. Mais avant d'accéder à cette conscience et pour pouvoir y accéder, le héros doit subir d'autres épreuves. Son « *équipée* » (p. 179) n'est pas terminée, l'issue n'est pas encore trouvée, « *le personnage embryonnaire* » qui « *court, nage et se faufile...* » à la « *quête du guide bleu des égarés* » (p. 193) n'est pas vraiment passé de l'autre côté.

Au cours du chapitre suivant, le cauchemar s'amplifie et se peuple de personnages qui symbolisent à la fois les diverses instances de la personnalité du rêveur et les figures de ce père dont il est en quête[2]. Le rêveur est livré « *aux démons non de vous seulement, mais de tous ceux de votre race* » (p. 159). Les références culturelles et en particulier religieuses[3] se multiplient. Le thème central devient celui du jugement. Les matériaux du rêve sont empruntés surtout au Michel-Ange de la Sixtine, ainsi sans doute qu'au *Jugement dernier* de Pietro Cavallini, « *premier secret romain* » révélé (p. 70) par Cécile à Léon. Le motif de la porte continue cependant à jouer un rôle important.

« *A travers les portes d'un temple*, entre les colonnes, vous apercevrez une *idole luisante* avec une *torche fumeuse* et des *nuages d'encens* » (p. 202)...

Cet épisode du rêve répète un événement vécu par Léon lors de ses explorations romaines. Lorsqu'il a essayé de

---

1. Comme chez les Anciens ! On sait par ailleurs le rôle joué par le rêve chez les surréalistes. On trouve un bel exemple de rêve, non seulement prophétique, mais actif, dans *Le Portrait de l'artiste en jeune singe*, où le narrateur rêve qu'il est blessé à l'œil, et se montre effectivement le lendemain avec un œil blessé !

2. Toutes les figures du rêve sont des figures du sur-moi. Si l'on suit dans le roman le thème de l'œil et du regard cela est encore plus clair. Le « père » cependant désigne ici, également, les « ancêtres », c'est-à-dire l'héritage culturel.

3. Jean Roudaut a souligné les connotations chrétiennes de ces passages du livre : les allusions au sacrifice de la messe, au mystère eucharistique, et les allusions à saint Augustin (liv. IV, chap. VIII de *La Cité de Dieu*) lors de l'épiphanie des petits dieux romains, *Michel Butor et le livre futur*, p. 178 et 179.

voir le Moïse de Michel-Ange, il n'a pu pénétrer dans
l'église que le soir :

> « *La grande porte était fermée...* c'était le salut du Saint Sacrement,
> *l'autel était illuminé* de cierges et d'ampoules; il y avait des *nuages
> d'encens* et... le Moïse dont le marbre semblait *couvert d'huile...*
> comme la statue d'un dieu romain d'autrefois » (p. 143).

On peut voir dans cette identification du Moïse à un
dieu romain, une preuve de la permanence de Rome à
travers ses modifications. Mais l'on peut voir également
dans cette identification confirmée par le rêve, la mise en
évidence de l'erreur qu'a faite le héros! Il « *aurait fallu* »,
qu'il explore avec autant de soin, la Rome chrétienne[1]
que la Rome païenne et c'est dans une grande mesure
parce qu'il n'a pas fait cet effort, qu'il a échoué dans
son entreprise. C'est également parce que Cécile l'a empêché de voir « *quelque chose d'essentiel* » (p. 144) qu'il est
obligé de l'abandonner.

Cette scène d'ailleurs répète presque textuellement,
tout en l'inversant, une scène qu'il a pu lire dans les
Lettres de Julien l'Apostat.

Lors d'un voyage de Constantinople à Antioche, Julien
l'Empereur, dont on connaît la ferveur religieuse et l'anti-
christianisme, Julien l'apostat, le restaurateur des cultes
antiques, se fait guider par un certain Pégase[2] qui, dit-il,
« sous les dehors d'un Évêque galiléen[3], savait révérer
et honorer les dieux » :

> « Comme je désirais visiter la ville (c'était le prétexte que je
> prenais pour *fréquenter les temples*), il me servit de *guide* et me pilota
> partout... Il y a là un Heroon d'Hector, avec sa statue de bronze dans
> une petite chapelle... Je trouvai des *autels encore allumés*, je dirais

---

1. Remarquons que cette Rome est plus juive que proprement chrétienne. Les références à Caïn, aux prophètes et surtout à Moïse sont
beaucoup plus nettes que les références à l'Évangile — dont pourtant un
des leitmotive est également « passons sur l'autre rive », et où l'on sait
l'importance de « la porte étroite »! Dans la thématique amoureuse de
La Modification c'est d'autre part Éros qui domine et non pas Agapé,
bien qu'il s'agisse d'un Éros très intellectualisé! Cécile est bien associée
à Marie, la porte du ciel, mais également à Isis, à Vénus, à Eurydice, et
à Béatrice.
2. Ce Pégase « avait été évêque arien sous Constance, mais sous Julien
il renia le Christ pour adorer Hélios, à qui le nouvel empereur était spécialement voué », L'empereur Julien, *Lettres* — *Œuvres complètes*, t. I,
IIᵉ partie. Texte revu et traduit par J. Bidez, Société d'édition Les Belles
lettres, Paris, 1960, p. 80.
3. L'empereur Julien, *ibid.*, p. 86 et 88.

presque flamboyants, et la *statue* d'Hector *brillait toute frottée d'huile»*
(p. 104).

Certes, Julien l'Apostat a échoué dans son magnifique projet de restauration d'une religion solaire. Mais c'est à tort qu'on le nomme apostat, puisqu'à ses yeux « la pire des défections était le reniement de ce que l'on doit à ses pères [1] ». Puisque ce sont les chrétiens, les galiléens qui, d'après lui, « n'ont point soumis leur âme à la discipline purifiante d'une éducation libérale, *ni laissé ouvrir leurs yeux mal dessillés, ni cherché à dissiper les brumes où ils sont plongés* [2] ». Mais Léon, lui, homme *étranger à ses propres désirs* (p. 180), a renié son passé et c'est aussi pour cette raison qu'il a « *les yeux mal ouverts, comme voilés de fumée...* »
(p. 9). Il suffit pour s'en persuader de rappeler qu'au temps où il visitait Rome avec Henriette, le Moïse lui était apparu :

> « Au milieu d'une obscurité presque totale, *éclairé* seul, *violemment,* de telle sorte que ses cornes semblaient véritablement des *cornes de lumière* » (p. 142).

A partir des portes des temples, c'est on le voit, toute la thématique historique et religieuse du roman que l'on pourrait développer.

Mais il est encore d'autres portes qui situent l'aventure sur un autre plan, qu'il faut bien qualifier de gnostique. N'est-ce pas son «*salut*» (p. 35, 69, 91), que Léon attendait de l'amour de Cécile? Cette «*communion dans le lieu* » (p. 83) qu'il cherchait à approfondir avec elle, en explorant et interrogeant Rome, n'avait-elle pas pour but de l'aider à dépouiller en lui le « *vieil homme* »? (p. 83). N'est-ce pas finalement « *au-dessus des ruines de tant de mensonges, la passion de l'existence et de la vérité* » (p. 199) qu'il découvre? Or le véritable « salut », la découverte de la vérité n'est possible qu'au terme d'une « *métamorphose obscure* » (p. 196). Le passage radical de « l'état embryonnaire à l'état parfait d'adulte », de l'ignorance à la connaissance, nécessite une « série de rites de passages et d'initiations successives ». Mircea Eliade nous apprend que ce « passage dangereux » est symbolisé dans les mythes par les images du

---

1. Comme l'explique son biographe J. Bidez, *La Vie de l'empereur Julien,* Paris, Belles Lettres, 1930, p. 88.
2. L'empereur Julien, *Lettres,* p. 163.

pont et de la porte étroite [1]. Or les fragments de la dernière partie du rêve se terminent ou débutent par la mention d'une « *petite porte noire* ». Cette porte s'ouvre « sur une *pièce très sombre* » remplie de « *livres* » (p. 206) où aura lieu le jugement pour laisser entrer, accompagné d'un garde, « *quelqu'un qui a les mêmes vêtements que vous mais intacts, porte à la main une valise du même modèle...* » (p. 210), quelqu'un qui est le double du rêveur, son autre moi, concrétisation de cet « œil des autres dont on est soi-même gardien » (p. 173), ce double dont la voix s'élève « *merveilleusement intelligible* » pour poser les questions essentielles : « *Qui êtes-vous ? Où allez-vous ? Que cherchez-vous...* » (p. 210).

La réapparition, dans ce contexte, de la « petite porte noire », concrétise la transformation du thème du « bain de jouvence ». Il est remarquable en effet que la chambre de Cécile, dans laquelle, autrefois, Léon a réussi à *pénétrer* (p. 102) pour ensuite, grâce à elle, « *pénétrer dans toute une partie de Rome qui [lui] était encore cachée* » (p. 94), la chambre de Cécile Darcella dans l'appartement de Mme da Ponte [2], soit située « *de l'autre côté [d'une] petite entrée très noire* » (p. 49). La communication amoureuse était une première initiation préparant à l'initiation aux secrets romains, mais l'une et l'autre insuffisantes.

Au rêve de passage succède un rêve ascensionnel (p. 213). Celui-ci est annoncé par les nombreuses « ouvertures vers le haut » [3] qui au fond des cavernes, fissures, grottes, galeries du rêve diffusent une lumière « *argentée* » ou « *verte* » (p. 192, 194) en même temps que, dans le compartiment obscur, la veilleuse bleue et les reflets de la lune [4] diffusent leurs lueurs. L'ouverture, nous dit Eliade, rend possible le passage d'un mode d'être à un autre, d'une situation existentielle à une autre.

Le symbolisme de la porte fusionne ainsi avec celui de l'escalier, associé dans tous les contextes : rêves, religion,

---

1. Cf. Mircea Eliade, *Le Sacré et le profane*, Paris, Gallimard, Idées, 1965, p. 153 (1956).
2. « Comme le librettiste de Mozart » précise le narrateur. Comment ne pas penser alors à *Don Giovanni* et à *Ulysse* de Joyce puisque *Darcela* est la forme infinitive de « *Là ci darem la mano* » ?
3. Sur le rôle de ces ouvertures, cf. Mircea Eliade, *Le Sacré et le profane*, p. 152 et plus généralement sur la signification des rêves d'ascension, du même auteur, *Le Traité d'histoire des Religions*, Paris, Payot, 1964, et G. Durand, *Les Structures anthropologiques de l'imaginaire*.
4. Remarquons que la lune dans ce contexte change de sens. Elle n'est plus seulement le symbole de la mort mais aussi celui de la fertilité et du renouvellement.

folklore, littérature, à « l'éclatement d'une situation pétrifiée » et à la recherche du centre [1]. Le moment est venu de faire remarquer que le héros s'appelle *Delmont*, qu'il travaille chez *Scabelli*, « *escalade* » une montagne (p. 108) et que son restaurant préféré à Rome (le lieu où, avec Cécile, il se restaure, reprend des forces) s'appelle les TRE SCALINI...

Certes ce rêve ascensionnel qui peut exprimer la délivrance du héros, s'achève par une descente (p. 221) dont on connaît le terme :

« Votre corps s'est enfoncé dans la terre humide. Le ciel au-dessus de vous s'est mis à se zébrer d'éclairs, tandis que tombent de grandes plaques de boue qui vous recouvrent » (p. 224).

Mais n'est-ce pas le propre des « héros » que de revenir sur la terre après leur descente aux enfers ou leur séjour dans les cieux? Ne faut-il pas voir là, et plus généralement dans tout le dernier chapitre dont on a indiqué à quel point il était explicatif, récapitulatif, le signe que le « roman » est fini, que la « fiction » est dissipée, ayant « absorbé toute l'encre » [2], et qu'il s'agit maintenant de construire l'avenir, ici et maintenant : Oui,

« *Il faut réussir à ouvrir complètement cette porte* »...

---

1. Cf. Mircea Eliade, *Images et symboles, Essais sur le symbolisme magico-religieux*, Paris, Gallimard, 1962, p. 65.

2. « Le caractère fictif du personnage, explique Michel Butor, lui permet en quelque sorte d'absorber ce qu'il y a de fictif en nous et autour de nous; le roman est comme un buvard attirant en lui toute l'encre », « Victor Hugo romancier », *Répertoire II*, p. 222, 223

CONCLUSION

« Vous avez mis le pied gauche sur la rainure de cuivre » ... (p. 9).

« Vous quittez le compartiment » (p. 236).

Entre ces deux phrases, la première et la dernière du roman, quelle modification s'est produite, quel mouvement dans notre esprit! De même que l'amour du héros pour Cécile a tourné sous son regard, se présente à lui sous une autre face, dans un autre sens, de même les objets, les lieux, les personnages, les idées, les valeurs, auxquels nos pensées se sont accrochées, ont tourné sous notre regard, se présentent à nous sous une autre face, dans un autre sens. Il s'est produit pour le héros, comme pour nous, « *une rotation des faits et des significations, un changement d'éclairage et de perspective* » (p. 196).

Issue de sa fatigue et des circonstances, issue de sa situation dans l'espace des conduites humaines et de sa situation dans l'espace historique, « la modification du héros n'est guère réjouissante. Il est confronté avec l'implacable évidence de la fragilité de son amour, de son enchaînement au lieu » (p. 203), il est obligé de reconnaître que son « aventure » est « sans issue » (p. 205), il voit s'éloigner « de plus en plus dans l'illusoire et l'impossible » (p. 201) la vie heureuse qu'il imaginait si prochaine et il ne lui reste plus qu'à abandonner ses projets, à retourner chez sa femme, à continuer son « faux travail détériorant chez Scabelli » (p. 227).

Illusions perdues, c'est ainsi que le roman aurait pu s'intituler. Illusions du cœur et illusions de l'esprit, illusions du cœur parce que illusions de l'esprit. L'espoir de rajeunissement, de libération et de salut mis dans la femme aimée s'est avéré vain parce que les obstacles à leur réalisation étaient trop grands. Certes Cécile réfléchit admirablement la lumière et la gloire romaines, elle a permis à Léon de développer ce rêve qui, depuis si longtemps, s'accrochait aux images de Rome, mais justement Cécile n'était qu'un rêve, « songe et charme », elle aussi (p. 123) l'incarnation d'une certaine idée de Rome.

Une certaine idée de Rome qui ne correspondait ni à la réalité passée, puisqu'en était exclue tout un domaine dans lequel Cécile non seulement refusait de pénétrer mais qu'elle interdisait à Léon de voir (p. 144) ni à la réalité présente puisque la vraie « patrie » (p. 83) de ces Parisiens, le lieu où leur amour aurait dû « s'élever et s'épanouir » (p. 83) ne pouvait être que Paris et que le rêve romain représentait « justement » « tout ce à quoi [il avait] renoncé à Paris » (p. 123), ni à la réalité future puisque Léon équilibrait son « insatisfaction parisienne par une croyance secrète à un retour à la Pax Romana, à une organisation impériale du monde autour d'une ville capitale » et que ce « souvenir de l'Empire est maintenant une figure insuffisante pour désigner l'avenir de ce monde » (p. 231).

Le voyage il est vrai n'a pas été sans profit. L'emploi du lieu et l'emploi du temps, sans qu'y soit pour rien la volonté du voyageur mais parce qu'il désirait, pour une fois, être lui-même en totalité dans son acte et qu'il ne s'est pas laissé distraire de lui-même par un livre, l'ont obligé à se dépouiller de ses illusions, à se débarrasser de sa mauvaise foi. L'emploi du lieu, l'emploi du temps, ont libéré cette autre instance de lui-même qui jusque-là se cachait, lui ont permis d'accéder à un certain langage. Il fallait que son « personnage » soit détruit pour qu'il puisse enfin dire *je*. Il fallait qu'il tente de se rapprocher de Rome, d' « incarner le mythe romain d'une façon décisive » (p. 231) pour qu'il puisse l'examiner avec d'autres yeux et en « améliorer [sa] connaissance » (p. 199). Il fallait ouvrir la porte aux souvenirs anciens pour que la question s'élargisse et qu'il soit restitué « à cette tranquille terreur, à cette émotion primitive où s'affirme avec tant de puissance et de hauteur, au-dessus des ruines de tant de mensonges, la passion de l'existence et de la vérité » (p. 199). Il fallait qu'il soit livré aux mauvais rêves pour qu'apparaissent les figures de ses accusateurs et qu'il puisse, à son tour, questionner.

Mais, on l'a vu, ce *je* est celui d'un vaincu, cet examen

du mythe romain est à entreprendre, cette question qu'il pose à la fin n'est pas encore une réponse. A celui qui ne parvient pas à maîtriser les images qui l'assaillent, à celui qui n'est pas arrivé à communiquer vraiment, à celui qui ne peut posséder la vérité dans une âme et un corps, à celui qui ignore encore la clef et la formule, il ne reste plus qu'à transcrire son expérience afin de l'examiner comme un autre pourrait le faire et tenter d'en déchiffrer le sens, il ne reste plus qu'à la transmettre dans un livre afin que les autres, du moins, puissent en profiter.

« Je ne puis espérer me sauver seul. Tout le sang, tout le sable de mes jours s'épuiserait en vain dans cet effort pour me consolider.

« Donc préparer, permettre, *par exemple au moyen d'un livre*, à cette liberté future hors de notre portée, lui permettre, dans une mesure si infime soit-elle de se constituer, de s'établir,

« c'est la seule possibilité pour moi de jouir au moins de son reflet tellement admirable et poignant » (p. 229).

La « morale de cette histoire » serait-elle donc, comme on a pu le dire, « une morale de la défaite [1] »? Ne sommes-nous pas contraints de reconnaître dans *La Modification* « un roman où le conformisme bourgeois et l'acceptation des devoirs de père de famille sont pleinement justifiés par le caractère de l'anti-héros »? Un roman dans lequel « le vous de complicité amène le lecteur à se voir lui-même dans le rôle de celui qui essaierait de recommencer sa vie et l'oblige ainsi à assumer pour son propre compte la défaite consentie par Léon Delmont »? Un roman où la littérature se présente comme « fuite à la vie et baume à l'échec [2] »? Cette question ne peut rester sans réponse, trop d'arguments permettent d'y répondre de façon positive. Nul doute que pour certains lecteurs *La Modification* ne soit rien d'autre qu'une « rectification » : l'affirmation d'un déterminisme implacable par la mise en évidence des conditionnements auxquels l'individu est soumis; la justification d'un retour à l'ordre par la dénonciation des illusions que l'on se fait sur l'amour et sur la liberté; la confirmation de l'idée, somme toute rassurante, que l'on ne change pas sa vie mais tout au plus la représentation que l'on peut s'en faire [3].

1. Philip Thody, *Michel Butor : La rectification*, p. 71.
2. *Ibid.*, p. 70 à 73.
3. C'est Philip Thody qui exprime cette opinion avec le plus de franchise mais c'est aussi ce qui ressort des commentaires de Jean Pouillon, d'Erica Hönisch, et de Gerda Zeltner, dans les articles et ouvrages que nous avons cités.

Mais s'il est un point que notre analyse a mis en évidence c'est bien que la morale de l'histoire n'est pas identifiable à celle du personnage, que la modification du lecteur n'est pas seulement celle du héros, que l'aventure de la lecture ne se réduit pas à la lecture d'une aventure, que l'histoire d'un échec n'est pas l'échec d'une histoire.

Certes, la modification du personnage contribue à celle du lecteur. Puissant moyen d'intégration, le personnage tel qu'il est caractérisé dans ce roman incarne certaines valeurs, soutient le développement de l'action, favorise l'illusion de réalité et la participation. Et cela d'autant plus que la perspective narrative nous contraint d'adopter son point de vue. Mais on l'a vu, ce personnage est un piège dont l'étude des modulations de point de vue et de la construction narrative permet de découvrir le mécanisme, permet par conséquent de se libérer. Ce personnage est aussi un être fictif en qui s'incarne, une fois de plus, la grande aventure initiatique du héros par excellence, celui de l'épopée et du mythe.

La modification du personnage n'est donc qu'une image partielle et symbolique de la modification qui s'opère par l'ensemble de la narration. Ce que nous apprend l'aventure du héros c'est que « notre existence quotidienne est un mauvais feuilleton par lequel [comme lui] nous nous laissons envoûter ». Après être passé par le livre le lecteur devrait se dire : celui pour lequel je me prenais jusqu'alors, ceux pour qui je prenais les autres, n'étaient en fait que des fictions comme [Léon Delmont], comme [Cécile et Henriette], bien plus fictifs à vrai dire, car fallacieux, car [Léon, Cécile, Henriette], sont dans leur clarté ces idéogrammes qu'eux ne parvenaient qu'à esquisser confusément mais maintenant que j'ai contemplé face à face ces puissances qui... trompaient [Léon, Cécile, Henriette], transformaient pour eux le réel en un rêve... maintenant je suis devenu réel, les autres sont devenus réels [1] ».

Après être passé par le livre, le lecteur devrait se dire : je vois ce que je ne voyais pas auparavant; je sens ce que je n'avais pas senti jusqu'ici, je comprends ce que je ne percevais que confusément, je sais ce que j'ignorais, car c'est

---

1. Nous paraphrasons ici Michel Butor, « Victor Hugo romancier », *Répertoire II*, p. 222. Ces « puissances », ajoute l'auteur, sont également « à l'origine » de la création romanesque « car, nous trompant couramment, c'est elles qui nous obligent pour aborder certains sujets à cette ruse, à ce cheval de Troie, qu'est le roman ».

le roman tout entier, par les formes mises en œuvre dans sa construction, qui possède ces pouvoirs d'intégration et de révélation, de dénonciation et d'exploration du réel, qui me sont refusés, comme ils sont refusés au héros et que son aventure précisément, devrait lui permettre d'acquérir.

La Modification n'affirme donc pas la toute-puissance du déterminisme, mais nous montre ce qui, dans une situation donnée, conditionne nos actes, nos sentiments et nos idées et en le montrant nous donne prise sur lui.

La Modification ne prône pas le retour à un ordre ancien mais au contraire dénonce la fausseté d'une organisation, propose une mise en ordre nouvelle, une réorganisation de notre espace physique et mental, de notre temps individuel et historique, de nos représentations personnelles et collectives.

La Modification ne dit pas qu'il est impossible de changer sa vie, mais elle indique que pour pouvoir la changer il faut d'abord changer ses représentations.

La Modification est donc bien une « rectification », mais cette rectification est une transformation : « *transformation dans le discours général, transformation des choses autour de nous], transformation des gens qui ont lu le roman* [1] ».

*

En nous assignant comme tâche l'analyse critique d'un roman nous espérions, du même coup, contribuer à l'élaboration d'une critique du roman. Il s'agissait de montrer la possibilité et d'éprouver l'efficacité d'une approche formelle fondée sur les hypothèses et soutenue par les concepts de la poétique du roman.

Nous croyons pouvoir affirmer que l'analyse de *La Modification* confirme les hypothèses dont nous sommes parti, à savoir : que le roman est un système de signes réciproquement motivés de sorte que tous les éléments qui le constituent fonctionnent les uns par rapport aux autres ; que ce système, parce que doué d'une signification intrinsèque, est un moyen, de lire la réalité [2] ; qu'il est, par lui-même, producteur de sens.

Le romancier, aime répéter Michel Butor, « est quelqu'un

---

1. C'est ainsi que l'auteur décrit à Madeleine Chapsal ce qu'il entend par « l'action du roman ». *Les Écrivains en personne*, p. 58.
2. Comme y insiste Michel Butor : G. Charbonnier, *Entretiens avec Michel Butor*, p. 78.

pour qui rien n'est perdu... « Le roman a un pouvoir d'intégration suffisant pour que tout puisse y entrer [1]. » « Il permet
de relier de façon extrêmement précise, par sentiment ou
par raison, les incidents en apparence les plus insignifiants
de la vie quotidienne, les pensées, les intuitions, les rêves
en apparence les plus éloignés du langage quotidien [2]. »
On a vu en effet que des objets les plus liés à la vie quotidienne comme les vêtements ou les affaires de toilette
jusqu'aux choses les plus inutiles comme les traces de boue
et les débris d'un pépin de pomme ; depuis les lieux les plus
anonymes comme les gares ou un compartiment de chemin
de fer jusqu'aux plus célèbres comme le Louvre ou le
Vatican ; depuis les sensations les plus familières comme
celle d'avoir trop chaud ou d'avoir soif jusqu'aux plus étranges comme celle qu'éprouve le héros lorsqu'il a l'impression
qu'une « mince aiguille rouillée » (p. 181) s'enfonce dans sa
colonne vertébrale ou qu'un « serpent épineux » s'enroule
autour de ses jambes (p. 181) ; depuis les sentiments les
plus communs comme le désir, l'agacement ou le mépris,
jusqu'aux plus rares et aux plus complexes comme la passion
pour une ville, le désir de libération et de salut, la recherche
d'un centre organisateur ; depuis les rêveries les plus familières comme celles que peut susciter la vision d'un jeune
couple jusqu'aux rêves les plus étranges comme celui d'une
descente aux enfers, il n'est rien que le roman n'utilise
et à quoi par cela même il ne confère un sens nouveau.

Grâce aux formes mises en œuvre, le contingent devient
nécessaire ; l'inessentiel, ou l'insignifiant, est justement
ce qui permet de révéler des aspects jusque-là inaperçus
de la réalité ; le particulier s'élève au général.

Le contingent devient nécessaire. Ainsi « ce train qui est
parti comme il part tous les jours à huit heures dix » (p. 27)
de la gare de Lyon, ce train dont on pourrait vérifier
l'itinéraire dans l'indicateur Chaix, devient le cadre obligé
de l'action, fournit au récit ses coordonnées spatio-temporelles propres. Ce train, moyen de communication entre
Paris et Rome, relie non seulement ces deux villes, mais
avec elles deux champs culturels qui jusque-là restaient
séparés dans notre esprit. Ce train, qui chemine à travers
des gares et des paysages prévus, qui contient des objets

---

1. Madeleine Chapsal, *Les Écrivains en personne*, p. 237.
2. « Intervention à Royaumont », *Répertoire I*, p. 272.

et des personnes analogues à ceux que nous pourrions rencontrer, conditionne et figure à la fois le mouvement qui se produit dans l'esprit du personnage. Ce train particulier devient le microcosme de l'univers tout entier. Ce train semblable à d'autres devient le lieu mythique d'une métamorphose. Ce train qui permet le voyage comme déplacement dans l'espace symbolise le déplacement des représentations qu'opère chez le lecteur son voyage dans le livre.

Ce qui, avant le roman, apparaissait inessentiel, devient grâce à lui, le plus révélateur. Ainsi le tapis de fer chauffant qui renvoie à un système de chauffage remplacé par d'autres plus efficaces, mais qui, comme système particulier aux compartiments de troisième classe à une certaine époque et dans un certain pays est un signe dont le choix à lui seul, excluant d'autres possibilités, insère le roman dans un contexte historique, géographique, social déterminé. Ce tapis de fer chauffant révèle aussi certains aspects de la situation psychologique du héros : son attitude à l'égard de l'argent (par le choix d'un compartiment de troisième classe), ses scrupules vis-à-vis de sa femme et de ses enfants, sa sentimentalité lorsqu'il s'agit de sa maîtresse, son peu de résistance à la fatigue. Il conditionne en outre l'émergence de certains souvenirs et permet par là de motiver sur le plan réaliste, le passage du présent au passé. Il exprime indirectement, par ses changements d'apparence, la durée concrète du voyage. Corrélatif objectif des états de conscience du voyageur, il révèle également le changement de ses représentations et le désordre croissant qui envahit son esprit. Objet pratique et prosaïque, il se métamorphose en objet fantastique et mythique : sa chaleur devient celle de la fournaise ardente de l'enfer, ses grilles donnent sur une caverne profonde où s'agitent les démons, « non de vous seulement, mais de tous ceux de votre race » (p. 159). Tandis que par ces diverses fonctions, le tapis de fer chauffant contribue à l'instauration de la fiction en tant qu'elle révèle des aspects *nouveaux et retrouvés* de la réalité sociale, psychologique et culturelle, par ses autres fonctions, il contribue à l'élaboration de la narration. Les descriptions dont il fait l'objet s'organisent en séries dont les éléments sont affectés de variations systématiques. Ces descriptions rythment et articulent la progression narrative et la progression thématique. En s'ajoutant les unes aux autres elles suggèrent la continuité d'un présent mouvant en dépit des interruptions provoquées par les interventions du passé et du futur. Elles servent, en outre, de leitmotive à la reprise de certaines séquences et aident par là le lecteur à identifier telle suite narrative, à en suivre le déroulement au cours du texte, à saisir les rapports que cette suite entretient avec les autres, dans la totalité du « volume ». Avec les aventures de ces descriptions, et celle des mots qui les composent, se manifeste clairement comment, par les vertus de l'écriture, les choses accèdent à la parole.

Le particulier s'élève au général. Ainsi ce qui apparaît d'abord comme étant lié à la situation d'un individu dans *l'espace des conduites humaines* se révèle peu à peu comme étant lié à sa situation dans *l'espace historique*. Ainsi l'aventure d'un Léon Delmont, personnage singulier mais banal, s'avère être également la vôtre, la nôtre. Ainsi le changement de ses représentations, la prise de conscience qui en résulte provoque un changement dans nos représentations, suscite notre propre prise de conscience. Comme l'a souligné Eliade : « La vie de l'homme, fourmille de mythes à demi oubliés, de hiérophanies déchues, de symboles désaffectés. La désacralisation ininterrompue de l'homme moderne a altéré le contenu de sa vie : tout un déchet mythologique survit dans des zones mal contrôlées... Il est donc de la plus grande importance de retrouver toute une mythologie, sinon une théologie embusquée dans la vie la plus quelconque de l'homme moderne : il dépend de lui de remonter le courant et de redécouvrir la signification profonde de toutes ces images latentes et de tous ces mythes dégradés [1]. » Or c'est une telle mythologie que le héros découvre embusquée dans sa vie. Ce sont ces zones mal contrôlées que décrivent certaines pages de *La Modification*. C'est à redécouvrir la signification profonde de toutes ces images latentes et de tous ces mythes dégradés que nous convie le roman.

Les éléments que nous avons distingués sous les catégories du vérifiable et du vraisemblable : de la porte coulissante à la pluie sur les vitres, des noms de gares aux références à Moïse ou à Julien l'Apostat, apparaissent donc au fil des pages et des chapitres comme insérés dans un réseau de plus en plus serré de relations, remplissant de la sorte diverses fonctions et révélant plusieurs significations. La

---

1. Mircea Eliade, *Images et symboles*, p. 22.

multiplication des modes d'approche, la convergence des concepts était donc non seulement possible mais nécessaire parce qu'exigée par la nature même de l'œuvre. Chacune des notions utilisées a permis d'éclairer certains aspects de l'œuvre et d'analyser ses divers niveaux de fonctionnement. Aucune d'entre elles ne suffit à rendre compte de sa complexité.

Distinguer le vérifiable du vraisemblable, c'était rappeler l'existence et souligner l'importance du niveau proprement référentiel. L'œuvre offre un système de références qui est soumis à un principe de choix et qui, par conséquent, n'actualise que certains fragments de ce « *texte* », *beaucoup plus large, à l'intérieur duquel s'insère le livre.* Mais c'est grâce à l'ensemble des références proposées dans le livre que la situation du lecteur se trouve reliée à celle de l'auteur. La notion du vérifiable permet donc de justifier la recherche des sources. Elle fonde surtout en nécessité le déchiffrage des allusions. Elle s'avère insuffisante, en revanche, lorsqu'il s'agit de rendre compte du fait que ces références sont introduites à l'intérieur d'un autre système, qui est intérieur à l'œuvre et qui leur confère un sens nouveau et particulier.

La notion de vraisemblable a permis de préciser comment pour se faire entendre, l'auteur tient à ses lecteurs un langage d'initiés. Initiés au monde : à une réalité matérielle, historique, sociale, psychologique, initiés aussi aux formes traditionnelles du récit romanesque. Initiés aux deux car nous ne pensons pas, contrairement à certains formalistes russes d'autrefois et à certains sémiologues d'aujourd'hui, que l'on puisse entièrement négliger le vraisemblable comme rapport au réel, et qu'il faille le définir, uniquement, par référence à l'opinion publique et à un code littéraire. S'il est fort difficile de faire la part de la tradition, et si l'auteur, dans le roman que nous avons analysé, n'a pas manqué de parodier certains procédés du roman bourgeois, il paraît certain qu'il a également fait appel à l'expérience la plus quotidienne de ses lecteurs. La notion du vraisemblable permet en tout cas et par son ambiguïté même de préciser la valeur et le champ d'application de critères comme ceux du réalisme et du bien dire, qui servent de pierre de touche à certaine critique. Car ce sont, justement, les procédés de singularisation qui à la fois rendent l'œuvre perceptible comme œuvre d'art et instaurent une poétique de la banalité. Comme le dit fort justement Michel Butor, « *n'est vraiment bien écrit que ce qui introduit des thèmes nouveaux, des structures originales* [1] ».

La notion de point de vue nous a permis de décrire les procédés de caractérisation du personnage et d'analyser les fonctions de ce dernier. Médiateur à l'intérieur de la fiction entre les objets, les villes et les autres personnages, le personnage l'est aussi entre le monde fictif et le lecteur. Dans le roman que nous avons étudié la perspective narrative est singularisée par l'emploi du monologue intérieur à la deuxième personne. A la cohérence imposée par le point de vue unique, à l'intériorité suscitée par le point de vue « subjectif », s'ajoutent ainsi des effets particuliers d'illusion réaliste et de participation : le monde extérieur est intégré dans le courant de conscience et le lecteur est impliqué dans la situation proposée.

Mais on a vu qu'il était nécessaire, même lorsque la cohérence du « point de vue » était maintenue, de distinguer celui du personnage de celui du narrateur et l'un et l'autre de celui de l'auteur. L'examen des modulations du point de vue a mis en évidence le rôle joué par les pronoms personnels dans ces divers aspects de la perspective narrative ainsi que dans ses variations au cours du récit. En même temps que le héros accède à la conscience et au langage, le point de vue du narrateur se substitue au sien. Cette *accession à la parole*, d'un narrateur qui représente à la fois une des instances du héros, le lecteur interpellé, et l'auteur qui a écrit le livre, nous a paru symboliser cette accession des choses à la parole, du réel à la conscience, dont le roman tout entier, par sa forme même, fournit un modèle et une preuve.

Puissant moyen de présentation et de composition, la perspective narrative d'une part intègre le vérifiable et le vraisemblable, d'autre part commande l'espace et le temps. Ces pouvoirs d'intégration et de domination s'exercent aux deux niveaux de la fiction et de la narration.

Au niveau de la fiction c'est la perspective du personnage-narrateur qui commande l'organisation de l'espace et le déroulement du temps. On a vu en effet que la fixation du point de vue dans une conscience centrale, telle qu'elle était, en outre, singularisée dans ce roman, avait pour conséquence de relier étroitement les lieux et les objets aux pensées du personnage. Non seulement le « local » se transforme ainsi en « espace valorisé », mais ce dernier

---

1. Madeleine Chapsal, *op. cit.*, p. 63.

apparaît comme une des causes principales de la modification de ces pensées. L'espace n'est pas seulement le lieu où se déroule l'aventure racontée mais un des éléments actifs de cette aventure même. Non seulement, « s'il n'y avait pas eu ces gens, ces objets, ces images », la modification ne se serait pas produite, mais, à la limite, « les objets... vous regardent autant que vous les regardez » (p. 199). De la même façon ce point de vue du personnage-narrateur motive l'émergence des souvenirs, le déploiement des projets, le passage d'une « région » du temps à une autre, l'approfondissement vers le plus ancien, la destruction progressive du futur par le passé et le présent.

Mais au niveau de la narration c'est la perspective de l'auteur-narrateur qui commande l'organisation de l'espace et le déroulement du temps : Les circonstances qui paraissent conditionner l'action servent ainsi de motifs de transition et d'encadrement aux différentes séquences narratives, la disposition de ces motifs dans le texte relève d'une motivation purement compositionnelle, les différentes séquences s'organisent en suites narratives identifiables par des critères purement formels, les lois qui régissent leur découpage et leur montage ne sont pas d'ordre psychologique mais esthétique.

Catégories indispensables à l'analyse de la fiction, la perspective narrative, l'espace, le temps apparaissent donc également comme des catégories indispensables à l'analyse de la narration. Mais elles changent de sens lorsqu'elles changent de niveau d'application. A l'apparent désordre du monologue intérieur[1] s'oppose l'ordre d'une écriture rigoureuse, à l'échec d'une aventure s'oppose la cohérence de la narration, à la désagrégation du personnage[2] répond la victoire du narrateur. De même à l'espace désorganisateur des objets et des lieux s'oppose l'organisation d'un espace littéraire et au temps destructeur de la mémoire et de l'Histoire le temps constructeur de la progression narrative.

Comme « écriture d'une aventure » le roman est donc bien mimétique. Avec le narrateur de *La Modification* on peut dire que « dans tel livre, puisque c'est un roman, puisque [nous ne l'avons] pas pris tout à fait au hasard,

---

1. Dans d'autres romans ce « désordre » peut affecter les actions, ou les rapports des personnages, ou les sentiments du héros.
2. Dans d'autres œuvres il s'agit de la mort du héros. Ainsi dans *Don Quichotte* ou *La Princesse de Clèves*.

qu'il n'est pas absolument n'importe lequel parmi tous les livres qui se publient mais qu'il appartient... à une certaine catégorie, par son titre, par le nom de l'auteur, ... [nous savons] qu'il y a des personnages [qui ressemblent à ceux que nous connaissons] qu'il y a des décors et des choses, des paroles et des instants décisifs, que tout cela forme une histoire » (p. 165).

Mais comme « aventure d'une écriture », le roman est également producteur. Producteur de formes, producteur de thèmes, et par là même *producteur d'une « vérité » qui détruisant le « mensonge [1] » de la fiction, nous en délivre.*

*

« Le romancier commence à savoir ce qu'il fait, le roman à dire ce qu'il est [2] », affirme l'auteur de *La Modification.* C'est en effet une des caractéristiques du roman moderne que d'inclure sa propre critique en dénudant ses procédés et c'est, en outre, une des caractéristiques de Michel Butor que de « réfléchir » systématiquement au niveau des structures ce qu'il propose au niveau des thèmes. On peut donc se demander si, en choisissant comme exemple un roman contemporain et de plus un roman de Butor, nous ne nous sommes pas facilité la tâche. Il suffit cependant de relire la correspondance d'un Flaubert et les préfaces d'un Balzac, ou les textes critiques de n'importe quel grand romancier, pour s'apercevoir que le romancier d'autrefois savait aussi non seulement ce qu'il faisait mais comment il le faisait. Il suffit aussi de considérer les œuvres passées à la lumière des concepts et des instruments critiques que nous avons utilisés, pour constater que leurs romans, qu'ils intitulent *Illusions perdues* ou *L'Éducation sentimentale, La Princesse de Clèves* ou *A la recherche du temps perdu,* disent aussi ce qu'ils sont : non pas des imitations de la réalité, non pas de pures fictions, mais des œuvres d'art littéraires grâce auxquelles la réalité se trouve révélée, la fiction se trouve dénoncée, une vérité se trouve instaurée, et qui, par cela même, contraignent le lecteur à une *modification,* irréversible, de ses représentations.

---

1. Comme l'a montré, mais par de tout autres voies, René Girard, dans son beau livre *Mensonge romantique et vérité romanesque.*
2. Michel Butor, « Intervention à Royaumont », *Répertoire I,* p. 274.

TABLEAU I

CHAPITRES	PAGINATION	GARES	HORAIRE
I	9	Gare de Lyon	8 h 8
	15	Fontainebleau	
	19	Montereau	
	20		
II	21		9 h
	27	Saint-Julien-du-Sault	
	39	Joigny	
	39	Laroche-Migennes	
	41		
III	42	Laumes-Alésia	10 h 14
	47	Darcey	
	72		11 h
	75	Dijon	
IV	79	Dijon	11 h 18
	81	Chevrey-Chambertin	
	88	Fontaines-Mercurey	11 h 53
	90	Varennes-le-Grand	
	97	Senozan	
	99	Pont-de-Veyle	
	103	Polliat	13 h 2
	103	Bourg	
	104		
V	105		
	107	Chindrieux	
	109	Aix-les-Bains	14 h 41
	114	Voglans	
	117	Chignin-les-Marches	
	131		3 h 30

CHAPITRES	PAGINATION	GARES	HORAIRES
VI	132	(Modane)	16 h 28 à 17 h
	133	Tunnel du Mont-Cenis	5 h 14
		Bardonecchia	
	140	Ulzio Claviere	
	142	Bussolino	
	157	Banlieue de Turin	
	159		19 h 26 à 20 h
VII	163		
	167	Novi Ligure	9 h 30
	193	Approche de Gênes	
	195	(Gênes)	22 h 33
VIII	196		
	208	Viareggio	
	210	(Pise)	1 h 15 (4 h 1/2
	211	(Livourne)	avant d'être à Rome)
	216	Grosseto	
	223	Tarquinia	
	224	Civitavecchia	5 h
	225		
IX	226		
	227	Magliana	
	229	Roma Trastevere	
	232	Roma Ostiense	
	234	Roma Tuscolana	
	236	Roma Termini	(5 h 45)

TABLEAU II

AGRANDISSEMENT DÉTAIL TABLEAU I (CHAP. III)

PAGES	GARES PAYSAGES	HOR.	TEMPS VÉCU	PRINCIPAUX LIEUX ÉVOQUÉS
42	Laumes-Alésia	10 h 15	*encore presque*	Train.
43			*une heure avant*	
44			*le prochain arrêt*	
45			*à Dijon à 11 h 12*	
46				
47	Darcey		*Demain matin,*	Rome : Via Monte della
48			*samedi jusqu'au*	Farina, Sixtine, Palais
49			*soir*	Farnese, Piazza Navo-
50				na, Monte della Farina.
51	coteaux cou-		*Lundi dernier,*	Paris : Gare de Lyon.
52	verts de vignes		*matinée*	Av. de l'Opéra avec
53	sans feuilles			vitrine d'affiches sur la
54				Bourgogne et l'Italie.
55				Le Louvre : tableaux de
				Pannini sur Rome.
56	vignes, toits de		*Il y a deux ans,*	Train Paris-Rome.
	tuiles vernis-		*en été, fin août*	Après Dijon, Beaune,
	sées			Mâcon, Bourg. Lac la-
57				martinien. Frontière.
				Gênes.
58	pluie sur la fe-		*Lundi dernier,*	Paris : Le Louvre : ta-
59	nêtre		*Midi et demi*	bleaux de Pennini sur
60			*jusqu'au soir.*	Rome. Restaurant ita-
61				lien. Av. de l'Opéra :
62				affiches sur la Sicile,
63				l'Italie et la Bourgogne.
64				Bar romain. l'Odéon.
65				Pl. du Panthéon.
66				
67				
68				
69	pluie, coteaux		*Après demain*	Rome. Monte della Fa-
70			*dimanche* matin	rina. Ste-Cécile du Tras-
71			*le lendemain, le*	tevere. Musée des
			lundi	Thermes. Forum.
72	pluie, train de	11 h	*Le train doit*	
	marchandises		*s'arrêter à Dijon*	
			dans 11 minutes	
73				
74				
75	Dijon			

TABLEAU III

SUCCESSION DES VOYAGES DANS LE CHAPITRE VII

	ÉPOQUES	CIRCONSTANCES	DIRECTIONS	NUMÉRO D'ORDRE
P. 163-167	Présent	Aller-seul	Paris-Rome	9
P. 167-171	Futur	Retour-seul	Rome-Paris	10
P. 171-174	Semaine précédente	Retour-seul	Rome-Paris	8
P. 175-178	Un an avant	Retour-avec Cécile	Paris-Rome	6
P. 178-182	Présent	Aller-seul	Rome-Paris	9
P. 182-184	Semaine précédente	Aller-seul	Paris-Rome	7
P. 184-189	Un an avant	Retour-avec Cécile	Paris-Rome	6
P. 190-192	Avant la guerre	Aller-avec Henriette	Paris-Rome	1
P. 192-195	Présent	Aller-seul	Paris-Rome	9

·TABLEAU IV

LES TEMPS

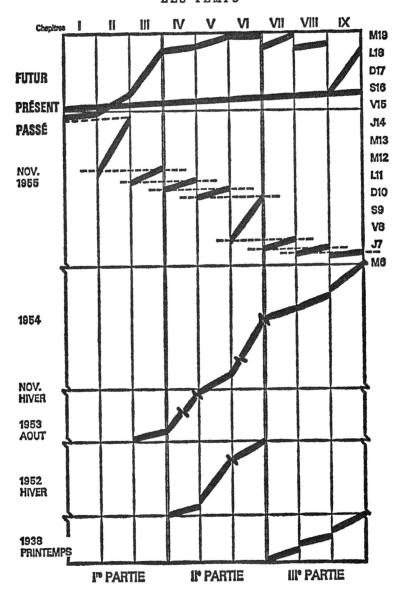

BIBLIOGRAPHIE

I. CRITIQUE DU ROMAN

Pour éviter d'alourdir cette bibliographie, nous ne mentionnons ici que les ouvrages qui concernent directement les problèmes théoriques et critiques du roman. Pour les autres ouvrages cités l'on trouvera les indications bibliographiques dans les notes.

Les éditions indiquées sont celles que nous avons consultées. Dans les cas où il s'agit d'ouvrages anciens ou de traductions la date de la première édition est mise entre parenthèses.

Sauf indication contraire, le lieu de publication est Paris.

ALBÉRÈS (René-Marill) : *Histoire du roman moderne*, Albin Michel, 1962.

ALLOTT (Miriam) : *Novelists on the Novel*, Londres, Routledge et Kegan Paul, 1959.

ALTER (Jean) : *La Vision du monde de Robbe-Grillet. Structures et Significations*, Genève, Droz, 1966.

AUERBACH (Erich) : *Mimesis, La Représentation de la réalité dans la littérature occidentale*, Gallimard, 1968 (Berne, 1946).

BALZAC (Honoré de) : *Préfaces*. Textes établis et annotés par Jean A. Ducourneau, Formes et reflets, 1953.

BARDÈCHE (Maurice) : *Balzac romancier*, Plon, 1940.

BARRÈRE (Jean Bertrand) : *La Cure d'amaigrissement du roman*, Albin Michel, 1964.

BARTHES (Roland) : « Introduction à l'analyse structurale des récits », *Communications*, nº 8, Seuil, 1966.

BARTHES (Roland) : *Le Degré zéro de l'écriture*, Seuil, 1953.

BAUDOIN (Charles) : *Le Triomphe du héros, Étude psychanalytique sur le mythe du héros dans les grandes épopées*, Plon, 1952.

BEACH (Joseph Warren) : *The twentieth Century Novel: Studies in Technique*, New York, 1932.

BLIN (Georges) : *Stendhal et les problèmes du roman*, Corti, 1953.

BLOCH-MICHEL (Jean) : *Le Présent de l'indicatif*, Gallimard, 1963.

BOOTH (Wayne C.) : *The Rhetoric of Fiction*, The University of Chicago press, 1961.

BRAY (Bernard) : « La notion de structure et le nouveau roman », *La Notion de structure*, La Haye, Van Goor et Zonen, 1961.

BROWN (E. K.) : *Rhythm in the novel*, University of Toronto Press, 1950.

DRESDEN (Dr. S.) : *Wereld in Woorden. Beschouwingen over romankunst*, Bert Bakker/Daamen N. V., La Haye, 1965.

DURAND (Gilbert) : *Le Décor mythique de la Chartreuse de Parme*. Contribution à l'esthétique du romanesque. Corti, 1961.

DOUBROVSKY (Serge) : *Pourquoi la nouvelle critique?* Mercure de France, 1966.

EDEL (Léon) : *The Psychological Novel* (1900-1950), New York, J. B. Lippincott Compagny, 1955.

ERLICH (Victor) : *Russian formalism, History, Doctrine*, Mouton, La Haye 1955.

FALK (Eugène A.) : *Types of thematic Structure. The Nature and Function of Motifs in Gide, Camus and Sartre*, The University of Chicago press, 1967.

FORSTER (E. M.) : *Aspects of the Novel*, Penguin Books, Londres, 1962 (1927).

FREEDMAN (Ralph) : *The lyrical Novel, Studies in Herman Hesse, André Gide and Virginia Woolf*, Princeton U. P., 1963.

FRENZEL (Elizabeth) : *Stoff, Motif und Symbolforschung*, Stuttgart, J. B. Metzlersche Verlagbuchhandlung, 1966.

FRIEDMAN (Melvin J.) : *Stream of Consciousness, A study in literary Method*, New Haven and London, 1955.

FRIEDMAN (Norman) : « Point of view in Fiction. The Development of a critical Concept », *P.M.L.A.*, n° 70, décembre 1955, p. 1660-1684.

FRYE (Northrop) : *Anatomy of Criticism*, Princeton U.P., 1957.

GENETTE (Gérard) : « Frontières du récit », *Communications*, n° 8, Seuil, 1966.

GENETTE (Gérard) : « Vraisemblance et motivation », *Communications*, n° 11, Seuil, 1968.

GIRARD (René) : *Mensonge romantique et vérité romanesque*, Grasset, 1961.

GOLDMANN (Lucien) : *Sociologie du roman*, Gallimard, 1964.

GREIMAS (A. J.) : *Sémantique structurale*, Larousse, 1966.

GUYON (Bernard) : *La Création littéraire chez Balzac*, A. Colin, 1951.

HAMBURGER (Käte) : *Die Logik der Dichtung*, Stuttgart, 1959.

HARVEY (W. J.) : *Character and the Novel*, London, Chatto and Windus, 1965.

HUMPHREY (Robert) : *Stream of Consciousness in the modern Novel*. University of California Press, Berkeley, 1954.

JAMES (Henry) : *The Art of the Novel*. Critical prefaces with an introduction by Richard P. Blackmur, New York, 1950.

JAMES (Henry) : *The Future of the Novel. Essays on the Art of Fiction*. With an introduction by Leon Edel, New York, Vintage Books, 1956.

JAMES (Henry) : *The House of Fiction, Essays on the Novel*. Edited with an introduction by Leon Edel, Londres, Mercury Books, 1962.

KAYSER (Wolfgang) : *Das sprachliche Kunstwerk*, Berne Francke Verlag, 1962 (1948).

KAYSER (Wolfgang) : *Entstehung und Krise des modernen Romans*, Stuttgart, Metzlersche Verlag, 1955.

KLOTZ (Volker) : *Zur Poetik des Romans*, Darmstadt, 1969 (Anthologie).

LODGE (David) : *Language of Fiction. Essays in Criticism and verbal Analysis of the English Novel*, London, 1966.

LÄMMERT (Eberhardt) : *Bauformen des Erzählens*, Stuttgart, J. B. Metzlersche Verlagbuchhandlung, 1955.

LANGER (Suzanne K.) : *Feeling and Form*, Londres, Routledge et Kegan Paul, 1963.

LUBBOCK (Percy) : *The Craft of Fiction*, Londres, The Traveller's Library, 1921

MAGNY (Claude-Edmonde) : *L'Age du roman américain*, Seuil, 1948.
MAGNY (Claude-Edmonde) : *Histoire du roman français depuis 1918*, Seuil, 1950.
MAUPASSANT (Guy de) : *Le Roman*, préface de *Pierre et Jean* (1887).
MAURIAC (François) : *Le Roman* (1928). *Le Romancier et ses personnages* (1933), in *Œuvres complètes*, t. VII, Grasset.
MENDILOW (A. A.) : *Time and the Novel*, Londres, Peter Nevil Ltd., 1952.
MERLEAU-PONTY (Maurice) : *Signes*, Gallimard, 1962.
MEYER (Herman) : « Das Zitat in der Erzählkunst », *Zur Geschichte und Poetik des Europäischen Romans*, Stuttgart, J. B. Metzlersche Verlag. 1961.
MEYER (Herman) : « Zum Problem der epischen Integration », *Trivium*, revue trimestrielle suisse d'études littéraires, VIII, Zurich, 1950, p. 299-318.
MEYER (Herman) : « Raum und Zeit in Wilhelm Raabes Erzählkunst », *Deutsche Vierteljahrsschrift für Literaturwissenschaft und Geistesgeschichte*, 1953, p. 236-267.
MORISSETTE (Bruce) : *Les Romans de Robbe-Grillet*, Minuit, 1963.
MUIR (Edwin) : *The Structure of the Novel*, Londres, Hogarth; *Lectures on Literature*, n° 6, 1948.
MÜLLER (Günther) : « Aufbauformen des Romans, dargelegt an den Entwicklungsromanen Gottfried Kellers und Adalbert Stifters », *Allard Pierson Stichting*, Groningue, 1953.
MÜLLER (Günther) : « Erzählzeit und erzählte Zeit », *Festschrift für Paul Kluckohn*, Schneider, Tübingen, 1948, p. 195-212.
MÜLLER (Günther) : « Ueber das Zeitgerüst des Erzählens », *Deutsche Vierteljahrsschrift...* 1950, p. 1-32.

Signalons que ces articles de Günther Müller viennent d'être réunis en un volume, *Morphologische Poetik*, Gesammelte Aufsätze, Max Niemeyer Verlag, Tübingen, 1968.

PETSCH (Robert) : *Wesen und Form der Erzählkunst*, Halle, 1934.
PICON (Gaëtan) : « Le style de la nouvelle littérature », *Encyclopédie de la Pléiade*, *Histoire des littératures II*, Gallimard, 1956.
PICON (Gaëtan) : « Tradition du roman moderne », *Études littéraires*, Annales de l'École des Hautes Études de Gand, t. IV, Gand, 1960.
PINGAUD (Bernard) : « Le roman et le miroir », *Arguments*, février 1958, n° 6.
PINGAUD (Bernard) : « La technique de la description dans le jeune roman d'aujourd'hui », *Cahiers internationaux d'études françaises*, n° 13, mars 1962.
POUILLON (Jean) : *Temps et roman*, Gallimard, 1946.
POULET (Georges) : *L'Espace proustien*, Gallimard, 1963.
PRÉVOST (Jean) : *La Création chez Stendhal*, Mercure de France, 1951.
RAHV (Philip) : « Fiction and the Criticism of Fiction », *Kenyon Review*, XVIII, Spring, 1956, p. 276-299.
RAIMOND (Michel) : *La Crise du roman des lendemains du naturalisme aux années vingt*, Corti, 1966.
RAIMOND (Michel) : *Le Roman après la révolution*, Armand Colin, 1967.
RICARDOU (Jean) : *Problèmes du nouveau roman*, Seuil, 1967.
RICARDOU (Jean) : *Pour une théorie du Nouveau Roman*, Seuil, 1971.
ROBBE-GRILLET (Alain) : « Le Nouveau Roman », *Dictionnaire de littérature contemporaine*, 1900-1962, sous la direction de Pierre de Boisdeffre, Éditions universitaires, 1963.
ROBBE-GRILLET (Alain) : *Pour un nouveau roman*, Minuit, 1964.

ROMBERG (Bertil) : *Studies in the narrative Technique of the first Person Novel*, Stockholm, Lund, 1962.

ROUSSET (Jean) : *Forme et signification*, Corti, 1964.

VAN ROSSUM-GUYON (Françoise). « Point de vue ou perspective narrative », *Poétique, Revue de théorie et d'analyse littéraires*, n° 4, Seuil, 1970.

SARRAUTE (Nathalie) : *L'Ère du soupçon. Essai sur le roman*, Gallimard, 1956.

SARTRE (Jean-Paul) : *L'Imaginaire. Psychologie phénoménologique de l'imagination*, Gallimard, 1940.

SARTRE (Jean-Paul) : *Situations I*, Gallimard, 1947.

SARTRE (Jean-Paul) : *Situations II*, Gallimard, 1948.

SCHOLES (Robert) et KELLOGG (Robert) : *The Nature of Narrative*, New York, 1966.

STANZEL (Franz K.) : *Die Typischen Erzählsituationen im Roman. Dargestellt an Tom Jones, Moby Dick, The Ambassadors, Ulysses*. Beitrage zur Englischen Philologie, n° 63, Stuttgart, 1955.

STANZEL (Franz K.) : *Typische Formen des Romans*, Göttingen, 1964, Vandenhoeck and Ruprecht.

Théorie de la littérature, Textes des formalistes russes, réunis traduits et présentés par Tzvetan Todorov, Seuil, 1965.

TINDALL (William York) : *The literary Symbol*, New York, Columbia U.P., 1965 (1955).

TODOROV (Tzvetan) : *Littérature et signification*, Larousse, 1967.

TODOROV (Tzvetan) : « Poétique », *Qu'est-ce que le structuralisme?* Seuil, 1968.

WELLECK (René) et WARREN (Austin) : *Theory of Literature*, New York, 1955.

WOOLF (Virginia) : *L'Art du roman*. Traduit de l'anglais et préfacé par R. Celli, Seuil, 1963 (1919-1940).

ZERAFFA (Michel) : *Personne et personnage. Le romanesque des années vingt aux années cinquante*, Paris, Klincksieck, 1969.

Signalons, en outre, quelques numéros spéciaux de revues et quelques recueils d'articles consacrés aux problèmes du roman :

ALDRIDGE (John W.) : *Critiques and Essays on modern Fiction* (1920-1951). Representing the Achievement of modern American and British Critics, New York, 1952.

Communications: Recherches sémiologiques, n° 8, « L'analyse structurale du récit », Paris, Seuil, 1966.

Communications: Recherches sémiologiques, n° 11, « Le vraisemblable », Paris, Seuil, 1968.

Daedalus, Journal of the American Academy of Art and Sciences, Spring 1963, vol. XCII, n° 2, « Perspective on the Novel ».

Esprit, « Débat sur le nouveau roman », janvier 1956; « Débat sur le nouveau roman », décembre 1958; « Roman et réalité », juillet 1964.

STEVICK (P.) : *The Theory of the Novel*, a comprehensive Anthology. New York-London, 1967, Free Press Collers Books.

Tel Quel, n° 17, printemps 1964, « Une littérature nouvelle? » Débat sur le roman dirigé par Michel Foucault.

Revue des lettres modernes, Situations 3, 1964, I. Un nouveau roman? Recherches et tradition.

II. LA MODIFICATION DE MICHEL BUTOR

Nous n'indiquons ici que les œuvres de Butor et les ouvrages ou articles critiques que nous avons expressément cités. Pour une bibliographie détaillée sur Michel Butor on se reportera à Georges RAILLARD : *Butor*, Gallimard, 1968.

Pour les autres textes romanesques, analysés à titre de comparaison ainsi que pour les divers ouvrages utilisés pour l'interprétation du roman de Butor, on se reportera aux notes.

Sauf indication contraire, le lieu de publication est Paris.

a) Œuvres de Michel Butor.

— *Passage de Milan*, Minuit, 1954.
— *L'Emploi du temps*, Minuit, 1956.
— *La Modification*, Minuit, 1957.
— *Le Génie du lieu*, Grasset, 1958.
— *Degrés*, Gallimard, 1962.
— *Mobile*, étude pour une représentation des États-Unis, Gallimard, 1962.
— *Réseau aérien.* Texte radiophonique, Gallimard, 1962.
— *Description de San Marco*, Gallimard, 1963.
— *6 810 000 litres d'eau par seconde.* Étude stéréophonique, Gallimard, —1965.
— *Portrait de l'artiste en jeune singe*, Gallimard, 1967.
— *Répertoire I*, Minuit, 1962.
— *Répertoire II*, Minuit, 1964.
— *Répertoire III*, Minuit, 1968.

b) Critiques.

BARBATI (Claudio) : « Incontro con Michel Butor, autore della Modificazione Un Ingeniere alla ricerca della realtà perduta », *La Fiera Letteraria.* Anno XL, n° 43, 3 nov. 1966.

BARTHES (Roland) : « Il n'y a pas d'école Robbe-Grillet », *Essais critiques*, Seuil, 1964.

CHAPSAL (Madeleine) : *Les Écrivains en personne*, Julliard, 1960.

CHAPSAL (Madeleine) : « Entretien avec Michel Butor : l'art moderne à Grenoble », *La Quinzaine littéraire*, 1er février, 1968.

CHARBONNIER (Georges) : *Entretiens avec Michel Butor*, Gallimard, 1967.

BROOKS (Peter) : « In the Laboratory of the Novel », *Daedalus*, Spring, 1963.

DORT (Bernard) : « La Forme et le fond (la Modification) », *Les Cahiers du Sud*, n° 344, janvier 1958.

GUYARD (Marius François) : « Michel Butor », *Études*, septembre 1958.

HOWLETT (Jacques) : « La Modification », *Les Lettres nouvelles*, n° 55, décembre, 1957.

HÖNISCH (Erica) : *Das gefangene Ich. Studien zum inneren Monolog in modernen französischen Romanen*, Heidelberg, 1967, Carl Winter Universitätsverlag.

JANVIER (Ludovic) : *Une parole exigeante*, Minuit, 1964.

JEAN (Raymond) : « L'Amérique immobile » (à propos de Mobile de Michel Butor), *La Littérature et le réel. De Diderot au « Nouveau Roman »*, Paris, Albin Michel, 1965.

LAERE (François van) : « Le nouveau roman, une crise féconde », *La Pierre philosophale*, mai 1966.

LEIRIS (Michel) : « Le réalisme mythologique de Michel Butor », Postface à l'édition de *La Modification*, 10 × 18.

LOP (Édouard) et SAUVAGE (André) : « Essai sur le nouveau roman », *La Nouvelle Critique*, nos 124, 125 et 126, mars, avril et mai 1961.

MAGNY (Olivier de) : « La Modification », *Esprit*, no 263-264, janvier 1958.

MATTHEWS (J. H.), « Michel Butor : l'Alchimie et le roman », *Revue des Lettres modernes*, no 94-99, 1964 (1).

PEILLARD (Léonce) : « Léonce Peillard s'entretient avec Michel Butor », *Livres de France*, no 6, juin-juillet 1963.

PICON (Gaëtan) : « La Modification », *Mercure de France*, no 1133, janvier 1958.

PICON (Gaëtan) : « La Modification », *L'usage de la lecture*, II. Mercure de France, 1961.

PINGAUD (Bernard) : « Je, vous, il », *Esprit*, no 263-264, juillet-août 1958.

POUILLON (Jean) : « A propos de la Modification », *Les Temps modernes*, no 142, décembre 1957.

RAILLARD (Georges) : « De quelques éléments baroques dans le roman de Michel Butor », *Cahiers internationaux d'études françaises*, no 14, mars 1962.

RAILLARD (Georges) : « Michel Butor », *Livres de France*, no 6, juin-juillet 1963.

ROUDAUT (Jean) : *Michel Butor ou le livre futur*, Gallimard, 1966.

ROUDAUT (Jean) : *Répétition et modification dans deux romans de Michel Butor*. Estratto da saggi e ricerche di letteratura francese, vol. VIII, anno 1967, Libreria Goliardica Editrice, Pisa, 1967.

ROUDIEZ (Léon S.) : *Michel Butor*, Columbia University Press, New York, Londres, 1965.

ROUSSEAUX (André) : « La Modification », *Le Figaro littéraire*, no 602, 1er novembre 1957.

ROUSSEAUX (André) : « Butor, romancier de la prison humaine », *Le Figaro littéraire*, 19 avril 1958.

ROUSSET (Jean) : « Trois romans de la mémoire », *Cahiers du symbolisme*, 1966, I.

SPITZER (Leo) : « Quelques aspects de la technique des romans de Michel Butor », *Archivium linguisticum*, Jackson, Son et Cie, Glasgow, vol. XIII et vol. XIV, 1962.

St. AUBYN (F. C.), : « Entretien avec Michel Butor », *The French Review*, vol. XXXVI, no 7, octobre 1962, New York, p. 12-13.

St. AUBYN (F. C.) : « Michel Butor and Phenomenological realism », *Studi francesi*, no 16, p. 51-60.

THODY (Philip) : « Michel Butor : La Rectification », *Revue des Lettres modernes*, no 94-99, 1964.

ZELTNER (Gerda) : *La Grande Aventure du roman français au XXe siècle. Le nouveau visage de la littérature*, Gonthier, 1967.

INDEX DES NOMS, DES ŒUVRES
ET DES PRINCIPAUX CONCEPTS CRITIQUES

Table 311

tel

Dernières parutions

*Ouvrage reproduit
par procédé photomécanique.
Impression B.C.I.
à Saint-Amand (Cher), le 9 octobre 1995.
Dépôt légal : octobre 1995.
Numéro d'imprimeur : 1/1735.*

ISBN 2-07-074310-1./Imprimé en France.